Pierre
Béland

Là où
la nuit
tombe

Du même auteur

Trois jours en juin (sous le pseudonyme de Steven Gambier), Libre Expression, 1998

Les Bélugas ou l'Adieu aux baleines (aussi publié aux États-Unis et au Japon), Libre Expression, 1996

Pierre
Béland

Là où
la nuit
tombe

roman

Une compagnie de Quebecor Media

Catalogage avant publication de Bibliothèque et Archives nationales du Québec
et Bibliothèque et Archives Canada

Béland, Pierre
　　Là où la nuit tombe
　　ISBN 978-2-7648-0478-0
　　I. Titre.
PS8603.E43L3 2010　　C843'.6　　C2009-942546-7　　PS9603.E43L3 2010

Édition : André Bastien
Révision linguistique : Marie Pigeon Labrecque
Correction d'épreuves : Laurence Baulande
Couverture : Marike Paradis
Grille graphique intérieure : Groupe Librex
Mise en pages : Hamid Aittouares
Photo de l'auteur : Groupe Librex
Photo de couverture : Sinsong (www.sin-song.net)

Cet ouvrage est une œuvre de fiction ; toute ressemblance avec des personnes ou des faits réels n'est que pure coïncidence.

Remerciements
Les Éditions Libre Expression reconnaissent l'aide financière du gouvernement du Canada par l'entremise du Programme d'aide au développement de l'industrie de l'édition (PADIÉ) pour leurs activités d'édition. Nous remercions le Conseil des Arts du Canada et la Société de développement des entreprises culturelles du Québec (SODEC) du soutien accordé à notre programme de publication. Gouvernement du Québec – Programme de crédit d'impôt pour l'édition de livres – gestion SODEC.

Les Éditions Libre Expression
Groupe Librex inc.
Une compagnie de Quebecor Media
La Tourelle
1055, boul. René-Lévesque Est
Bureau 800
Montréal (Québec) H2L 4S5
Tél. : 514 849-5259
Téléc. : 514 849-1388
www.edlibreexpression.com

Dépôt légal – Bibliothèque et Archives nationales du Québec
et Bibliothèque et Archives Canada, 2010

ISBN : 978-2-7648-0478-0

Distribution au Canada
Messageries ADP
2315, rue de la Province
Longueuil (Québec) J4G 1G4
Tél. : 450 640-1234
Sans frais : 1 800 771-3022
www.messageries-adp.com

Diffusion hors Canada
Interforum
Immeuble Paryseine
3, allée de la Seine
F-94854 Ivry-sur-Seine Cedex
Tél. : 33 (0)1 49 59 10 10
www.interforum.fr

À France

« Parfois il me semble que l'Homme est apparu là
où on ne veut pas de lui, où il n'a pas sa place. Sinon,
pourquoi voudrait-il ainsi tout avoir pour lui ? »

Joseph Conrad, *Lord Jim*

PREMIÈRE PARTIE

TOTEM
Printemps 2020

L e joggeur vit bien le corps qui gisait en travers du sentier. Mais trop tard. Emporté dans sa course, l'homme hésita entre allonger le pas et retenir la jambe. Et il posa le pied en plein dans le mou du ventre tout blanc. L'homme se retira aussitôt, comme s'il venait de marcher sur un charbon ardent. La relâche des tissus fit s'engouffrer l'air humide par la bouche entrouverte, quelque part sous les broussailles.

Le coureur avança à cloche-pied sur un mètre ou deux avant de s'arrêter. Le rythme brusquement interrompu de son exercice matinal se concentra dans sa poitrine en feu puis remonta battre à ses tempes. Hors d'haleine, les yeux fermés, il voyait une image phosphorescente du corps allongé sur le sol noir. «Femme…», hoqueta-t-il, et le mot fusa sous la futaie humide comme le souffle d'un phoque, «nue…». N'osant se retourner, toujours plié en deux, les mains pressées sur ses genoux flageolants, il n'arrivait pas à calmer le rythme de son cœur. Son pied droit lui faisait mal. Il pivota sur l'autre cheville, le regard toujours rivé au sol, cherchant à voir si sa chaussure souillée de boue et sa jambe portaient des traces de sang.

Le silence se fit un court instant, puis le vent léger ramena le murmure des feuilles des érables. Il regarda autour de lui. Il n'y avait personne d'autre. Personne de vivant sur le parcours difficile qu'il n'empruntait pas souvent et qui montait en paliers dans la forêt vers le sommet du mont Royal. Incrédule en dépit de la vision obsédante, il se retourna enfin et revint sur ses pas. Ce qu'il vit dérégla aussitôt les battements dans sa poitrine.

Une forme blanche était allongée perpendiculairement à la raie spongieuse du sentier. Les pieds semblaient enfouis sous des rameaux lourds de pluie d'un côté du chemin, et la tête était cachée par le feuillage en face. Il y avait surtout ce ventre, marqué d'une trace de pas boueux, et des cuisses ondulant sous le jeu des ombres. Au beau milieu, un sexe bien noir, touffu comme un petit animal. Le coureur crut un moment que la scène allait disparaître en un éclair. Mais elle demeura figée. C'est alors qu'il nota la poitrine balafrée de profondes entailles d'où le sang suintait, rouge comme du vin.

Pris d'une curiosité morbide, la main plaquée sur sa bouche, il examina le corps et les alentours. Les jambes étaient entrouvertes, les genoux inclinés légèrement vers l'extérieur. Des lambeaux de tissu bleu clair s'accrochaient aux poignets, coulaient sur les poings serrés comme en une dernière convulsion. Plus loin gisaient le haut d'un vêtement de sport et un pantalon de la même couleur, déchiquetés aussi. Les écouteurs d'un baladeur avaient glissé sur le cou, formant une sorte de collier. Le visage était intact et lisse comme un masque de porcelaine. Les traits doux étaient ceux d'une Asiatique. «Ou une Amérindienne», pensa-t-il. Dans la vingtaine. Belle. Très belle. Aux pieds, elle portait des baskets, comme lui. «Elle courait, comme moi…»

À cette pensée, la peur le saisit. Il sauta par-dessus le corps et dévala en claudiquant la pente d'où il était venu. La pluie s'était remise à tomber et il glissa autant qu'il courut jusqu'à sa voiture en bas, où il saisit son téléphone portable comme on s'accroche en mer à une bouée salvatrice, pendant qu'un rideau de gouttes de pluie grosses comme des raisins martelait son front bouillant.

L'inspecteur de police Louis Canesta n'avait jamais vu un cas semblable. La violence de l'attaque avait été inouïe. L'agresseur avait arraché et mis en lambeaux les vêtements avant de lacérer le corps avec une arme blanche. Ou avec un crochet de boucher. Des pieds jusqu'au cou. Seul le visage semblait étonnamment intact. L'inspecteur regardait fixement la scène, pendant que ses deux collègues, Brigitte Garant et Richard Neil, procédaient à l'examen de la victime. Canesta songea que c'était la première fois qu'il voyait une femme nue depuis que Laura était morte. Il refoula aussitôt cette pensée morbide et remercia le ciel que l'eau qui ruisselait sur ses joues fût de la pluie et non des larmes.

Les brancardiers arrivèrent et Canesta leur fit signe de se tenir à l'écart. Richard Neil sortit un appareil photo et se mit à croquer la scène sous tous les angles. Neil et Canesta faisaient équipe depuis des années, mais

Brigitte était une recrue, et Canesta ne pouvait s'empêcher de surveiller chacun de ses gestes. Les petites mains gantées de la policière paraissaient sauter ici et là sur le corps livide. Celui-ci flottait un instant à chacun des coups de flash de l'appareil de Neil, avant de retomber en écrasant son ombre. Garant passait les sachets à Canesta, qui les scellait en silence, insensible aux filets d'eau glacée qui s'infiltraient dans sa chevelure frisée et dégoulinaient dans son cou.

— Tu crois que nous en tirerons quelque chose, Brigitte ? avança-t-il, dubitatif.

Il avait déjà fait chou blanc dans des conditions beaucoup plus propices.

— Je pense que oui, répondit-elle, si nous faisons rapidement. Le feuillage a protégé le corps de la pluie et…

Mais Brigitte fut interrompue par son supérieur, qui s'écria soudain :

— Elle a bougé… Bon sang, elle est vivante !

Canesta venait de voir les yeux de la morte rouler sous les paupières. Il s'approcha du visage de la victime et sentit un léger souffle. Puis il entendit, à peine audible, sortant des lèvres exsangues, un son plusieurs fois répété, lentement : « No… no… no… » Ce fut tout. Les yeux roulèrent encore une fois et la bouche se referma.

Richard, déjà, avait tâté le pouls au poignet et approuvait d'un hochement.

— Emmenons-la !

C'était un véritable miracle. L'inspecteur aida Neil et Garant à charger la victime meurtrie et labourée sur le brancard prévu pour un cadavre. Il fallait la sortir de là au plus vite, et la petite troupe quitta à regret la scène du crime. Brigitte distança bientôt ses deux collègues, qui assistaient les brancardiers dans la descente vers le pied de la montagne. C'était ardu à cause de la pente raide du sentier mal tracé, mais aussi parce que l'inspecteur n'arrivait pas à se concentrer sur sa tâche, ressassant les quelques observations qu'il avait eu le temps de faire. « C'est incroyable qu'elle vive encore. Sous le choc, elle a perdu connaissance et est aussitôt tombée dans le coma. C'est ce qui l'a sauvée… »

Il interrompit sa réflexion pour enjamber un gros caillou et faillit perdre l'équilibre. Sa main se cramponna instinctivement à l'objet le plus proche. En l'occurrence, le rebord de la civière. Une jambe dépassa de la toile de nylon, le pied se coinça entre les branches d'un arbrisseau et la victime faillit se retrouver au sol parmi la pierraille et la végétation morte.

— Merde ! Elle n'était pas arrimée correctement, lança Neil.

Ils la replacèrent, la fixèrent au brancard et la recouvrirent. Déjà, les feux de l'ambulance perçaient le feuillage tout près, et quelques badauds se pointaient malgré le temps de chien. L'inspecteur demanda à son collègue :

— Brigitte a bien tout prélevé ?

— Oui, oui, ne crains rien, c'est fait ! le rassura Richard.

— Tu en es bien certain ? Elle a bien échantillonné partout ? La bouche, les seins, les fesses et entre les cuisses ?

— Oui, patron ! Les bras, le ventre, le visage, tout.

— Les mains ? Il n'y avait rien dans ses mains ? Des cheveux, du tissu ?

— Nous n'avons pas eu le temps de regarder. Tu as vu comme elles sont fermées, crispées, ses petites mains ? J'allais y venir lorsque tu as crié qu'elle était encore vivante.

— Je veux qu'on retrouve ce salaud. Le plus vite possible.

— Ne t'en fais pas, Brigitte est déjà loin devant. Les échantillons seront au labo dans le temps de le dire.

— Le type qui a trouvé la victime a peut-être vu ou entendu quelque chose. Cela lui reviendra peut-être. On l'a convoqué au poste ?

— Bien évidemment. Il t'attend, confirma Richard.

— Selon moi, l'assassin venait juste de commettre son crime, estima Canesta. Peut-être même que l'arrivée du joggeur l'a empêché de terminer sa sale besogne. Il n'a pas eu le temps de…

Il allait dire « de la violer », mais il n'en savait rien. Il souhaitait que le meurtrier ne l'ait pas fait, même si, secrètement, il était bien conscient que, sans viol, il y avait moins de chances de trouver une preuve, du sperme, des cellules de l'agresseur pour les analyses d'ADN. Neil brisa le silence :

— Et si l'agresseur était encore tout près lorsque le coureur est passé ? Peut-être qu'il était encore tapi dans les fourrés à proximité. Qu'il est encore sur la montagne, pourquoi pas ?

Ses mots n'étaient pas vraiment des questions. Sinon pour lui-même, et Canesta avait les siennes :

— Richard, tu sais ce qu'elle a dit avant de retomber dans les pommes?

— J'ai entendu un souffle, c'est tout.

— Elle a répété deux ou trois fois «no, no». Elle est anglophone, peut-être... La pauvre, même dans son état, elle le voyait encore.

— Louis, proposa son collègue, dès qu'on aura déposé le corps dans l'ambulance, on remonte là-haut ratisser les environs.

Ils étaient arrivés sur le plat à proximité de l'ambulance, et les deux policiers laissèrent les brancardiers accomplir leur travail. Canesta sortit aussitôt son portable et appela la centrale de police.

— Ici Canesta. Nous avons besoin de renforts. Je veux boucler tout le secteur. Oui, la montagne au complet! tonna-t-il.

Les autos-patrouille postées aux sorties du parc du Mont-Royal et les policiers qui ratissèrent les lieux de fond en comble ne rapportèrent rien. L'inspecteur Canesta et son équipe ne trouvèrent rien non plus lorsqu'ils retournèrent piétiner la boue noire sur les lieux du crime. Sinon quelques lambeaux de vêtements et une petite culotte mise en pièces que l'on glissa dans un sac étanche. Pas d'arme, pas de trace de pas que la pluie n'eût effacée ou qui ne fût attribuable au joggeur ou à l'un ou l'autre des centaines de promeneurs qui empruntaient chaque jour les sentiers du parc le plus célèbre de Montréal.

L ouis Canesta fulminait. Le laboratoire avait remis son rapport, mais il ramenait l'enquête au point de départ. Les analyses n'avaient rien donné qui permette d'identifier l'agresseur de la malheureuse qui gisait à l'hôpital universitaire dans un état semi-végétatif. Les écouvillons passés ici et là un peu partout sur le corps, la bouche, le vagin et les plaies de la victime étaient vierges. Pas de sperme, pas d'ADN étranger. Rien. On ne détenait aucune information, à part le groupe sanguin de la victime et, bien sûr, son sexe, que Canesta et son équipe avaient évidemment pu constater par eux-mêmes sur le lieu du crime.

Pourtant, les balafres sur le corps, parfois de véri-tables entailles, démontraient un acharnement peu commun. L'auteur du crime avait mutilé les bras, les jambes, la poitrine, arraché les cheveux. Seuls le visage et une partie du ventre étaient intacts. Dès le départ, Canesta avait cru avoir affaire à un maniaque à l'affût de la première femme qui se présenterait sur son chemin ce matin-là. Il imaginait un prédateur embusqué sur la montagne dès les petites heures du jour, misérable sous la pluie autant qu'exalté par la perspective de ce qu'il s'apprêtait à commettre, attendant une proie, n'importe laquelle pourvu qu'elle soit attirante et jeune. Sur ce sentier haut sur la montagne, c'était assuré : celles qui s'y rendaient dans leur course étaient nécessairement en grande forme. Minces. Élancées. Excitantes.

Comment était-il possible, se demandait Canesta, que cet assassin, ce sadique, cet homme – il ne doutait pas un seul instant que ce fût un homme qui avait perpétré un crime aussi violent –, ce malade n'ait laissé aucun indice qui permettrait peut-être de l'identifier et de le traquer ? L'absence de gènes étrangers, suggéra le médecin légiste du labo, pouvait laisser croire que le criminel portait des gants. Instinctivement, Canesta avait rejeté cette hypothèse. « Trop chirurgical ! avait-il décrété. Ce genre de type veut toucher de ses propres mains. »

Et puis il avait accepté la préméditation, et même admis que le criminel ait pu connaître sa victime, donc ses habitudes. Mais il n'était toujours pas satisfait. « Pourquoi le salaud se serait-il donné tout ce mal ? » avait-il lancé à Richard. Monter là-haut sous la pluie, avant que le jour se lève. Pourquoi, s'il connaissait sa victime, ne pas l'avoir attendue chez elle, tapi dans le noir, pour la frapper au moment où elle sortait faire son jogging ? Ou même au début du sentier, près du parking au bas de la montagne. N'importe où, n'importe quand plutôt que ce matin-là.

Canesta saisit le téléphone et appela le médecin légiste :

— Bonjour, Robert, c'est Canesta. On fait quoi maintenant ? Tu dis ? Un animal ? Évidemment que c'est possible. Avec ces blessures profondes… Oui, oui, ça pourrait être des marques de griffes. Plutôt larges, en effet. Trop grandes pour un chat. Un chien ou un loup ? Mais il n'y a aucune trace de morsure, ou je me trompe ?

L'inspecteur écoutait attentivement, l'air plutôt dubitatif. Il avait envie de dire à l'expert médical qu'à sa connaissance les grands prédateurs, ours, couguars, lions et tigres, étaient plutôt rares à Montréal, même dans les parcs boisés…

— D'accord, docteur, c'est toi le spécialiste. Vas-y, on n'a rien à perdre, acquiesça-t-il avant de raccrocher.

Canesta se rendit aussitôt au bureau de Richard Neil.

— Salut, patron, et ce rapport de labo ? s'enquit ce dernier.

— Zéro, ils n'ont rien trouvé, lança Canesta en se laissant tomber sur une chaise.

— J'avais raison. Il avait prémédité son coup.

— Mouais, c'est possible, reconnut Canesta sans conviction. À tout hasard, le légiste a suggéré de vérifier si la victime n'aurait pas été attaquée par un animal. Qu'en penses-tu ?

— Possible. Les blessures étaient profondes. Trop profondes par contre pour la faune du parc…

L'inspecteur ne commenta pas. Devinant la question que Neil ne manquerait pas de poser, il rassemblait mentalement ses notes de cours au collège de la police et à l'université ainsi que les rapports des expertises médico-légales liés aux cas sur lesquels il avait enquêté dans le passé.

— Déjà, commença Neil, ça ne me semble pas simple de confirmer l'identité d'un individu à partir de l'ADN… On a bien vingt-trois paires de chromosomes, ce qui veut dire des milliers de possibilités ?

— Pas des milliers. C'est plutôt de l'ordre du milliard.

— Justement ! Comment font-ils pour vérifier tous ces gènes ?

— On ne vérifie pas tout, Richard. Chez l'humain comme chez les animaux, quatre-vingt-quinze pour cent de l'ADN des chromosomes ne sert apparemment à rien. On appelle ça de l'ADN poubelle. Chez l'homme, par exemple, il n'y a que vingt mille gènes.

— Bon, admettons que ça réduise le travail, mais c'est quand même énorme.

— C'est pourquoi le labo vérifie habituellement treize régions précises. Dans celles-ci, il y a des séquences de molécules qui se répètent au hasard. Les probabilités que deux individus soient identiques à chacun de ces sites sont presque totalement nulles.

— OK, admit Neil. Mais comment fait-on pour un animal ?

— Pour un humain, le labo examine l'ADN dans le noyau des cellules. Pour un animal, si je me souviens bien, on passe directement à l'analyse des mitochondries…

— Ah bon, c'est très simple, en effet, ironisa Neil.

— Écoute, vieux, tu me poses une question, je te réponds…

— D'accord, je me tais.

— En plus du noyau, où se trouvent les chromosomes, les cellules animales contiennent plusieurs petits organes microscopiques, dont des capsules nommées mitochondries. Elles contiennent aussi du matériel génétique, mais qui n'a rien à voir avec celui qui est dans le noyau.

— Et ces mito machins, il y en a seulement chez les animaux ?

— Il y en a chez les humains aussi. Nous sommes des animaux, Richard. Donc tu en as, j'en ai, ta mère et ton père aussi. Mais le matériel génétique dans les mitochondries est différent d'une espèce à l'autre. Je me souviens d'un boucher qui a été condamné pour avoir vendu du chevreuil qu'il faisait passer pour du veau. On l'a pincé en examinant l'ADN dans les mitochondries des cellules de la viande. Les douanes font la même chose pour repérer les importations de peaux et d'organes d'espèces menacées dont le commerce est interdit.

— Génial, siffla Richard. De sorte que si une bête est passée sur cette fille et a laissé quelque chose, des cellules, Lemieux les trouvera et identifiera l'espèce.

— C'est bien ça.

— Tu y crois, toi ?

— À la technique, oui, absolument, admit Canesta. Mais dans ce cas précis...

Il hésita avant d'ajouter :

— Disons que ça vaut la peine d'essayer.

Le second rapport mit vraiment Canesta hors de lui. Cette fois, l'expert médical Robert Lemieux vint le présenter en personne. Il pénétra dans le bureau avec trois feuilles à la main, qu'il posa sous les yeux de l'inspecteur. Les résultats lançaient l'enquête dans une direction que Canesta jugeait encore plus farfelue que toute autre hypothèse.

— Tu te moques de moi, protesta Canesta.

— Absolument pas, rétorqua Lemieux.

— Tu as trouvé ça dans notre labo, ici ?

— J'ai fait confirmer l'identification, c'est du béton.

— Et ça provient de la victime ?

— Les mêmes échantillons que nous avions traités la première fois, assura le médecin.

Canesta refusait de croire ce qu'il y avait sur les feuilles étalées bien à plat devant lui. Lemieux, penché en avant, les parcourut de son index :

— Nous avons trouvé des séquences, autrement dit des gènes, qui ne sont pas humains. Nous avons contre-vérifié. Ce sont…

Le médecin montrait du doigt la reproduction d'une plaque photo imprimée au bas de la page. Une série de colonnes verticales formées de petites galettes d'un gris plus ou moins prononcé et empilées en équilibre les unes sur les autres.

— Là, là et là. Ce sont ceux-là. Il n'y a pas de doute. Aucun.

Il regarda Canesta d'un air triomphal, tel Champollion qui venait de déchiffrer la pierre de Rosette.

— Ce sont les gènes d'un gorille, affirma-t-il.

— C'est certain ?

— Absolument.

— Tu veux dire absolument… impossible.

— Invraisemblable, peut-être. Impossible, non.

Canesta tourna le document de haut en bas, puis de gauche à droite. Non seulement il ne voyait pas pourquoi c'était probant, mais surtout il aurait préféré que le labo s'en tienne à la version précédente : rien, aucun indice. Lemieux saisit la feuille par un coin et la fit pivoter doucement entre les mains de l'inspecteur.

— Dans l'autre sens, Louis. Ce sont les séquences que tu vois ici. Et ici. Et là. Elles appartiennent à un gorille.

— Ça ne m'étonne pas que vous ayez mis autant de temps pour trafiquer les données et arriver à des résultats pareils ! éclata l'inspecteur. Ça ne tient pas debout, bon sang, Robert !

— J'ai fait appel à un expert externe, sans bien sûr lui dire de quoi il s'agissait.

— Qui est-ce ?

— Martin Shaw, à l'Université du Québec. C'est le meilleur, Louis. Son labo a les séquences d'ADN de milliers d'espèces animales ainsi que les logiciels pour les apparier. Il est cher, mais rapide. L'identification ne fait pas le moindre doute. En plus...

Le médecin leva l'index pour appuyer sa conclusion :

— Il y en avait une quantité astronomique.

— Où exactement ?

L'inspecteur Canesta songeait à un endroit précis, mais il ne voulait pas se résoudre à le formuler. Il n'arrivait pas à conjurer l'image répugnante qui lui venait depuis quelques instants. Celle d'un grand primate poilu, aux yeux insondables, comme ceux d'un drogué, et enfoncés dans un gros crâne plat et fuyant. Une bête primitive affalée sur une jeune femme et en train de la toucher, de la caresser, de la...

— Nous avons repris tous les échantillons. Ces segments étrangers étaient présents presque partout.

— Pourquoi « presque » ?

— Je le dis par souci d'exactitude, étant donné que certains échantillons n'ont rien donné. Mauvaise récolte, matériel abîmé, et le reste. Si on les exclut, on peut dire qu'il y en avait partout.

— Partout !

— Oui. Cela veut dire, d'une part, qu'il ne s'agit pas d'une erreur de manipulation. Et d'autre part...

— Je veux dire : où sur le corps ? l'interrompit Canesta.

— C'est ce que je viens de te dire, Louis. Il y en avait dans tous les échantillons valables que Brigitte a prélevés. Sur les bras, les seins, le ventre, les cuisses, les fesses, le sexe, partout.

— Bon Dieu ! Mais comment est-ce possible ? Il l'a... ?

— Je ne sais pas. Mais voici ce qui s'est passé selon moi. Les cellules de la peau se remplacent constamment et tombent. En particulier celles des muqueuses. Dans le nez, la bouche, et ailleurs aussi... tu comprends ?

— Non, justement, je ne comprends pas. Je ne connais rien aux gorilles.

— En bref, je pense que le gorille a passé beaucoup de temps sur le corps de sa victime.

— Avant ou après l'avoir tuée ? Enfin, laissée pour morte ?

— Cela, je n'en sais rien. Mais pour laisser autant de traces, tapisser la jeune femme avec autant de ses propres cellules, il a dû la caresser abondamment, longtemps, et il l'a... comment dire...

— Pénétrée?

— Non, ce n'est pas du tout ça que je voulais dire.

— Embrassée?

— Ça, oui, c'est possible. Mais encore plus. Il l'a touchée avec sa bouche, ses lèvres, et aussi, surtout…

— Quoi?

— Avec sa langue.

— Il l'a léchée?

— D'un bout à l'autre, comme s'il s'était agi d'une sucette, si je puis dire.

— Totalement loufoque!

Maintenant, c'était King Kong que Canesta voyait jouant avec la jeune femme. *King Kong*, le film. Pas le plus récent, le précédent. Le film avec Jessica Lange dans son tout premier rôle, fraîche, vaporeuse et terriblement sexy dans tous ses effrois. Le gros singe la tient dans la paume de sa main, il la caresse du bout de son énorme doigt, et son ongle démesuré et effrité décroche doucement l'un des colliers de Lange, revient en arracher un autre, puis le haut de son corsage… Canesta protesta :

— Absolument loufoque!

— Il n'y a pas d'autre possibilité. Martin est formel. Je t'avouerai, Louis, que moi aussi, en tant que citoyen ordinaire, je trouve ça, comme tu dis, loufoque. Mais je suis un scientifique, et je ne peux pas rejeter une donnée indéniable. Pour que les cellules du gorille se retrouvent ainsi sur cette jeune femme, il a fallu qu'il joue longtemps avec elle, comme je l'ai décrit, avant de la griffer, puis de l'entailler. Il y avait ces mêmes segments de gènes dans les blessures. Dans lesquelles d'ailleurs les tissus déchirés étaient bien en évidence, démontrant une action… disons… des plus efficaces de la part de l'agresseur.

Sur ce dernier sujet, les vues de l'inspecteur rejoignaient celles du médecin légiste. Les blessures sur le corps étaient inhabituelles. Elles ne ressemblaient pas à celles qu'aurait causées une arme blanche. Les plaies étaient irrégulières, leurs lèvres étaient effilochées. C'étaient des marques faites par un objet dentelé plus ou moins régulièrement, tel un éclat de pierre, les épines d'un arbuste ou, il fallait bien l'admettre… les griffes d'un animal. L'examen n'avait révélé aucune fibre végétale ou minérale dans les blessures. Il n'y avait que des cellules avec les gènes de ce King Kong.

— Un gorille peut-il faire ce genre de blessures avec ses mains ?… Je veux dire avec ses pattes de devant ?

— Les spécialistes que j'ai consultés m'ont assuré que oui. Un gorille mâle peut taillader un assaillant de cette façon. Et faire encore plus de dommages si le cœur lui en dit, si tu veux vraiment mon avis.

— Donc, ton avis de scientifique est que le meurtrier, enfin, l'agresseur, est un gorille. C'est bien ça ?

— Pas moyen de le nier. Et nous n'avons pas d'autre piste.

Voyant l'air défait de l'inspecteur, Lemieux ajouta :

— Pour le moment.

— Merci, Robert. Bon. Admettons, concéda Canesta, mais j'ai encore deux questions. Quand nous avons retrouvé la jeune femme, elle s'est réanimée pendant quelques instants, et elle a murmuré : « No ! No ! »

Ça veut dire non, ça, en bon anglais, martela-t-il en s'énervant. Les gorilles ne parlent pas, ni le français, ni l'anglais, ni aucune autre langue. C'est pour ça que, lorsqu'une fille est agressée par un gorille, que ce soit à Montréal ou dans un film, elle ne lui parle pas, elle ne lui dit pas : « Monsieur ! Arrêtez ! Non ! » Elle se met à crier, elle hurle quelque chose de primal que son agresseur peut comprendre : « Yiiiii ! » ou « Aaaaah ! » ou quelque chose du genre, bon sang !

Canesta réalisa qu'il était en train de fendre l'air de ses bras comme s'il tentait de traverser le bureau à la nage. Il se calma avant de poursuivre :

— Ensuite, mon cher, et là c'est du plus sérieux, où trouver un gorille de nos jours ? Je croyais que le gorille avait disparu de la planète. Espèce éteinte. Non ?

— J'ai posé la même question. On m'a dit qu'effectivement il n'y avait plus de gorilles à l'état sauvage depuis quelques années.

— Ah !

— Par contre, il y en a en captivité.

— Sauvé !

Le regard courroucé de Lemieux fit regretter à Canesta sa dernière remarque, et il ajouta, levant les mains en signe d'abandon :

— En captivité… OK. OK. Où ? À Montréal ?

— Justement, non. J'ai vérifié, tu penses bien. Le centre qui héberge des primates, dans le West Island, n'a pas eu de gorilles en pension depuis longtemps.

— Et au zoo de Granby ?

— Ils ont toujours le leur. Mais il est courbé par les rhumatismes. Il ne ferait pas un kilomètre à pied.

— Ouf!

— Louis, je t'en prie!

— Mais tu vois bien que ton histoire ne tient pas debout!

— La preuve est pourtant là. Irréfutable. Les gènes ne trompent pas. Admettons que quelqu'un ait agressé cette femme. Encore te faudra-t-il trouver ce type. Et pourtant, comme aurait dit Galilée à propos de la Terre tournant autour du Soleil, il y a bel et bien un gorille qui est passé par le mont Royal ce matin-là, qui a trouvé le corps de cette femme, avant ou après, et qui a laissé sur elle les preuves indéniables de son passage.

Au-delà de la raison, son instinct disait à l'inspecteur que cette théorie frisant la mauvaise science-fiction était fausse. Mais il oublia un instant les réserves qu'il avait et poursuivit le raisonnement jusqu'à sa conclusion logique, comme lorsqu'il suivait une vraie piste.

— D'accord, d'accord, concéda-t-il. Suggères-tu que je fasse une vérification dans les autres zoos du Canada et des États-Unis? «Messieurs, auriez-vous égaré un gorille, par hasard?» Devrais-je faire appel à Interpol selon toi? Ou à Interzoo, si ça existe? «Animaux perdus, bonjour?» Tu veux vraiment que je me couvre de ridicule, Robert? Et en ce moment, ton gorille, où est-il? Cela se voit, une grosse bête comme ça, cela se remarque tout de même, un gorille. À Montréal, en pleine ville!

Avant de devenir médecin légiste, Lemieux avait été dans la police. La frustration et une mauvaise expérience l'avaient convaincu de retourner aux études.

Il ne s'étonna donc pas de la réaction de Canesta. Compréhensif, il lui relança la balle :

— Monsieur l'inspecteur Canesta, ce serait plutôt à moi de te poser la question. Chacun son métier.

— Bon. Je vois. Donc, le gorille serait encore sur la montagne. Organisons une battue. Quel joli travail ! Avec cette pluie qui n'arrête pas... Selon toi, devrait-on chercher sous les souches ou là-haut dans la futaie ?

— Dans les arbres, je dirais.

— Alors il vaudrait mieux attendre l'automne, tu ne crois pas ? Quand les feuilles seront tombées, il se verra mieux, le gorille, là-haut à travers les branches dénudées.

— Très amusant, Louis.

Bien évidemment, Canesta avait ordonné qu'on fasse une nouvelle battue sur le mont Royal. Comme il s'y attendait, les participants n'avaient pas levé le moindre singe, de quelque espèce que ce soit.

En entrant dans la chambre silencieuse, Canesta songea qu'il n'était pas bon de passer ainsi autant de temps dans les hôpitaux. L'atmosphère sentait la mort et le personnel ressemblait à des zombies. Et encore, Canesta, lui, n'avait que deux patientes, sa mère et la victime du mont Royal. Les médecins et les infirmiers devaient posséder un petit commutateur quelque part sur leur corps, qu'ils pouvaient actionner pour passer du côté vie privée au côté vie professionnelle. Les policiers aussi. Richard Neil en avait sûrement un. « Pas moi », regretta Canesta.

— Bonsoir, maman, comment a été ta journée ? s'informa-t-il en s'efforçant de sourire.

— Assez bonne, mon Louis.

Canesta s'approcha, lui caressa la joue et l'embrassa sur le front. Toute menue dans le grand lit blanc, elle lui sembla être une naufragée que son ample vêtement maintenait à la surface pour quelque temps encore. Elle saisit la main de son fils, comme si c'était lui qui avait besoin d'une bouée.

— Toi, tu as l'air épuisé, observa-t-elle. C'est cette tentative de meurtre qui te mine, n'est-ce pas ?

— Évidemment.

— Tu penses encore souvent à Laura ?

— C'est surtout à la vie et à ses mauvaises surprises que je pense.

— Tu n'es pas forcé de venir me voir aussi souvent, tu sais.

— Si je peux, je viens. Sinon, je demande à Christina ou à Madeleine.

Des souvenirs et trois enfants étaient tout ce qui peuplait encore la vie de Mme Canesta. Louis insistait pour que l'un d'entre eux vienne la voir chaque jour, au moins quelques heures. Le soir était le moment le plus dur. Pour elle comme pour lui.

— Qu'est-ce que tu as fait à tes cheveux ? demanda-t-elle.

— Coupés, simplement.

— Très court, mais ça te va bien.

Il la regarda longuement. Chaque jour, elle s'amenuisait comme les plaques de neige sous les sapins que la fonte du printemps change en glace, prolongeant ainsi leur vie, parfois jusqu'à l'été. Il approcha une chaise de la tête du lit où elle reposait à demi inclinée et prit un livre sur la commode. Une petite plaquette aux textes en espagnol et en français se faisant face. Sa mère les connaissait par cœur et lui, presque autant, à force de les réciter pour elle plusieurs fois par semaine. Elle lui demandait toujours de recommencer au début ou au milieu, pour ne pas risquer d'atteindre la dernière page.

— Par lequel veux-tu que je commence? s'enquit-il en chuchotant à son oreille.

— Le sept, si tu veux bien.

Toujours incliné tout près de la tête de sa mère, Louis tourna quelques feuillets et trouva le septième des vingt poèmes d'amour de Pablo Neruda: « Penché dans les soirs, je jette mes tristes filets à tes yeux océaniques. Là s'étire et flambe...»

Elle s'endormit au milieu du neuvième. L'inspecteur Canesta éteignit la veilleuse et se retrouva seul, assis sur le bout de la chaise dure à côté du lit. Jusque tard dans la nuit, il se projeta à répétition le film des derniers jours, espérant que cette séance pour une fois lui montrerait la piste de celui qui avait pu commettre cet horrible crime. Même s'il ne croyait pas à ce gorille, il le voyait partout, comme un enfant est pourchassé par un des démons qui habitent ses cauchemars.

Hanté par le corps blanc et meurtri de la jeune femme allongée en travers du sentier, l'inspecteur revivait le moment où, enfonçant les genoux dans la terre mouillée, il s'était approché au-dessus de cet être tout transi. Son corps à elle si nu et si froid, contre le sien bien vivant et tout chaud, tendu vers la bouche délicate pour saisir son murmure. Il entendait encore clairement dans le silence bourdonnant de la chambre le râle venu des profondeurs, comme des vagues roulant doucement dans la nuit vers le rivage : « No... no... no...»

Hank Dahler touchait presque au but. Tout dépendait désormais du haut fonctionnaire du gouvernement chinois qu'il attendait stoïquement depuis une bonne heure. Hank avait mis des années à se rendre jusqu'à ce bureau pour rencontrer celui qui déciderait de la suite de sa mission. Attendre encore une heure ou même une journée entière ne le rebutait pas. De toute façon, cet homme était son dernier recours, et Hank n'avait aucune idée de ce qu'il ferait si sa démarche devait avorter encore une fois.

Deng Xiaobo arriva seul, referma la porte, enleva ses lunettes et les posa sur son bureau. Il tendit la main à son visiteur et l'invita à s'asseoir.

— Monsieur Hank, bienvenue à Beijing.

— *Nihao Deng xiansheng, renshi nin hen gaoxing!*

— Moi aussi, je suis enchanté de faire votre connaissance, répéta Deng. Vous parlez bien le mandarin, monsieur Hank!

— Malheureusement, je viens juste d'épuiser tout le vocabulaire que je connais.

— Ce n'est pas un problème, j'adore avoir l'occasion de pratiquer l'anglais.

— Si vous permettez, mon nom est Dahler. Hank est mon prénom, monsieur Deng.

Deng passa derrière son bureau et ouvrit le dossier qui avait été posé là à son intention.

— Votre collègue Erich Stark n'est pas avec vous aujourd'hui ?

— Il avait des papiers à régler à l'ambassade d'Allemagne. Une question de passeport, je crois. Ce n'est pas essentiel qu'il assiste à cette rencontre, n'est-ce pas ?

— Non, en effet, reconnut Deng.

Ses doigts parcoururent machinalement les pages du dossier, puis le refermèrent.

— Vous et M. Stark voulez vous rendre au Jilin, au Liaoning, au Helongjiang, et dans cinq autres provinces, y compris Taïwan. C'est bien cela, monsieur Dahler ?

— C'est exact.

— Et pourquoi celles-là précisément ?

— Parce qu'elles sont soit au nord-est, soit au bord de la mer.

— Et vous croyez que c'est là que vous trouverez ce que vous êtes venus chercher en Chine ?

— À vrai dire, je n'en suis pas certain, mais il faut bien commencer quelque part.

— Et vous cherchez des dossiers qui ne sont pas récents…

— Je sais, mais je fais confiance à la rigueur de vos registres.

— Merci, vous êtes trop poli. J'espère que vous ne vous trompez pas. Si jamais vous avez fait erreur, vous devrez faire une nouvelle demande. Vous êtes conscients de ce que cela voudrait dire…

« Oui, se dit Dahler, encore sept années de démarches… » Il ne voulait même pas envisager de recommencer. Pour arriver jusqu'à ce point, Hank avait fait valoir ses antécédents avec les services secrets canadiens et ceux de son collègue au service de son propre pays ; ensemble ils avaient tiré toutes les cordes qu'ils connaissaient, actionné tous les pistons et distribué largement l'argent fourni par leur client. Ils étaient à bout de ressources.

Dahler observa le Chinois. Il était impeccable dans son complet griffé, et Hank regretta de ne pas avoir mis son plus bel habit. Déjà que dans cette ville, avec ses cheveux blonds et ses yeux bleus, il tranchait dans la foule, qu'il dépassait d'une bonne tête. Derrière Deng, la baie vitrée donnait sur la tour du commerce international, au croisement de deux grands boulevards de la capitale. L'embouteillage semblait parfaitement étanche. Rien ne bougeait et Hank souhaita qu'il n'en irait pas de même pour son projet.

— Bien sûr, les données que vous voulez consulter sont confidentielles, lui rappela le fonctionnaire chinois.

— Évidemment, j'en suis conscient, admit Dahler.

— Nous n'acceptons jamais ce genre de demande.

— Parfaitement, et j'apprécie que vous ayez prêté attention à la nôtre, l'assura Dahler.

— Si jamais vous étiez autorisés à consulter ces fichiers, personne ne devra savoir comment vous avez obtenu les informations que vous y trouverez.

— Nous nous y sommes engagés, et M. Stark et moi n'avons qu'une parole.

— Vous êtes canadien, monsieur Hank?

— Oui, monsieur Deng. Mais mon collègue est allemand, comme vous le savez.

— Le Canada est un pays ami, mais son gouvernement n'a pas toujours agi, comment dirais-je, de façon conséquente...

— Je ne représente pas le gouvernement canadien dans cette affaire, mais des intérêts privés, corrigea Dahler.

— Canadiens?

— Entre autres.

Il aurait pu répondre «et chinois», étant donné les sommes qu'il avait distribuées pour en arriver là. Il se contenta d'ajouter:

— Des gens haut placés.

Deng referma le dossier, ouvrit un tiroir et en sortit un petit portefeuille recouvert de faux cuir et marqué du sceau à filigrane doré de la République populaire de Chine.

— S'ils n'étaient pas haut placés, monsieur Dahler, vous ne seriez jamais parvenu jusqu'ici, remarqua Deng en souriant. Tenez, ceci est pour vous, dit-il en tendant le portefeuille. Tous les permis nécessaires ainsi que les lettres de recommandation auprès des autorités sont à l'intérieur. Vous commencerez à Dalian. L'adresse est indiquée. On vous y attend. C'est au Liaoning, monsieur Hank.

Hank regardait la plaque de bronze sur la grille devant l'édifice portant le numéro 1 de la rue Kui Ying.

Le chauffeur de taxi, qui ne semblait pas connaître la ville plus que son passager, avait tourné pendant une demi-heure dans Zhongshan avant de s'arrêter devant cette porte. Il avait déposé les valises de Dahler et de Stark sur le trottoir et était reparti comme un voleur dans le fouillis des rues de Dalian. Les caractères sur la plaque étaient en mandarin, mais les deux étrangers avisèrent sur l'édifice une affichette en anglais : Liaoning Province DaLian City Social Welfare Institute.

— Un bien grand titre pour désigner un orphelinat, fit observer Stark.

Une jeune femme vint ouvrir la grille.

— Bonjour, monsieur Dahler, bonjour, monsieur Stark. Je suis Lijun, votre interprète. Suivez-moi.

Elle les conduisit successivement chez le directeur de l'établissement, chez le directeur adjoint, chez le chef du personnel et chez le chef du registre. La jeune femme emmena ensuite les visiteurs de l'autre côté de la cour intérieure jusqu'à la chambre de fonction qui leur était réservée pour la durée de leur séjour à Dalian. Après que le chef de l'hôtellerie eut donné les consignes à respecter, Lijun se montra compréhensive.

— Vous devez être fatigués de votre voyage. Prenez votre temps, reposez-vous, je viendrai vous chercher à onze heures trente.

La jeune femme disparut en refermant la porte. Dahler et Stark se regardèrent, sidérés. Il était onze heures dix.

Lorsque Lijun revint, ce ne fut pas pour les emmener au registre, qu'ils étaient impatients de consulter, mais au restaurant. Ils y retrouvèrent les administrateurs qu'ils avaient rencontrés le matin et quelques autres fonctionnaires. Le repas dura jusqu'à quatorze heures, et c'est le ventre plein et la tête un peu alourdie par les toasts à répétition que Hank et Erich furent enfin introduits dans la pièce où l'on gardait les données sur les adoptions internationales. C'est à ce moment que, après avoir piaffé tout le matin, Hank se rendit compte que la tâche qu'ils s'étaient donnée était quasi impossible. La petite salle était remplie d'armoires et de classeurs contenant le pedigree de centaines, sinon de milliers d'enfants qui étaient passés par cette institution au cours des décennies précédentes.

Tout ce que les deux hommes avaient pour les guider était une photo. La photo d'un bambin d'un an et demi, peut-être deux ans. Une fillette. Ils avaient des raisons de croire, encore qu'ils n'en étaient pas certains, qu'elle avait séjourné dans un orphelinat chinois avant d'être mise en adoption à l'étranger. Mais dans quelle ville chinoise, et dans quel pays étranger ? Ni Hank Dahler ni Erich Stark n'en avaient la moindre idée ! À franchement parler, ils allaient à la pêche. Comme l'avait dit M. Deng à Beijing, l'orphelinat central de Dalian était une institution parmi d'autres. Seulement une possibilité. Qui plus est, l'adoption avait eu lieu à la fin de 1996 ou dans ces eaux-là. Si la fillette qu'ils avaient la mission de retrouver était encore en vie, elle aurait environ vingt-cinq ans aujourd'hui.

— Voilà la seule piste que nous avons, annonça Hank par l'entremise de Lijun, au responsable du registre, en lui remettant la photo.

Le fonctionnaire regarda le cliché.

41

— Très jolie, s'exclama-t-il. Vous avez bien fait de venir nous voir en premier. D'après ses traits, cette enfant vient certainement d'un village du nord. Vraiment très jolie, ajouta-t-il. Vous avez de la chance !

Il posa la photo sur la table devant lui.

— Mais beaucoup de travail devant vous, reprit-il. De nos jours, nous recevons moins d'enfants qu'autrefois, mais à l'époque dont vous parlez, c'était le grand saut économique, tout le monde voulait devenir riche. Pour les paysans, c'était difficile. Les hommes partaient chercher du travail à la ville, les familles se brisaient. Chaque semaine, plusieurs petites filles étaient déposées dans les villages, si vous comprenez ce que je veux dire… Et elles étaient recueillies ici.

Lijun fit asseoir Dahler et Stark à une table devant des classeurs remplis de fichiers d'adoption. Stark s'informa :

— Pourquoi a-t-il dit que nous avions de la chance ?

— Parce que si la bambine était jolie, il est plus probable qu'elle ait été envoyée à l'étranger. À cette époque, notre gouvernement sélectionnait les plus beaux bébés pour exportation… Excusez-moi, est-ce que « exportation » est bien le bon mot ?

— Ça ira, répondit Stark.

— Merci, fit Lijun. Ainsi, l'on donnait une bonne image de la Chine.

Hank et Erich passèrent le reste de l'après-midi à fouiller le registre avec l'aide de Lijun. Celle-ci leur indiqua d'abord comment chaque dossier était constitué, notamment au regard du lieu d'origine de l'enfant, un élément primordial pour les deux visiteurs.

— Dans cet espace, on inscrit le nom de la personne qui a amené l'enfant à l'orphelinat ainsi que le village ou le quartier de la ville d'où il provient. Par contre, très souvent, ces données ne font référence qu'au bureau de la police locale qui a recueilli le bébé après qu'il eut été abandonné... Avez-vous sa date de naissance ?

— Non, désolé. C'est essentiel ? s'enquit Dahler.

— Pas vraiment, mais ça faciliterait la recherche. Souvent, lorsqu'une enfant est abandonnée, la mère glisse sous les langes un papier avec la date...

Les fiches donnaient aussi l'identité et l'adresse des parents adoptifs, ainsi qu'une panoplie de certificats et d'attestations qui avaient pour but de légaliser le processus d'adoption. Dans la majorité des cas, le dossier incluait une photo de l'enfant.

— C'est par là que nous commencerons, proposa Hank. Regardons seulement les photos, les filles uniquement, pas les garçons.

— De toute façon, observa Lijun, il y a très peu de garçons. Je vous donne une pile de dossiers, monsieur Dahler, et une à vous, monsieur Stark, d'accord ? En cas de doute, demandez-moi conseil.

Ils se partagèrent les dossiers et travaillèrent le plus rapidement possible. Lorsque l'un d'eux tombait sur une enfant ressemblant à la photo que Dahler avait apportée, ils se consultaient. Vers dix-sept heures, ils n'avaient rien trouvé, Stark semblait encore frais comme une rose, mais le crâne de Dahler était sur le point d'éclater. L'on convint d'aller se rafraîchir et de reprendre le lendemain.

Le matin suivant, au lever, Hank se sentait d'attaque pour entamer un autre tiroir de dossiers. Il constata que Stark était déjà sorti. Traversant la cour vers l'entrée du registre, Hank avisa un gardien assis près de la porte, plongé dans son journal. Au moment d'entrer dans l'édifice, Hank y jeta un coup d'œil et s'arrêta net. Par des signes et des gestes, il finit par faire comprendre à l'homme de lui prêter son journal. Hank se précipita à l'intérieur où Lijun et Stark buvaient du thé à la table où ils avaient travaillé la veille.

— Bonjour à vous deux, lança Hank. Dites-moi, Lijun, ce journal, il est d'où?

— Ah! C'est le *Dalian ribao*! Le quotidien de Dalian.

— Et ici...

Il tourna les pages et trouva la photo qui l'avait frappé l'instant d'avant.

— Qu'est-il écrit sous cette photo?

L'interprète prit le journal et se mit à lire. Stark, qui s'était levé pour regarder par-dessus son épaule, s'écria:

— Bon Dieu!

La jeune femme acheva sa lecture et annonça:

— Ça raconte une histoire de meurtre, ou plutôt une tentative. Au Canada.

— Où au Canada?

— En mandarin, il est écrit: *Mengtelier, Kuibeike* province.

— Comment dites-vous?

— Meng-te-li-er, Kui-bei-ke.

— Montréal, Québec?

— Oui, je crois que c'est ça. Et c'est une histoire incroyable !

— Traduisez-moi ce qui est écrit. La légende de la photo, l'article, tout.

Lorsqu'elle eut terminé, Dahler annonça qu'il retournait d'urgence au Canada et confia à son collègue Stark la poursuite des recherches dans les fichiers chinois.

— C'est quelqu'un que vous connaissez ? demanda Lijun.

— Oui ! Enfin, non, pas vraiment, lança Dahler.

Hank se précipita dans la cour et monta à sa chambre en répétant à voix haute :

— Incroyable ! Incroyable ! Ça ne peut pas être une coïncidence !

L a photo couvrait la première page du *Journal de Montréal*. Sous le gros titre « La coureuse du mont Royal : coma ! » s'étalait le doux visage endormi d'une jeune femme dans la vingtaine. Rien ne laissait soupçonner que cette tête doucement posée sur l'oreiller avait vu la mort de près.

L'inspecteur Canesta rageait. Il abhorrait les bavures. Son ordre exprès avait été de ne rien divulguer, ni sur la victime ni sur la progression de l'enquête : les hypothèses, les éléments de preuve, les pistes, tout devait rester secret. « Surtout, avait-il dit, rien sur le gorille ! » Il parcourut le journal. Tout y était. La rédaction avait même ajouté en page 3 la photo d'un gorille derrière les barreaux de sa cage dans un zoo. « Le monde entier est ému », titrait-on.

Canesta replia le journal et s'en servit comme d'un gourdin pour assommer une mouche imaginaire dans l'air devant lui. Comment cette nouvelle avait-elle pu se retrouver à la une et faire le tour du monde ? Les visites à l'hôpital étaient interdites, l'inspecteur craignant avant tout que l'assassin ne cherche à revenir terminer son œuvre. Il était évident qu'un journaliste ou un photographe de presse, deux espèces animales qui se repaissaient des secrets des autres, avait réussi à soudoyer un membre du personnel infirmier.

Sa seule consolation était que l'identité de la victime n'avait pas été révélée au public. En fait, la police avait elle-même mis un certain temps à la découvrir. La jeune femme ne portait aucun signe distinctif ni bijou, les poches de ses vêtements en lambeaux étaient vides, et elle n'était pas fichée. Dans les premiers jours qui avaient suivi la tragédie, personne n'avait signalé la disparition d'une personne dont la description correspondait à la victime. Une semaine s'était déjà écoulée depuis l'agression lorsque des parents angoissés avaient rapporté au quartier général de la police l'absence prolongée de leur fille. La mère, Lysanne Berger, avait dit au téléphone : « Vicky n'a pas appelé son père pour son anniversaire ! Ça n'est jamais arrivé. » C'était mince comme preuve d'une disparition, mais la description et l'âge ainsi que les dates collaient parfaitement. L'inspecteur Canesta s'était tout de suite rendu à l'adresse donnée et il avait immédiatement confirmé l'identité de la victime.

La perspective de cette visite l'avait gonflé à bloc. De tous les aspects de son métier, celui que l'inspecteur aimait par-dessus tout était de rencontrer les gens dans leur intimité, de visiter les chambres à coucher, les greniers, les sous-sols, de fouiner parmi les effets personnels. Dans les cas de meurtre ou de tentative de meurtre, il se plaisait à répéter que l'agresseur était presque toujours quelqu'un que la victime connaissait bien. Mieux un limier connaissait la vie intime d'une victime, plus il était susceptible de trouver les personnes qui lui voulaient du mal.

Malgré ses vingt-cinq ans, la jeune femme habitait encore chez ses parents. L'inspecteur gara sa voiture devant la maison un bon quart d'heure avant le moment du rendez-vous, histoire d'arpenter un peu les environs de cette résidence dans le chic quartier Outremont.

— Une petite fille de bonne famille, constata Neil, visiblement impressionné par l'opulence des lieux.

Canesta s'apprêtait à sortir lorsque son collègue ajouta :

— Pas le genre à fréquenter un gorille !

— Richard, je t'en prie...

— Je voulais dire, précisa Neil avec une pointe d'ironie, un de ces types qui vident les bars sur le boulevard Saint-Laurent.

— D'accord, d'accord, grommela Canesta en fermant la portière. Aujourd'hui, je me passerais de ton humour, si tu veux bien.

L'inspecteur était pour le moins perplexe. Rien ne semblait normal dans cette histoire. Justement, on était loin des quartiers défavorisés et des bars sordides. Comment des parents pouvaient-ils ne pas avoir remarqué pendant des jours l'absence d'une enfant qui habitait avec eux ? Il entreprit de faire le tour des lieux.

La propriété était immense. En plus de la maison en pierre qui donnait sur la rue, Canesta avisa un pavillon assez imposant entre les grands arbres au fond du jardin.

À quelques mètres à peine derrière cette annexe, il vit une très haute et ancienne clôture en fer forgé qui séparait la propriété du parc du Mont-Royal. Un portillon fermé à clé permettait d'accéder directement à la futaie du parc. À partir de ce point, un sentier apparemment bien fréquenté montait le long de la pente entièrement boisée et se perdait vers le lointain et invisible sommet. «Un circuit de jogging», songea-t-il. Laissant errer son regard parmi les arbres du parc, l'inspecteur conclut que c'était un jeu d'enfant que d'épier cette demeure, de suivre une jeune fille dans ses courses matinales et de consigner l'horaire de ses allées et venues. Même si le labo lui avait déjà désigné un coupable, Canesta cherchait toujours. Il voulait plutôt trouver quelqu'un qui sache écrire, compter, prendre des notes, ressentir de la haine. Pas un singe!

Une descente en dalles de béton reliait l'ouverture pratiquée dans la clôture à une lourde porte en bois aménagée dans le mur de fondation du pavillon. Canesta tâta la porte et constata qu'elle était également fermée à clé. Contournant l'édifice, il jugea que la construction en brique de deux étages, aux murs extérieurs à l'anglaise exposant les pièces de bois de la charpente, formait un ensemble plutôt sinistre. Cette impression était renforcée par l'étage du haut, auquel de grandes fenêtres sombres et arquées donnaient l'apparence d'une chapelle. Des rideaux clairs au rez-de-chaussée suggéraient cependant que l'endroit était habité. Au moment où il achevait sa petite visite de la propriété, Canesta aperçut Richard qui lui faisait signe depuis la maison principale.

Romain Berger et son épouse attendaient les policiers devant l'entrée arrière. En apercevant les parents de la victime, l'inspecteur songea à sa première question, qu'il posa dès qu'ils furent assis au salon. Leur physionomie ne cadrait pas. À première vue, et à leur accent, l'un et l'autre étaient ce que l'on pouvait appeler des Canadiens français pure laine. Pas du tout comme leur fille, qui était clairement d'une autre origine ethnique.

— Votre fille ne ressemble ni à vous ni à votre mari, madame Berger. Puis-je me permettre de poser la question de son origine ?

— Bien sûr, il n'y a pas de secret. Nous l'avons adoptée. Elle était si belle…

Prise de sanglots, la mère se sentit incapable de poursuivre.

— Désolé, madame, s'excusa Canesta. Mais je pense que vous pouvez reprendre espoir. Votre fille est sortie du coma il y a quelques heures, et son état est stable. Vous pourrez lui parler bientôt. Vous pourrez vous rendre à l'hôpital si vous le voulez, dès que nous en aurons terminé ici. Je vous assure, poursuivit-il, que les médecins sont très confiants. Aussi incroyable que cela puisse sembler, son coma n'était apparemment pas dû à un coup ou à ses blessures, mais à une sorte de réaction au choc psychologique, selon les médecins. Tout ira bien, croyez-moi. Elle est jeune, et en santé.

Le père prit la relève :

— Oui, de ce côté, il n'y a pas le moindre doute. Elle est, ou du moins elle était, en pleine forme. Elle court sur la montagne chaque matin, vous savez… Enfin, lorsqu'elle est en ville, bien sûr.

— Ah! Vous voyez, madame, fit Neil, je suis certain qu'elle s'en sortira…

Canesta voulait poursuivre sur la piste qu'il avait ouverte plus tôt. Avec lui, il en était toujours ainsi. Il préférait fouiller un aspect à fond, et possiblement dans le moindre détail, avant de passer au suivant.

— Monsieur Berger, vous dites que vous l'avez adoptée?

— Oui, en Chine.

— Et vous avez adopté parce que…?

— Lysanne ne pouvait pas avoir d'enfants.

— Parlez-moi de cette adoption.

— Il n'y a pas grand-chose à dire, répondit M. Berger en haussant les épaules. Nous avons fait comme tout le monde. Nous sommes d'abord allés à Beijing, puis à Changchun. Nous avons signé les documents habituels. C'est tout.

— Excusez-moi, Changchun, où est-ce?

— Dans le nord de la Chine, dans la province de Jilin. Ce fut tout un voyage, croyez-moi, mais nous étions plus jeunes…

— Pourquoi là-bas, précisément? s'enquit Canesta.

— C'était l'idée de Lysanne. Elle croyait que, le climat de cette province étant un peu comme le nôtre avec ses hivers rigoureux, l'enfant serait déjà adaptée au Québec.

— Intéressant! approuva Canesta sans conviction. C'était il y a longtemps?

— Il y a plus de vingt-trois ans. Ce sera bientôt son anniversaire. Déjà vingt-cinq ans, ma toute petite fille.

Jusqu'ici, il n'y a jamais rien eu, pas d'accident, pas de fugue, une enfant modèle.

L'inspecteur jugea qu'il n'y avait rien à trouver de ce côté. Une adoption relativement banale qui datait de trop loin. Peu probable que son agresseur l'ait connue à cette époque. Il obliqua :

— Et que fait-elle ?

— Étudiante au doctorat en biologie. Enfin… biologie et anthropologie, à l'Université de Montréal. C'est tout près d'ici.

— Impressionnant ! Bravo ! s'exclama l'inspecteur avec sincérité.

— Oui, c'est une fille brillante.

— Sa thèse, c'est sur quel sujet ?

Cette question sembla toucher un point sensible. Le père ne répondit pas, regarda son épouse. Sans échanger un mot, ils hochèrent la tête.

— Un sujet qui la passionne depuis qu'elle est enfant, annonça M. Berger.

— C'est-à-dire ?

— Suivez-moi, proposa le père.

Les appartements de la jeune fille se trouvaient dans le pavillon au fond du jardin. Cela expliquait que les parents ne soient pas nécessairement au courant de toutes ses allées et venues. Romain Berger expliqua que leur fille voyageait beaucoup. Depuis l'âge de quinze ans. Et dans les endroits les plus reculés.

— Mais jamais elle n'avait oublié mon anniversaire. Pas une seule fois, réaffirma-t-il.

Le pavillon comprenait un petit logement très fonctionnel au rez-de-chaussée avec cuisine, séjour, chambre et salle de bain. La pièce principale était à l'étage. Immense, c'était une sorte de studio au plafond très haut. Un grand espace de travail avec de grandes ouvertures qui donnaient sur la forêt du parc. Mais ce qui frappait avant tout était la décoration.

Les murs, depuis le plancher jusqu'à la structure apparente du toit, étaient tapissés de scènes sorties tout droit de l'Afrique, comme si la jungle tropicale avait envahi la pièce. Une profusion de végétation dense et humide dont on percevait presque l'odeur. Au loin, des montagnes, un volcan qui fumait. Des fresques en trompe-l'œil étaient saisissantes. Tout semblait grandeur nature, et les tons légèrement vieillis, comme délavés, donnaient au visiteur l'impression d'avoir été soudainement plongé dans un film d'époque. Ici et là dans le paysage se tenaient des personnages, toujours les mêmes. Parfois, on ne distinguait que leurs yeux sombres mais qui couvaient un feu sortilège dans la noirceur de l'arrière-scène. Ici, des dos sombres, là des formes assises en train de brouter. D'autres étaient dressés, les bras menaçants, le regard furieux. Des gorilles. Des gorilles dans leur habitat naturel. À une époque révolue.

C'était oppressant tout autant qu'inattendu. Sauf bien sûr pour la famille. Et pour les deux policiers peut-être, étant donné ce que Lemieux et Shaw avaient trouvé sur la victime. Le père s'était assis sur le bord du petit lit, les sourcils froncés.

— Honnêtement, elle n'aurait pas pu choisir un autre sujet d'étude. Depuis qu'elle est toute petite…

Il s'interrompit, la tête dans les mains.

— Excusez-moi, se reprit-il. Je disais que depuis qu'elle a commencé à parler, elle n'en a que pour les gorilles. Depuis ce jour où, dans un film documentaire à la télé, elle en a vu un faire son nid. Elle a été bouleversée. Le lendemain, elle trafiquait des trucs avec des branches mortes dans la cour derrière la maison.

M. Berger se tut un moment et attira l'attention des visiteurs sur le mur de gauche. Une épaisse corde de chanvre, tordue et lovée comme une liane, pendait depuis le plafond très haut jusqu'à un mètre du sol. On pouvait, en l'agrippant, se hisser jusqu'à une sorte de corbeille de branchages accrochée tout là-haut.

— Un nid pour la nuit. Voyez-vous, monsieur Canesta, c'est simple. La vie de Vicky est vouée à une seule chose : comprendre ces animaux. Elle les aime. Profondément. Plus que les humains, plus que tout, je crois.

— Donc, ses études et sa thèse, c'est un cheminement normal, pourrait-on dire…

— Tout à fait.

— Et le sujet précis de cette thèse ?

— Vous savez, moi, je suis dans les assurances et la finance. Anciennement chez Placements Romain Berger, mais mon entreprise a été achetée par une grosse société… Enfin. Tout ça pour vous dire que la biologie, ce n'est pas mon fort. En gros, je sais qu'elle étudie le comportement ou les mœurs des gorilles. C'est la communication entre eux qui l'intéresse surtout. Une comparaison avec les humains. Elle affirme qu'elle leur parle et qu'ils la comprennent.

— Mais je croyais que les gorilles n'existaient plus ?

— C'est exact. En milieu naturel, ils ont disparu.

— Et ces photos sur les murs ?

— Ce sont de vieilles photos qu'elle a fait agrandir. Et des fresques réalisées d'après les photographies originales. Elle a rassemblé ici...

Le père s'interrompit le temps de faire de la main un geste pour couvrir le fond de l'immense pièce.

— Voyez ces étagères, ces bibliothèques, ces caisses, là-bas, continua-t-il. Vous y trouverez tout ce qui a jamais été dit, tourné ou publié sur le gorille. Livres, magazines, films. Tout.

M. Berger eut un moment de faiblesse avant de reprendre :

— Quant aux gorilles en chair et en os, même s'il n'y en a plus dans leur milieu naturel, il en subsiste quelques-uns en captivité. Très peu. Mais Vicky les connaît tous.

— Elle les connaît, vous dites ?

— Oui. Tous. Elle les visite régulièrement, elle joue avec eux, elle s'assied de longues heures en leur compagnie... Elle dort avec eux, même.

L'inspecteur jeta un œil amusé à son collègue, qui semblait ravi de cet interrogatoire au sujet de bêtes exotiques. D'un léger mouvement du menton, il l'incita à prendre la relève.

— Et où se tiennent-ils, ces gorilles, monsieur Berger ? avança Richard.

— Le plus près est à Granby. Sinon, Vicky se rend aux États-Unis. Pittsburgh, Atlanta, New York. En Europe, il y a des gorilles à Berlin et à Londres, entre autres. Et enfin, à Beijing. Cela fait le tour, je crois.

— Oh là! Ça en fait des voyages!

— Oui. Elle est souvent partie. Et pas seulement pour étudier les gorilles. Elle visite aussi plein d'autres endroits. Si cela vous intéresse, nous avons ici des tonnes de cartes postales. Notre fille entre et sort, nous la laissons vivre sa vie. C'est pour ça que nous n'avons pas su tout de suite pour... l'accident.

L'enquête ne progressait pas du tout dans la direction que Canesta aurait souhaitée. Bien au contraire! Il préféra terminer l'entretien avec ces gens désemparés qui, visiblement, ne pouvaient le mettre sur la moindre piste fraîche. Par contre, il brûlait d'envie de fouiller dans les papiers de la jeune fille.

— Vous permettez que je regarde un peu parmi ses affaires? s'enquit-il.

— Si vous promettez de laisser tout en place, je n'ai pas d'objection. Voyez-vous, comme tous les scientifiques, Vicky a un ordre bien à elle. Il n'y paraît pas du tout, mais il y en a un. Il suffit de déplacer une feuille pour qu'elle le sache à son retour. C'est inouï. Vous n'avez qu'à passer à la maison quand vous aurez terminé et je viendrai fermer à clé.

Dès que Romain Berger fut parti, Richard brisa l'atmosphère trop lourde :

— Tu crois qu'elle... Enfin, je veux dire que, la nuit avec ses gorilles, tu crois qu'il se passe des choses?

— Richard, t'ai-je déjà dit à quel point tu pouvais déconner, parfois?

La table de travail était un fouillis, un amoncellement de papiers. Il y avait encore un plus grand nombre de ces petites montagnes savantes disposées en éventail sur le plancher. La presque totalité des documents étaient des articles tirés de revues scientifiques. *American Journal of Primatology, Journal of Medical Primatology*. La jeune fille était elle-même auteure d'un article dans *Bonobo Review*. Canesta n'avait pas la moindre idée de ce que «bonobo» voulait dire. Il en lut quelques lignes. «Une espèce de grand singe», supposa-t-il. Ce fut à peu près la seule information qu'il put comprendre dans un texte qu'il jugea aussi technique qu'hermétique. «Foutus scientifiques, conclut-il, pas étonnant qu'ils ne réussissent pas à faire financer leurs projets.»

Dans un tiroir de la table de travail, il trouva un petit livre relié. Un journal personnel, comme on en trouve dans le commerce. Les pages étaient numérotées et pleines d'une écriture manuscrite dont les caractères lui semblèrent les plus minuscules qu'il ait jamais vus. L'inspecteur commença à lire, lentement d'abord, puis il se mit à voltiger comme un bourdon sur un bouquet de fleurs. Les pages étaient bourrées de réflexions, dans une recherche de soi composée dans un style impeccable et très prenant. «Les pans d'une vie, depuis l'adolescence jusqu'à aujourd'hui», songea Canesta.

Il en ressentit une excitation qui l'étonna. La vie entière d'une femme était là, toute réduite et si grande à la fois, dans ce recueil. Entre ses mains. Canesta se laissa tomber sur un genre de pouf, et dès qu'il se mit à lire, il oublia jusqu'à la présence de Richard qui fouillait l'immense pièce.

«Ce que tu dois chercher à savoir maintenant, c'est quel gorille tu es, toi, écrivait Vicky. Dans les histoires d'Indiens de papa, chacun portait le nom de l'animal protecteur du clan, avec un qualificatif. Le guerrier était Ours agile, Bison rageur. La squaw, de son côté, était Loutre sagace, Biche aimante. Il y a aussi, dans les Fables de La Fontaine : courageux comme le lion, rusé comme le renard, malin comme le singe. Il n'y a rien pour le gorille, que je sache.»

Dans la marge en tête de ce paragraphe, l'auteure avait inscrit le nombre 47. À la page portant ce numéro, écrite plus récemment, l'inspecteur trouva :

«Il y a longtemps que plus personne n'utilise ce genre de comparaison. Autrefois, tous les enfants connaissaient les qualités, les défauts, les mœurs de douzaines d'animaux. Des animaux bien vivants, de vrais animaux sauvages qui étaient apparus sur Terre en même temps que l'Homme. Ou à peu près. Des animaux qui avaient grandi avec nous, et faisaient partie de nos vies, en quelque sorte. Plus maintenant ! Partis, disparus. Presque jusqu'au dernier. Et moi, je suis là, survivante, et je ne dois pas prendre sur moi cette culpabilité. Je dois plutôt trouver ce que je dois faire à partir de maintenant.»

Canesta sauta à une autre page. Puis à une autre. Il cherchait plus ou moins consciemment une chose. Une conclusion qui lui apparaissait inéluctable à mesure qu'il progressait dans sa lecture. Une lecture qu'il concevait de plus en plus comme une rapine, une intrusion, presque un viol. Enfin, il trouva, inscrite en toutes lettres et soulignée, une phrase qui répondait à ce qu'il cherchait. Vicky avait écrit :

«Je suis le gorille clandestin. J'avance sur cette terre, la laissant derrière moi, et là où la nuit tombe, je dors.»

Canesta sut à ce moment que ses parents n'avaient pas exagéré en décrivant la passion de leur fille. Ce n'était pas seulement une façon de parler. Véritablement, Vicky se considérait comme un gorille. Humaine, et gorille. Son journal ne laissait aucun doute. Vue à froid, cette conclusion relevait apparemment de la folie. D'une lubie ou d'une psychose qu'un psychiatre aurait définies en mots savants. Mais ce diagnostic de folie, Canesta pouvait à l'avance le réduire en pièces à la lumière des textes dans le journal, qui étaient cohérents, tout en étant brillants, documentés, sensibles. Vicky était une personne normale, sinon d'un esprit supérieur. Malgré la conclusion à laquelle elle s'était livrée.

L'inspecteur Canesta se releva péniblement. Son enquête jusqu'ici le menait à deux verdicts inacceptables autant qu'inattaquables. D'abord, les résultats de l'analyse de l'ADN, et maintenant, les secrets de ce pavillon, dont la disposition et le contenu témoignaient d'années de réflexion et de recherche. N'étaient-ils pas eux aussi la confirmation que cet animal, le « gorille », ne pouvait pas être exclu de l'enquête ? Bien que cette hypothèse fût une contradiction du bon sens. Le cauchemar primal du policier, en somme.

Richard était déjà sorti. Par la fenêtre, Canesta le vit revenir avec le propriétaire. C'est alors que l'inspecteur chevronné eut une faiblesse qu'il mettrait longtemps à comprendre. Il fit ce qu'il n'avait jamais fait de sa vie. Même enfant, adolescent, ou mari, à l'époque où il était encore un époux. Un geste déloyal. Et dans le cas précis, illégal. Au moment où il allait remettre le journal à sa place, Canesta l'empocha, referma le tiroir d'un coup sec et quitta prestement le pavillon.

La nuit était déjà tombée. Et la pluie avait repris. Canesta y porta à peine attention. Non seulement en raison de son état d'excitation présent, mais parce que les ondées étaient devenues un élément normal de la vie dans cette ville. Comme en bien d'autres endroits sur la planète. Il pleuvait. Encore. Chaque jour. Quasi constamment.

Dans la voiture, en route vers l'hôpital, Richard brisa le silence qui régnait entre eux depuis qu'ils avaient quitté la propriété :

— Nous avons au moins appris une chose cet après-midi.

— Hum ? soupira Canesta, qui avait la tête ailleurs et la main sur sa poitrine, pour bien sentir le renflement que dessinait le journal dans la poche intérieure et qui le brûlait presque.

— On peut dire que cela, au moins, est clair, reprit Richard.

— Quoi donc ?

— Même si, après tout, c'est plutôt banal.

— Banal ?

— Le labo, le gorille…

— Et alors ? s'enquit Canesta, l'esprit toujours ailleurs.

— Comme tu le dis souvent, Louis, dans ce genre d'histoire, l'agresseur est presque toujours quelqu'un que la victime connaît bien.

En route, Canesta se fit déposer devant le café Chez Guevara. Il s'installa à la table du fond, où il aimait se retrancher quand les choses ne tournaient pas comme il voulait. Il commanda un double expresso et se replongea aussitôt dans le journal de Vicky Berger. Il retrouva la page où il avait interrompu sa lecture dans le pavillon et poursuivit :

«Chez les Amérindiens, on n'utilisait certainement pas le nom d'un animal disparu pour qualifier un membre de la tribu. Personne n'aurait traité son voisin de dinosaure, par exemple. On ne savait pas qu'ils avaient existé. Pour le savoir, il a fallu que l'humanité se rende compte que les animaux disparaissaient. Il a fallu qu'on devienne moderne. Pour ça, nous le sommes devenus ! Des animaux disparus, il y en a plein de nos jours. Ils n'ont même pas le temps d'achever leur évolution que nous avons déjà fait dévier la planète dans une autre ère où la plupart d'entre eux sont complètement démodés. C'est pour cela que bientôt, lorsqu'on voudra comparer quelqu'un à un animal, on n'aura pratiquement pas d'autre choix que d'utiliser le nom d'un animal disparu.

«Il avait pourtant été sauvé des eaux avec les autres, le gorille, dans l'arche de Noé. Peine perdue ! Si l'on construisait une arche aujourd'hui, elle ne serait qu'un musée d'animaux morts. Et combien d'années devrait-elle voguer avant de toucher terre, avec ce climat déréglé, la pluie qui ne s'arrête jamais et l'eau qui monte toujours ?

«Selon moi, Noé et son arche n'étaient pas les héros d'un événement passé, mais bien des prophètes annonçant ce qui se passe aujourd'hui ! C'est pour cela que cette vieille histoire revient à la mode. Combien d'espèces animales, en définitive, pourront être sauvées de l'homme? Je parle d'animaux qui comptent vraiment, auxquels nous aimions nous comparer. De ceux qui faisaient partie de notre histoire, qui étaient le fondement de nos origines. De notre identité même. Les grands, les nobles animaux, ceux que Victor Hugo appelait les multiples facettes de nos vertus et de nos vices, ceux qui ne sont plus désormais que des fantômes pour hanter notre âme en quête de son passé et de son identité.»

Lorsque je songe au moment où je suis revenue à la vie consciente, après le long coma où j'étais plongée, je suis sur la mer, à bord d'un navire qui après avoir traversé l'océan approche d'une rive inconnue au point du jour. Il n'y a ni ciel, ni terre, ni eau, tout est confondu, c'est le monde au début de la vie, luisant à peine du gris-rose de sa propre lumière qui veille. Lentement, une ligne apparaît à l'horizon, s'allonge et enfle. Le continent se rapproche, s'étale et se dessine. Du rivage me parviennent des voix humaines entremêlées aux rumeurs des choses inanimées : « troisième semaine… », un souffle de vent froisse l'eau, « coma… », des bruits de pas sur le sable, « il fait trop chaud dans cette chambre », les grands arbres gémissent sous le vent, « elle a bougé ».

Soudain, je suis aveuglée. Je crois que mes paupières ne sont plus là. J'entends ma mère dire : « Elle a ouvert les yeux ! » Longtemps après, elle dit encore : « Sa main a bougé… » Je pense que je souris, à la voix de papa. Il me parle, me dit que j'ai eu un accident. Oui, de cela je me souviens. Je veux le dire, mais je n'y arrive pas. Ce n'était pas un accident! Je courais sur la montagne, sous la pluie. J'ai glissé, je me suis relevée. Un choc, une chose m'a frappée par-derrière. Plus rien. La noirceur. Puis une douleur éclatante à la poitrine qui m'a fait ouvrir les yeux. Sur un fond rouge sang, je vois une forme, floue, dense, qui s'abat, soufflant, s'acharnant sur moi. Elle est noire comme le trou où j'ai sombré.

On veille sur moi jour et nuit dans cette chambre d'hôpital. Un type vient chaque jour. Il est de la police. Pour lui, je suis sourde et muette. Je ne suis pas prête à revivre ce qui s'est passé ce matin-là. Il est contrarié. Constamment. Parce que je ne suis pas encore revenue à moi. Parce que quelqu'un a tenté de s'introduire à l'étage. Parce que son enquête piétine. Parce que la presse s'en est emparée avant qu'il ait le moindre morceau à leur mettre sous la dent. Alors c'est lui qu'ils dévorent.

Et maintenant, beaucoup plus tard, je peux me lever. J'ai mangé un peu aujourd'hui. Ce type est venu encore ce soir. Inspecteur Canesta. Il est tard et je fais la sourde oreille. Geneviève, l'infirmière que papa a engagée pour veiller sur moi pendant les heures creuses, lui dit que je ne peux pas entendre. Ni parler. Je suis heureuse qu'elle me protège ainsi. J'ai besoin de me retrouver seule. De me retrouver, simplement. Même avant l'agression, j'étais comme ça. Taciturne. Muette. Trop souvent, ces derniers mois, tout éclate en même temps dans ma tête. Les images, les mots viennent tous à la fois, et je n'ai aucune idée de leur provenance. Même si je voulais raconter l'une ou l'autre de ces éruptions, le débit du langage normal serait trop lent pour leur servir de véhicule.

— Alors, mademoiselle Berger, préférez-vous que je repasse demain ?

Je pense : « Comme vous voulez, monsieur l'inspecteur ! » D'une certaine façon, je suis heureuse de ce séjour à l'hôpital. J'en profite pour comprendre ce qui m'arrive depuis quelque temps. De plus en plus fréquemment, je ne trouve pas le mot que je veux dire. Oui, je sais, tout le monde a de ces petits trous de mémoire. En plein milieu d'une conversation, vous bloquez sur le nom d'une personne connue, sur un objet familier. Il est là, sur le bout de la langue, mais il s'entremêle dans les neurones et n'arrive pas à sortir. Inatteignable. Puis, soudain, hop ! Au moment où votre interlocuteur est passé à autre chose et que ça n'a plus d'importance, le mot surgit, lumineux, souriant, l'air de dire : « Mais j'étais là ! Tu ne prêtais pas attention à moi, c'est tout ! » Ce n'est rien, vraiment. Sauf quand ça vous arrive constamment. Chez moi, c'est devenu courant au point d'être vraiment dérangeant. Même avant l'agression.

En fait, si je rassemble tout ce qui m'arrive d'étrange, et de plus en plus souvent, pour être franche, j'ai l'impression, j'en ai même la certitude, que quelqu'un d'autre est avec moi dans ma petite boîte crânienne. Simplement dit, et sans détour, je n'ai plus l'usage exclusif de mon cerveau. Ça non plus, M. Canesta ne le comprendrait pas.

— Bon, je vous laisse dormir...

Ça n'est pas nouveau. Je n'ai même jamais eu la certitude d'être chez moi, chez moi. Je me suis toujours considérée comme une passagère clandestine. Enfant, je me voyais vivre en forêt, passer la nuit dans un arbre.

Je me construisais des cabanes rudimentaires dans le petit bois derrière chez mes parents. Après avoir entrelacé des branches entre les troncs des arbres, je bouchais les trous avec des rameaux feuillus, ne laissant qu'un petit espace libre. Personne ne pouvait me voir ni m'atteindre. Je restais là, parfois jusqu'en soirée, à regarder les autres enfants jouer à cache-cache à travers la lunette d'approche que formait la petite ouverture. Je me disais que je ne rentrerais plus dans cette maison dont je voyais briller les carreaux. J'en faisais tout au plus un refuge où je pourrais aller frapper et demander à manger. J'étais calme, satisfaite, rien ne me manquait. Dans ces moments, comme encore aujourd'hui quand le même silence se fait autour de moi, tout m'est donné : la sérénité, la conscience d'être enfin au monde, le bonheur, et la connaissance de choses et de lieux que je n'ai jamais vus, les visages de gens que je n'ai jamais rencontrés.

Voilà encore un morceau de mon casse-tête quotidien. Quand ai-je commencé à vivre des expériences étrangères comme si elles étaient miennes ? Au début, c'était banal. Tout le monde a ce genre de faux souvenir. On arrive à un endroit, la lumière frappe les maisons sous un certain angle, le soleil s'infiltre à travers les branches des arbres d'une façon précise, et soudain, on sent qu'on a déjà vécu ce moment, qu'on a déjà visité cet endroit où l'on sait parfaitement bien n'être jamais allé. Le déjà-vu est, dit-on, déclenché par une odeur, par un détail que la mémoire a conservés et que la conscience associe au paysage du moment présent. Oui, c'est ce que je me disais, moi aussi au début, et je passais outre.

Mais cela devenait de plus en plus fréquent. Alors j'ai pris le taureau par les cornes. J'ai voyagé. J'ai cherché à voir plusieurs de ces endroits supposément déjà vus. C'est fou, je l'avoue. J'y ai consacré toutes mes vacances, j'ai fait des détours après des voyages d'affaires pour explorer des forêts, des lacs, me rendre au pied d'un glacier, marcher dans une ville une nuit entière pour en voir jusqu'à la dernière rue. Là où peut-être se trouve ma maison.

Certains de ces moments qui n'étaient au départ que de simples impressions, vite évanouies, se sont transformés en images persistantes. Je vois des détails précis, je sais ce qui va venir à l'instant suivant, comme si je suivais un scénario bien établi. Et parfois, ce savoir, cette prescience ne m'étonnent pas outre mesure. Je veux dire que je commence à m'habituer à cette faculté d'être ailleurs. Je ne me considère pas comme une voyante. Au contraire, j'attends de savoir où cela me mènera.

L'inspecteur Canesta est de retour et, comme à chacune de ses visites, il me fait des reproches. Il voudrait que je lui parle, il estime qu'il a droit à des réponses à ses questions. Pour son enquête. Et aussi parce qu'il m'a un peu sauvé la vie. Par contre, il ne le dit pas en ces termes. Il est mécontent, mais il ne s'en va pas. J'ai beau ne pas lui répondre, il reste là pendant des heures. Aujourd'hui, il me parle des gorilles. Dans le pavillon chez papa, il a vu les photos, mes livres, mes travaux, et il veut savoir si je connais un gorille. Je les connais tous, monsieur. Il y en a si peu de toute façon. Il veut savoir si un gorille m'a attaquée. Il est fou, ce type. Il dit que son laboratoire a des preuves irréfutables.

Je vais beaucoup mieux, mais je joue encore la malade pour qu'on me laisse tranquille. J'aimerais retourner chez moi, et pourtant je m'accroche à cette chambre d'hôpital. Chaque matin, je compte les jours que j'ai passés ici, et chaque soir je repousse la date de mon départ. Physiquement, je suis guérie, me dit-on. Mais je ne suis pas encore prête à affronter ce qui m'attend au-dehors : une mission que j'ai reçue ici même, dans ce lit d'hôpital.

Dès mon arrivée, on m'a isolée et protégée. Encore maintenant, à certaines heures, des policiers sont en faction dans le corridor. Mes visiteurs sont triés sur le volet. Mais je reçois du courrier. Surtout depuis que ma photo a paru à la une de tous les journaux. Des tonnes de courrier. À mon premier réveil, il y en avait déjà deux grands sacs pleins au fond de la chambre. Geneviève m'a aidée à faire le tri. Et c'est ainsi que nous avons trouvé et mis de côté trois lettres qui venaient de l'étranger. Pour moi seule. Ce sont ces lettres qui ont dicté la mission que je dois remplir dès que je serai rétablie. La première lettre était un cadeau du ciel. Celles qui ont suivi l'ont un peu empoisonnée.

Cette première lettre était la révélation d'un bonheur plus grand que tout ce que j'aurais pu imaginer. Elle venait de Turquie, envoyée par une inconnue. Elle se nommait Gulshen Kügu. Ayant vu mon visage reproduit dans le journal, grâce à ce journaliste qui avait tant fait rager Canesta, elle m'avait immédiatement écrit. Et moi, avant même d'ouvrir sa lettre, j'ai su que ma vie en serait changée. Le nom et la provenance disaient tout. Ils concordaient avec une vision précise que j'avais, bien avant l'accident sur la montagne. Et que je vois très clairement en ce moment même.

Dans une ville qui a le cachet du Proche-Orient, je parcours une rue piétonne qui descend en longs paliers entre deux artères achalandées. Au loin dans l'enfilade, une montagne en forme de volcan se dresse. L'hiver s'achève, le vent est vif, l'endroit presque désert. Dans ce refuge que le bruit incessant des voitures ne pénètre pas, mes pas résonnent sur les dalles crevassées, où reposent quelques bacs hérissés de fleurs fanées. Les rayons obliques du soleil au-dessus des hautes maisons viennent croiser les arbres, m'apportant un peu de cette chaleur du pays, tard à l'automne, quand les dernières feuilles tombées des arbres glissent au vent sur les pavés, quand le froid commence à piquer, et que la lumière adoucit les murs et se fond dans les portes des demeures, indiquant au promeneur le chemin de la douceur du foyer.

À mesure que j'avance, les bancs publics, les branches, et le mouvement des manteaux des passants deviennent pour moi autant de repères familiers. Au milieu du parcours, j'arrête pour me reposer sur un banc. La peinture du siège est écaillée et le dossier de fer forgé est ornementé de caractères arabes. De ma poche, je sors un journal dont le nom en gros caractères est *Hürriyet*. À l'intérieur, il n'y a que la section des annonces classées, que je scrute longuement. Enfin, je replie distraitement le journal pendant que les nuages passent en cavale, crinière du vent, dans le couloir du ciel entre les toits.

Évidemment, je me suis renseignée et je sais que le nom du journal est celui d'un grand quotidien de la Turquie. Dans ce rêve éveillé, j'y suis chez moi, et pourtant je ne parle pas cette langue! Je ne suis même jamais allée dans ce pays. En ce moment, encore, sur mon lit d'hôpital, je vois tout cela clairement, mais je sais que ce n'est pas moi qui marche dans cette rue, ni ce jour-là, ni jamais.

L'enveloppe reçue de Gulshen Kügu contenait une photo. Une photo d'elle-même prise justement en cet endroit que j'avais imaginé. Par surcroît, son visage me procura un bonheur indicible. Gulshen était mon sosie parfait. Adoptée, elle aussi. Son âge, ses rêves, tout concordait. J'avais une sœur jumelle! Et je me faisais une telle joie de quitter cette chambre pour aller la retrouver là-bas. Une joie qui ne dura pas.

Je n'ai même pas eu le temps d'en parler à Geneviève. Dans l'heure qui a suivi, parmi les lettres encore scellées mises de côté pour moi, j'en ouvris une qui venait d'une femme de Manaus, au Brésil. Elle contenait également une photo. Cette femme aussi était comme moi. Je trouvai bientôt parmi ce lot de courrier une troisième lettre. Également accompagnée d'une photo… et qui venait de Cariacou, une petite île des Antilles. C'est alors que tout est devenu empoisonné et que j'ai commencé à prolonger mon séjour à l'hôpital. J'ai honte, j'ai peur, je voudrais être comme tout le monde, je ne veux pas de ces sosies. Et je ne me décide pas à sortir d'ici pour aller affronter la réalité.

Canesta est là. Cet homme qui fait tout pour se rapprocher de moi. Au-delà de ce qu'exige son enquête. Il sait sur moi des choses que je n'ai jamais dites à personne. Il n'en avoue rien, il tente de les cacher, mais je lis dans ses pensées. Je sais qu'il est retourné chez moi, qu'il a reniflé partout. Il a violé mon intimité. Et moi, je lis en lui. Chaque jour, je le lis de plus en plus. Des liens se créent. Et je me suis promis de lui dire une chose avant de sortir d'ici. Que ça ne colle pas, son histoire de gorille. Non seulement parce que je les connais tous, mes amis les gorilles, et que je sais qu'aucun d'eux n'aurait pu faire ce geste affreux. Ce n'est pas dans leur caractère. Je sais que c'est impossible. Mais en plus, ça ne colle pas avec ce que j'ai vu ce matin-là. Voilà tout.

Aujourd'hui, jour de mon départ de l'hôpital, Canesta veut savoir pourquoi. Et pour la toute première fois, je lui parle :

— Monsieur Canesta, ce n'est pas possible.

Il est tellement étonné d'entendre ma voix qu'il reste hébété comme si un chat venait de passer entre sa chaise et le lit. Je répète :

— Ce n'est pas possible !

— Pouvez-vous me dire pourquoi, mademoiselle Berger ?

— Tout simplement parce que, comme chacun le sait, les gorilles ne portent pas de tatouages.

— Ah !

Il n'a pas l'air convaincu. C'est vrai que ce n'est pas une grande vérité pour un enquêteur de la police. J'ajoute :

— Ni de vêtements.

Je vois qu'il sympathise avec moi, mais il n'est pas certain que j'aie toute ma tête. Je déballe le reste :

— Ce matin-là sur la montagne, j'ai…

Je revis un moment la douleur atroce qui s'était alors emparée de moi, pénétrant de plus en plus profondément pour fouiller tout mon corps jusqu'à me laisser pour morte.

— J'ai eu le temps de voir mon agresseur, monsieur Canesta.

Cette fois, il a sursauté. C'est ce qu'il attend de moi depuis des jours.

— Une seconde à peine.

— Et vous l'avez reconnu ?

— Non, c'était trop bref. Homme ou femme ou… gorille, si vous voulez. Je ne sais pas. J'ai vu seulement un pan flou de son corps. Mais cela m'a suffi. Sur sa poitrine, ou était-ce le dos ? Je ne sais pas, mais j'ai bien vu. Distinctement.

— Qu'avez-vous vu, mademoiselle Berger ?

— Des lettres en gros caractères. Des lettres bleues… NO… NO.

L'inspecteur Canesta s'est levé d'un coup, il en a laissé échapper son bloc-notes. Je crois qu'il ressent un frisson. Comme ce triste matin sous la pluie froide dans la montagne, où je gisais, meurtrie dans la boue.

— Vicky, vous aviez dit dans un souffle « No… no… ». J'avais compris que vous disiez tout simplement « Non ! Non ! » en anglais. Pouvez-vous répéter, s'il vous plaît ? Je veux en être bien certain. Vous avez dit « NO » ? « N et O » et non pas « No » ?

— Oui, c'est bien ça. N et O.

— N, O !

— Mais ce n'est pas tout. Il y avait plus de deux lettres qui se détachaient sur cette forme noire qui me frappait encore et encore. J'en ai vu au moins trois… R, N, O. Oui, c'est ça. Et puis encore une autre. En tout, quatre lettres : B, R, N, O.

— Monsieur Canesta, si vous n'aviez pas traversé l'Atlantique pour venir jusqu'ici, j'aurais probablement refusé de remuer ces cendres.

— Je sais. Lorsque, de Montréal, j'ai appelé votre subalterne, il a été très peu coopératif.

— Il n'est pas mon subalterne, mais mon assistant. En réalité, l'inspecteur, le vrai policier, c'est lui. Moi, je suis plutôt, comment traduire ce terme dans votre langue, enquêteur anthropologue, oui ? Ça existe chez vous ?

— Je ne crois pas, non.

— Peu importe. Je suis d'accord avec ce que mon assistant vous a dit.

— Pourrais-je savoir pourquoi ?

— Parce que ce groupe sur lequel vous voulez des renseignements a été une très mauvaise affaire pour notre ville. Il a sali notre réputation.

— Je suis désolé. Je dois mener mon enquête, voyez-vous. Et ce mot, ce nom, BRNO, a été prononcé. Par la victime, en plus.

— Je sais, on me l'a dit.

— Et on dit que vous êtes LE spécialiste…

— Je l'étais, oui. Mais il y a des années que nous n'avons pas entendu parler d'eux. C'est une vieille histoire, Dieu merci !

— Si vous permettez…

Canesta ouvrit son porte-documents et en tira un dossier qu'il remit à l'enquêteur Cyril Havel. Pendant que ce dernier le consultait, Canesta laissa son regard se perdre par la fenêtre du bureau, rue Masarykova, où il venait d'atterrir après un long périple. Au fond de la rue se profilaient un pan de mur et l'un des clochers d'une cathédrale gothique, perchée sur une hauteur. Les cloches sonnaient midi et leur tintement semblait donner le rythme aux bruits de la circulation. Canesta appuya les paumes de ses mains sur ses oreilles et les retira rapidement. Il répéta ce geste à quelques reprises, jusqu'à ce que le son ambiant lui paraisse normal et continu. Il était vanné. Le vol transatlantique de nuit vers Prague avait duré neuf heures, et l'autoroute D1 jusqu'à Brno, une distance de moins de cent cinquante kilomètres, avait été interminable.

L'enquêteur Havel ne jeta que quelques regards sur le contenu du dossier. Lequel était de toute façon plutôt maigre. Il leva les yeux.

— C'est tout ce que vous avez sur eux dans vos fichiers ?

— Je suis désolé, je n'ai rien trouvé d'autre, répondit Canesta.

— Et qu'attendez-vous de moi ?

— Que vous me renseigniez sur ce groupe.

Havel saisit une des photos du dossier.

— Si je me fie aux vêtements que les gens portent, ce cliché date de vingt ans au bas mot.

— Plutôt vingt-cinq.

— Ce qui correspond tout à fait à l'époque chaude pour BRNO. Le groupe, je veux dire. Pas notre belle ville!

— Que pouvez-vous me dire sur eux? poursuivit Canesta.

— Sur leur histoire ancienne, pas mal. Sur ce qu'ils sont devenus par la suite, et ce qu'ils sont aujourd'hui, vous en savez probablement autant que moi.

— C'est-à-dire rien?

— Voilà! Ou presque. Ce que vous avez annoncé à mon assistant lors de votre conversation téléphonique est étonnant. Une agression sur une jeune fille, qui se souvient vaguement avoir vu les lettres en question sur son agresseur, c'est peu. C'est flou. Et tout à fait inattendu, ajouta Havel.

— Pourquoi?

Havel allait répondre et révéler tout ce qu'il savait. Malgré ses réticences, il avait bien l'intention de remplir son devoir. Et d'aider un collègue. Mais justement, le sujet était assez vaste et exigeait un auditeur attentif. Au contraire, ce visiteur étranger assis devant lui, quoique sympathique et apparemment plein de bonne volonté, paraissait sur le point de tourner de l'œil.

— Monsieur Canesta, vous avez fait un long voyage. Peut-être serait-il préférable que vous dormiez un peu? suggéra Havel. À quel hôtel êtes-vous descendu, je vous y conduis si vous le voulez et nous reprendrons cette conversation en fin de journée?

— Je n'ai pas encore pris de chambre. Et de toute façon, je n'arriverais pas à dormir.

— Dans ce cas, que diriez-vous d'un café, ou même de casser la croûte? Vous en aurez besoin si vous voulez entendre mon histoire jusqu'au bout.

— Alors là, je vous suis avec plaisir!

Havel démarra sur les chapeaux de roues, les yeux rivés sur son passager.

— C'est votre première visite à Brno? En République tchèque, monsieur Canesta?

— La toute première, oui.

— À gauche, sur cette colline, c'est la cathédrale de Saint-Pierre-et-Saint-Paul. Sur l'autre là-bas, la forteresse du Spielberg.

Canesta regardait plutôt devant lui. Il était soudain tout à fait réveillé. De peur. Havel conduisait comme si un gyrophare de police allumé avait la faculté de repousser magnétiquement les cibles métalliques sur roues qui surgissaient constamment devant eux.

— À choisir entre les deux, si bien sûr vous croyez comme moi aux esprits des lieux, je vous conseille de visiter la cathédrale. L'autre, avant de devenir un musée, a été une sinistre prison. Pendant des siècles, les empereurs autrichiens y jetaient tous les opposants au régime. Pendant la guerre, elle fut un lieu de torture pour la Gestapo.

Havel enfila encore une ou deux rues, traversa un marché public à vive allure et se gara devant un bâtiment en dur de couleur verdâtre. Une terrasse, deux lampadaires, un écriteau peint à même la façade : *Restaurace Špalíček.*

— Ici, on mange tchèque. De vrais repas maison. Et comme il semble que la pluie ait cessé pour un moment, nous mangerons dehors, décida Havel.

Ils s'installèrent à la première table libre et Havel poursuivit :

— Voyez-vous, monsieur Canesta, cette ville et ses environs ont une longue histoire. On y a prié, on y a travaillé, on y a souffert pour ses idées et pour ses convictions. Et pour la liberté. *Svoboda!* Et toute notre histoire est encore bien vivante. À quelques kilomètres d'ici, Napoléon a vaincu les armées combinées des empereurs d'Autriche et de Russie lors de la bataille d'Austerlitz. Des milliers et des milliers de morts. N'allez pas sur le site, on les entend parfois gémir. Et par là-bas, ajouta Havel avec un geste ample vers sa gauche, à Příbor...

— À droite ? fit Canesta, qui avait entendu « à tribord ».

— Příbor, avec un P. Le village où Sigmund Freud a vu le jour, pas très loin de Brno. En plus d'avoir inventé la psychanalyse, il a élaboré une théorie des premières sociétés humaines.

— Vraiment ? lança Canesta, qui ne voyait pas du tout sur quelle piste son étrange interlocuteur voulait l'emmener.

— Absolument. Selon Freud, l'humanité moderne serait issue d'une horde primitive dirigée par un chef tout-puissant. Comme chez certaines espèces de singes. Une sorte de père universel, si vous voulez, et qui a l'exclusivité de l'accès aux femmes de la horde. Ses fils, jaloux, se révoltent et l'assassinent. Connaissez-vous cette théorie ?

— Pas du tout, regretta Canesta.

— Intéressante, quoique controversée. Selon Freud, les fils, pris de peur ou de remords, érigèrent un totem à l'image du père. Puis, ils établirent des tabous qui devinrent des règles pour la nouvelle société : à l'intérieur du clan, pas de meurtre, encore moins de parricide, pas de relations sexuelles entre frères et sœurs, entre fils et mère, et en général avec ceux qui appartiennent au même totem.

— Ce n'est pas un peu dépassé, de nos jours, ce genre de théorie ?

— Ce n'est pas un critère, monsieur Canesta, loin de là ! protesta Havel. La Bible, le Coran ne sont-ils pas aussi un peu dépassés ? Et pourtant des milliers de gens les lisent tous les jours. Et certains se font tuer pour ce qui y est écrit.

Havel baissa la voix et ajouta sur un ton de confidence :

— Je vous dis ces choses parce que, pour bien comprendre ce qui vous amène ici, je dois vous ramener dans le passé. Dans l'Histoire. Avec un grand H. Et encore plus loin. Il faut croire à la continuité dans la transmission de l'héritage. Et reculer au-delà de l'origine même de l'homme. Jusqu'à nos ancêtres animaux, jusqu'aux singes, d'où nous venons tous. À moins que vous ne croyiez en Dieu et à la création plutôt qu'à l'évolution, inspecteur Canesta ?

L'interpellé commençait à se demander s'il avait bien fait de faire des milliers de kilomètres pour rencontrer cet homme. Havel était-il un illuminé ou simplement un solitaire qui n'avait conversé avec personne depuis longtemps? Canesta répondit par une question.

— Est-ce important?

— Pour moi non, pour comprendre le BRNO, absolument! Il y a une continuité, croyez-moi. Il faut vous pénétrer de la pensée collective, qu'il s'agisse de l'humanité tout entière ou d'une ville, d'une région. De Brno, et de la Moravie.

Havel chuchotait maintenant.

— Sinon, rien de tout ce que je vous dirai n'aura de sens.

Il se leva aussitôt et, en élevant le ton, annonça:

— Mais vous êtes mort de faim, je crois. Laissez-moi aller commander. D'abord une *polévka z kapra*. C'est une soupe de carpe. Puis un bon *vepřo-knedlo-zelo*, vous en avez visiblement grand besoin.

— Qui est…?

— Délicieux. Porc, boulettes de pain et choucroute. Et pour arroser le tout, comme vous dites, une bonne bouteille de *Veltinske zelene*. Vous aimez le vin blanc?

— Habituellement, oui, mais si je bois maintenant, je tombe dans les pommes.

— Tut, tut, tut! Pas avec un grand vin de chez nous. Au contraire, vous voudrez rester éveillé pour en prendre encore.

Havel pénétra à l'intérieur pour commander et revint aussitôt avec une bouteille et deux verres.

— Donc, je vous disais que ce groupe qui vous intéresse a d'une certaine façon trouvé ici ses racines. D'où leur nom. Mais ça s'arrête là. Ils voulaient prendre le cœur, ils n'ont eu que la peau.

Havel fit un geste de dépit.

— Selon mes recherches, poursuivit-il, les lettres BRNO désignaient au départ une confrérie qui existait déjà dans la ville de Brno au xvᵉ siècle. Elles veulent dire *Buh Racy Nečistý Odsúdit'*. Ne cherchez pas dans votre dictionnaire tchèque. C'est du vieux slovaque qui veut dire « Dieu condamne les races impures ».

— Et à quoi ces gens s'adonnaient-ils ?

— Aux mêmes lubies que le BRNO moderne. Vous savez, bien sûr, que la génétique est une science qui a débuté ici même, avec Gregor Mendel ?

— Je suis désolé, peut-être pourriez-vous me rafraîchir un peu la mémoire.

— Gregor Mendel est le père de la génétique. Il était moine, ici à Brno, au xixᵉ siècle. Après le repas, je vous emmènerai voir où était son jardin. Mendel a posé les premiers jalons de la génétique moderne en croisant des petits pois.

— Je ne vois pas ce qu'il y a de mal à croiser des plantes.

— Ah ! Mais attention, pour les puristes, le mal arrive lorsque l'on veut croiser des espèces ou des races que Dieu a créées distinctes parce qu'Il les voulait ainsi. Même les trouvailles de Mendel, plutôt inoffensives, étaient considérées comme peu orthodoxes par certains courants dans l'Église de son temps.

Havel se pencha au-dessus de la table.

— Mendel a été persécuté, n'en doutez pas. Après les pois, il a croisé des souris. Ensuite, on ne sait pas trop ce qui s'est produit, mais on dit qu'il est devenu dingue vers la fin de sa vie. Ce sont eux qui l'ont rendu fou.

— Eux?

— Ses confrères, les moines droitistes, et celui qui a remplacé Mendel comme supérieur du monastère où il vivait. Certains parmi eux appartenaient à la confrérie *Buh Racy Nečistý Odsúdit'*. À la fin de sa vie, Mendel ne parlait plus à personne. Mais il n'en pensait pas moins. Certains documents affirment qu'il avait mené une série d'expériences en secret, qu'il en a noté les résultats et élaboré une théorie nouvelle.

Havel lança les mains en l'air.

— Mais rien de tout ça n'a été prouvé. Et l'on n'a jamais retrouvé ni lettre ni notes de la main de Mendel à ce sujet.

— Et cette confrérie du Moyen Âge, elle existe toujours chez vous?

Havel remplit la coupe de Canesta avant de poursuivre:

— Mais non, justement, il y a au moins cent cinquante ans qu'elle a disparu.

— Pour venir en Amérique…

— Pas du tout. Elle a disparu, point. Pourquoi ce groupe chez vous a pris ce nom, autrement que pour se donner des lettres de noblesse, je l'ignore.

— Hum…

Havel se saisit de la bouteille de vin et emplit les coupes.

— Vous me semblez un peu perdu, monsieur Canesta, ça va?

Havel fixait son invité de ses yeux noirs étonnamment lumineux, attendant que ce dernier acquiesce. Pour sa part, Canesta hésitait à savoir si c'étaient la fatigue et le décalage horaire, ou plutôt l'accent et le vin tchèques qui lui jouaient un tour. Il se sentait complètement désemparé.

— Ne vous en faites pas, nous avons tout notre temps. Reprenons depuis le début. Cette photo dans votre dossier de la police de Montréal, elle a été prise lors d'une manifestation?

— Exactement.

— Organisée par le BRNO chez vous il y a une vingtaine d'années...

— Semble-t-il, oui.

— Et, on ne le voit pas sur la photo, mais je dirais sans risquer de me tromper que la grille devant laquelle ils paradent protège un laboratoire de génétique ou de biotechnologie?

— Possiblement, mais à vrai dire, je n'en sais rien.

— Croyez-moi, ça peut difficilement être autre chose. Cherchez parmi les sociétés pharmaceutiques et les laboratoires qui étaient établis chez vous à cette époque, vous la trouverez sûrement! Ces sociétés étaient le gagne-pain du BRNO. Ils s'opposaient à toute activité scientifique qui visait à modifier ce qu'ils appelaient l'ordre naturel. C'est-à-dire ce qui avait été établi par Dieu lors de la Création. Ils condamnaient ce genre d'établissement et voulaient faire bannir et traduire en justice tous ceux qui s'adonnaient aux manipulations génétiques pour concocter des organismes génétiquement modifiés, ceux qu'on appelle OGM.

Ils pourchassaient les scientifiques qui pratiquaient la transgenèse en insérant des gènes étrangers, ils s'opposaient à la recherche sur les embryons, au clonage. Bref, pour utiliser une image familière dans un autre milieu où les extrémistes ne manquent pas, les membres du BRNO étaient des intégristes. Des intégristes du gène.

— Ah! C'est bien comme image! sourit Canesta.

— Prenez le clonage, par exemple. Eh bien, pour ces intégristes, le clonage correspond à un parricide.

— Excusez-moi, je ne vois pas le lien.

— Le clonage, le vrai, le rigoureusement identique, monsieur Canesta, ne s'applique qu'aux femmes. On ne peut pas cloner un mâle. Par conséquent, accepter le clonage, c'est accepter un monde de femmes. Autrement dit, les mâles sont désormais inutiles. Je sais que cela peut paraître absurde, mais croyez-moi, c'était leur conviction. J'ai dans mon bureau tous les textes fondateurs du groupe. Leurs règles, leur credo.

— Et qui sont ces gens? demanda Canesta.

— Vous voulez dire qui *étaient* ces gens, précisa Havel. Eh bien, au début... Ah! *Polévka je na stole!*

— Pardon?

— J'ai dit: nous sommes servis! Allez! Mangez, cela vous fera grand bien.

Canesta ne se fit pas prier. Il mourait de faim. Havel se contenta de remplir à nouveau son propre verre de vin.

— Mais dites-moi, monsieur Havel, reprit Canesta, qui en étaient les fondateurs? Du groupe moderne, je veux dire.

— Le fondateur était un dénommé Winter, Samuel Winter. À l'époque, il vivait à Philadelphie, mais il était canadien.

— Et que fait-il maintenant?

— Demandez à vos services secrets.

— Je vous demande pardon?

— Je crois que cela se nomme le Service canadien du renseignement de sécurité.

— Le SCRS?

— C'est cela. Lorsque, il y a une vingtaine d'années, j'ai voulu fouiller dans la vie de ce type, vos services secrets m'ont fait savoir que cela ne me regardait pas.

— Vous blaguez...

— Je n'invente rien, monsieur Canesta. Tout ce que je vous ai dit aujourd'hui a été consigné pour l'enquête que j'ai menée sur le BRNO pendant les années où ils étaient très actifs. Je l'ai faite par intérêt pour l'histoire de ma ville. J'ai tout ça dans mon bureau. Ils ont même produit des vignettes de Mendel et de Freud, ainsi qu'un plan du Brno ancien et tout le reste. Je vous montrerai, vous verrez. Monsieur Canesta, vous avez fait des milliers de kilomètres pour que je vous mette au parfum. Si vous croyez à leur culpabilité dans votre affaire, il vous faut comprendre comment ces gens pensent et agissent. Oui ou non?

— Excusez-moi. Poursuivez, je vous en prie.

— Cher collègue, vous risquez de passer le reste du mois ici. Permettez-moi encore une digression. Brno a été le refuge des dissidents de toutes les époques. Évidemment, les pouvoirs en place, dont la toute-puissante Église catholique, les ont pourchassés jusqu'ici. Beaucoup ont abouti dans les oubliettes de la forteresse sur la colline là-haut. Des philosophes, élèves de Descartes, ont fui les persécutions ou les remontrances des catholiques. À cette époque, mieux valait ne pas penser. Je vous invite d'ailleurs à revenir à Brno le 6 juillet prochain. C'est la fête de notre héros national, Jan Hus, un théologien réformateur que l'Église a excommunié puis condamné au bûcher.

— Vos héros sont des penseurs ? Chez nous, on honore surtout des soldats, des humoristes et des joueurs de hockey...

— Nous en avons aussi pour tous les goûts, mais aucun de la stature de Hus et de ceux qui ont défendu la liberté.

— Et ce Hus, quand a-t-il été exécuté ?

— En l'an 1415. Il y a plus de six cents ans. Ses disciples ont formé une communauté, les Frères moraves. Par la suite, ils ont été pourchassés à leur tour. Leurs lieux de rencontre ont été fermés, des douzaines d'objets et de documents ont été détruits. D'autres ont sûrement été conservés en secret, et l'ethnologue en moi aimerait bien les retrouver. Avec les années, l'Église morave s'est établie en Allemagne, puis a fondé des missions à plusieurs endroits dans le monde, y compris en Amérique. L'Église morave est présente aux États-Unis et chez vous au Canada.

— Je ne savais pas qu'il y avait un lien entre nous et votre ville ! s'étonna Canesta.

— Hum, je m'y rendrai peut-être un jour, histoire de fouiller leurs archives. C'est le seul lien que je vois pour expliquer que le nom de cette confrérie du Moyen Âge se soit rendu chez vous.

— Mon cher monsieur Havel, vous me coupez le souffle. C'est passionnant. Mais justement, si ces gens du BRNO sont aussi fanatiques que vous les dépeignez, pourquoi niez-vous que l'un d'eux soit responsable de cette agression récente chez nous ?

— Pour commencer, parce que le BRNO n'a pas fait parler de lui depuis un sacré bout de temps. Il est mort et enterré, sinon je le saurais, croyez-moi.

— On sait pourquoi ?

— Non, pas exactement. Mais le groupe a cessé d'exister d'un seul coup. Du jour au lendemain, disparu. Le fondateur, Winter, s'est envolé lui aussi. En outre, je pense qu'ils n'ont plus leur raison d'être. Vous savez, dès le début, dans les années 1980 et 1990, ils ont eu la bonne idée de s'associer avec tous les groupes de droite, les provie, les créationnistes et le reste. Ils ont infiltré les partis politiques pour faire adopter des lois très contraignantes. Résultat, les OGM, leur grand cheval de bataille, ont été mis au pilori ; la recherche sur les embryons a été entièrement balisée ; le clonage humain est devenu le plus grand de tous les tabous scientifiques.

— Mais s'ils existaient toujours ?

— Alors ils sont allés sous terre, *underground*, dites-vous ?

— Oui. Et le témoignage de cette jeune femme, victime d'une agression, suggère justement qu'ils existent encore, *underground* ou non.

— Je vais vous dire une chose, monsieur Canesta. J'ai appris à me méfier des témoins et à préférer les preuves tangibles. Comment pouvez-vous être certain de ce qu'il y avait réellement sur la poitrine de cet agresseur? Ces mêmes quatre lettres B, R, N, O? Et uniquement ces quatre? Elles auraient pu faire partie d'un mot plus long. La demoiselle était à demi morte, elle a fort bien pu se tromper.

— Évidemment, ce n'est pas impossible, mais…

— Et puis, connaissez-vous bien la victime? Que savez-vous d'elle? Est-elle sensée? Névrosée? Membre d'une secte?

— Je ne sais pas…

Canesta songea à tout ce que la jeune fille révélait sur elle-même dans les pages de son journal. Le portrait qui s'en dégageait était certes incomplet, mais il était à tout le moins incompatible avec celui d'une personne appartenant à un groupe marginal ou extrémiste.

— Non, je ne crois pas, ajouta-t-il aussitôt. Cela ne lui ressemble pas.

— Admettons! Pour en revenir au BRNO, ces gens étaient des fanatiques, oui, assurément, mais pas des meurtriers. Ils ont mis le feu à des récoltes d'OGM, ils ont saboté des expériences de laboratoire, cassé quelques éprouvettes, écrabouillé des boîtes de Petri et des cultures suspectes. Mais jamais ils n'ont agressé personne physiquement. Même lors des échauffourées avec les forces de l'ordre, ils se laissaient matraquer sans broncher. Je suis prêt à parier que celui qui aurait commis un tel acte aurait été immédiatement banni.

— Mais c'est quand même une possibilité?

— Bon sang, inspecteur, réfléchissez! Ils n'attaquent pas les créatures de Dieu. Point. Le meurtre est tabou pour eux. Voilà pourquoi je ne crois pas qu'ils soient à l'origine de ce crime sur le mont Réal.

— Mont Royal. À Montréal.

— Excusez-moi. Mettez-vous dans leur peau un instant. Cette jeune fille, une créature de Dieu, en âge de procréer, cultivée, avec des diplômes, qui craque pour le gorille, un animal qui est lui aussi une créature de Dieu et qui descend en droite ligne d'un couple de passagers de l'arche de Noé. Tout cela est parfaitement aligné dans l'ordre naturel que le BRNO veut préserver. Non, ça ne colle pas, inspecteur. Je le répète, ce crime ne porte pas du tout la signature du BRNO. Pas de mobile, tout simplement.

— À moins, bien sûr, suggéra Canesta, qu'il n'y ait quelque chose qui nous échappe complètement.

Ils se turent un long moment et nettoyèrent le plat de choucroute et de porc. Après avoir avalé la dernière gorgée de vin, Havel fit un clin d'œil.

— En plus, elle était jolie !

— Elle l'était et elle l'est toujours… Très jolie. Je suppose que vous avez vu sa photo dans le journal.

— Oui, bien sûr. Cette histoire de gorille a fait le tour du monde. Et même si d'un point de vue statistique elle semble improbable, elle pourrait bien être vraie.

Canesta ne répondit pas. Il songeait au pavillon, aux murs tapissés de visages de créatures sombres, au nid perché au plafond, aux piles de documents, aux autres secrets peut-être cachés au fond du tiroir de la table de travail, qu'il avait bien l'intention d'aller fouiller à nouveau dès son retour à Montréal.

— Et surtout, vous avez une signature génétique. Ça, c'est du béton !

— Je n'arrive quand même pas à y croire, voyez-vous…

— Vous savez, j'ai vu des cas tout aussi, sinon encore plus invraisemblables dans ma carrière. Tenez, une histoire de meurtre il y a une dizaine d'années ici, en Moravie. Le coupable était une momie, croyez-le ou non. Un champignon toxique dans les tissus préservés. Et qui vous dit que la dame coopère entièrement ? Elle vous cache peut-être quelque chose, ou plutôt quelqu'un, ou un animal qu'elle veut protéger.

— Si vous songez toujours au gorille, où voulez-vous qu'il se cache ? Nous avons ratissé les bois, les parcs, rien !

— Dans une ville, ce n'est pas dans les arbres que l'on cherche à se cacher, mais plutôt dans les caves.

L'esprit de Canesta quitta alors Brno. Il se voyait dans la cour du pavillon. Devant la porte du sous-sol et celle de la grille qui donne sur le parc du Mont-Royal. Toutes deux bien huilées et fermées à clé. Dans les pages du journal, il y avait plusieurs références au «fils de Koko», un rejeton du fameux gorille qui avait appris à peindre, qui comprenait des douzaines de mots et les tapait sur un clavier d'ordinateur. Un passage en particulier restait imprimé dans la tête de Canesta :

«J'ai droit à une autre session de trois jours entiers avec lui, nous vivrons chaque minute ensemble. J'ai hâte, je m'entends tellement bien avec le fils de Koko, et il me le rend bien. Lors de sa visite précédente, pour l'amuser, je lui avais fait faire son propre trousseau de clés pour les promenades au parc. Dès qu'il a compris qu'il revenait chez moi, il est tout de suite allé le chercher.»

À ma sortie de l'hôpital hier, je suis allée dormir à la maison de mes parents. Je n'ai pas remis les pieds au pavillon. J'ai peur de l'agresseur autant que de moi-même. Je me méfie de mes réactions. Je sens que je suis capable d'aller me jeter volontairement dans la gueule du loup.

Hier, j'ai aussi pris ma décision. Du coup, j'ai téléphoné à Gulshen Kügu, j'ai acheté mon billet. Le taxi vient d'arriver, je pars pour Istanbul, via Paris. Lorsque le chauffeur s'arrête au coin de la rue, je me retourne pour jeter un coup d'œil à la propriété de mes parents. J'ai l'impression que je ne la reverrai plus. Plus qu'une impression. Une quasi-certitude.

Au même instant, une grande automobile que je ne connais pas vient s'immobiliser devant la maison, de l'autre côté de la rue. Une marque peu courante. Pas une voiture de police. Un type en imperméable gris en sort. Une silhouette inconnue. Mon cœur fait un bond. « Serait-ce…? » Le taxi prend le virage, accélère, et nous sommes déjà loin.

Vingt minutes plus tard, alors que nous approchons de l'aérogare, le chauffeur rompt le silence :

— Elle nous suit !

— Pardon ?

— Cette voiture qui était devant chez vous, tout à l'heure, elle nous suit depuis un bon moment !

Je me retourne. L'autoroute a trois voies dans chaque direction, des autos partout qui roulent à bonne allure.

— Je ne la vois pas, dis-je.

— Elle est sur la gauche. C'est quelqu'un que vous connaissez ? Vous avez oublié quelque chose ?

— Non, non, ne ralentissez pas. Et surtout, je ne veux pas manquer cet avion.

Dans la salle d'attente, alors que je suis comme toujours la première de la file pour l'embarquement, un grand type arrive à la dernière minute. Imperméable détrempé, complet froissé. Tout en gris, sans aucun goût. Je n'avais pas vraiment cru à cette poursuite sur l'autoroute, mais il me semble reconnaître l'homme qui avait garé sa voiture devant chez mes parents. Il est au comptoir de la première classe et discute avec le personnel. Il me jette de temps à autre un regard qui me donne la chair de poule.

Je suis soulagée de prendre mon siège, et je m'endors aussitôt. Lorsque je refais surface, la voix du commandant de bord annonce que l'avion, déjà loin de Montréal, est sur le point de quitter le continent américain. Nous survolons Hopedale, sur la côte du Labrador. Par le hublot, je vois un pays de roche que la mer envahit. Il est gris et raviné comme le dos d'un éléphant au bain, avec des doigts d'eau qui avancent dans les replis de sa peau.

Pour les pilotes d'avion, ce village est un point quasi virtuel où ils doivent changer de cap pour la traversée de l'Atlantique. Moi, je connais ce lieu pour y être allée, il y a quelques années. J'avais acheté un billet sur le caboteur qui ravitaille les communautés amérindiennes et inuites isolées sur mille kilomètres de côte. J'étais, tout autant qu'aujourd'hui, une errante en quête de quelque chose que je n'arrivais pas à définir. De temps à autre, le navire touchait un village posé sur un point rocailleux de ce pays que les découvreurs européens avaient baptisé la Terre de Caïn. Je descendais à chaque escale, histoire d'arpenter les lieux et, si le temps le permettait, je gravissais les collines, les buttes, les rochers pour voir au loin vers l'intérieur des terres. J'ai toujours fait ainsi. Chercher au-delà, plus loin, dans le bleu des cimes les plus lointaines. Là-bas peut-être se trouve mon véritable pays…

— Excusez-moi, mademoiselle… S'il vous plaît, vous permettez ?

Je lève les yeux à demi. C'est l'homme de la salle d'attente ! Je suis à peine étonnée qu'il vienne me relancer. Comme par hasard, mon voisin du départ a disparu et le siège à côté du mien est libre. Un hasard, vraiment ?… Voilà que cet homme s'installe avec son complet froissé, et ses grandes jambes qu'il n'arrive pas à insérer dans l'espace prévu ! Je ne sais pas ce qu'il me veut, mais je le crains instinctivement et me recroqueville contre la paroi, la tête tournée vers le hublot, les yeux fermés. Je m'efforce de rester éveillée, mais je tombe de fatigue et sombre dans un demi-sommeil.

Soudain, je sens que quelque chose m'effleure l'oreille. Un geste doux, à peine perceptible, de la soie, une plume, de la ouate. Je me relève brusquement, ébahie. Dans la semi-obscurité, il me semble que mon nouveau voisin de siège vient de s'éloigner de moi d'un geste un peu trop brusque. Son bras posé bizarrement sur sa poitrine est raide, et je jurerais que sa main enfoncée entre les jambes cache quelque chose. Il esquisse un sourire, tel un enfant pris en flagrant délit.

— J'ai des fourmis dans les jambes, explique-t-il. Ces sièges sont si étroits. Je ne voulais pas vous déranger. Je vous laisse dormir. Peut-être pourrons-nous échanger quelques mots plus tard, si vous le voulez bien… Je ne suis pas pressé.

Il s'étire, se lève, se rassied. Et je suis là, bêtement, à me demander si je n'ai pas rêvé. Je touche mon oreille, mon épaule, et je ne suis plus certaine de rien. Je saisis le coussin et le coince sous ma tête contre le rebord du hublot. Cette fois, je suis vraiment énervée, j'ai les yeux grands ouverts, à l'affût du moindre bruit, du moindre geste.

— Vous allez souvent à Paris ? demande-t-il.

Il ne semble pas comprendre que je n'ai vraiment pas le cœur à la conversation.

— Moi, c'est Hank Dahler. Je ne vous dérange pas, j'espère ?

Si, mais il s'en fout !

— Dites-le-moi si vous préférez que je vous laisse dormir…

S'il continue, je sonne l'hôtesse.

— Paris, pour moi, est LA ville. J'y vais plusieurs fois par an. Je ne sais pas si vous connaissez le quatrième arrondissement... J'y partage un petit studio avec des amis.

Ça y est! Il va m'inviter «parce que, justement, quelle chance, c'est son tour, pour le studio».

— Quelque chose me dit que vous voyagez beaucoup, poursuit-il. À vous voir dormir, ainsi, dans ce siège aussi inconfortable, on comprend que vous prenez souvent l'avion.

Je saisis dans la pochette devant moi le magazine de la compagnie aérienne et je fais mine d'être absorbée, tout en cherchant un moyen de me libérer de ce type.

— Tout à l'heure, nous sommes passés au-dessus de Hopedale, lance-t-il. Vous connaissez cet endroit?

Il me donne la trouille, vraiment, ce Hank Dahler. Mais en même temps, je suis intriguée.

— J'y suis allé, moi, mademoiselle, à de nombreuses reprises. La première fois, c'était il y a très longtemps. Dans des circonstances assez particulières. D'ailleurs...

Il hésite. J'ai l'impression qu'il a une idée derrière la tête mais qu'il ne sait pas par où commencer. Il bat en retraite maintenant et fixe le plafond. La main glissée dans la poche de son veston, il semble absent. Après avoir fait tous ces efforts pour avoir la place à côté de la mienne, on dirait qu'il est soudainement devenu timide. Au moins, il ne m'a pas invitée à passer la nuit dans son studio. À brûle-pourpoint, il me relance:

— Je peux vous poser une question ?

Comme s'il ne m'en avait pas déjà posé une demi-douzaine ! À la fin, il réussit à me faire sortir de mon mutisme. Je décide de lui faire face, et je lui réponds froidement :

— Allez-y.

— Une question… personnelle ?

— Je vous écoute.

— Vraiment ? Ça ne vous choquera pas ?

— On verra bien !

— Je vous observe depuis le départ. Votre calme, votre air un peu absent, vos traits. Et je me demandais si vous étiez, disons, si vous aviez du sang asiatique.

Il me semble que c'est une évidence. Où veut-il en venir ?

— Vous êtes chinoise… ou… coréenne, peut-être ?

— Pourquoi ?

— Comme ça, votre visage, vos traits, vous paraissez…

— Je parais… ?

— Excusez-moi, c'est quand même frappant.

— Vous trouvez ?

Il joue au chat, et moi à la souris. Il en sait plus qu'il n'en dit, mais je ne sais toujours pas où il veut en venir. Selon les documents officiels, je suis née en Chine. Pourtant, je n'ai aucun sentiment d'appartenance à ce pays et à son peuple. J'ai tant fouillé que j'en suis venue à une conclusion : mes parents biologiques étaient cana-diens. Inuits, pour être plus précise. Je ne suis pas seu-lement allée au Labrador, j'ai aussi ratissé le Grand Nord pour retrouver mes sources. Entendons-nous, bon nombre de mes voyages se sont déroulés dans le confort d'une bibliothèque.

C'est là que j'ai appris par exemple que la parenté avec un animal est une réalité bien admise chez certains peuples. Les Inuits considèrent même la métamorphose comme tout à fait naturelle. Chez eux, l'âme d'un défunt passe dans le corps d'un autre homme ou d'un animal. C'est pourquoi le chasseur, avant de tuer une proie, lui adresse toujours une prière, conscient que celui qu'il s'apprête à tuer pourrait être un ancêtre, ou même un parent proche. On disait que *nanouk*, l'ours blanc, l'animal le plus prisé, se retirait parfois dans sa tanière sous la neige pour enlever son vêtement d'ours et paraître sous sa vraie nature d'homme. Tout comme moi avec le gorille.

En outre, je porte un tatouage. Selon mes parents, il s'agit d'une simple cicatrice ou d'une tache de naissance. Je ne les crois pas. Bien évidemment, ils ne peuvent pas savoir ce qui s'est passé entre ma naissance et le moment où ils m'ont adoptée, près de deux ans plus tard. Je porte quatre petits traits disposés en éventail. Je suis convaincue qu'il est d'origine inuite. J'ai vu les mêmes dans les illustrations que les premiers anthropologues ont rapportées de leurs études sur les peuples du Nord. Autrefois, les femmes inuites se marquaient ainsi. Avec des aiguilles, elles faisaient pénétrer de la suie sous la peau du menton. Mon tatouage à moi est plus discret. Je le porte sous le bras, à l'aisselle. Secrètement. Et je ne vais certainement pas le dévoiler à ce Dahler. J'ai eu tort d'abandonner ma réserve et de lui parler. Sous ses airs doux et inoffensifs, c'est un fin renard. Il fait tout pour m'amadouer, puis il change de tactique. Afin de me déstabiliser. Je lui réponds sèchement :

— Si j'ai du sang asiatique ? Pourquoi pas ? Est-ce un crime ? À une époque, des centaines de petites Chinoises ont été adoptées chez nous. Beaucoup ont eu des enfants, et elles ne sont pas forcées de les faire avec d'autres Chinois. Ce qui fait que les mélanges sont courants… et il y a aussi les Amérindiens qui ont des traits asiatiques. Pourquoi me posez-vous autant de questions ?

Ça y est, je perds mon calme. Et je viens de prononcer ma plus longue phrase des dernières semaines ! Hank change à nouveau de visage et se renfonce dans son siège en souriant. J'attaque de plus belle :

— Vous croyez que je n'ai pas vu votre manège, peut-être ? Avant le départ, puis dans l'avion, avec l'hôtesse… Pourquoi avoir manigancé afin de vous retrouver à côté de moi ?

— À cause de ceci, me fait-il.

Hank a sorti de la poche intérieure de son veston une photo. Il me la tend. Elle n'est pas récente. On y voit un homme et une femme dans un parc. C'est l'automne et la lumière devait être divine ce jour-là. L'homme est de dos. La femme fait face à l'objectif. Elle est loin et l'image est plutôt floue, mais le visage m'est familier. Étrangement familier.

— Et alors ? dis-je.

— Ne voyez-vous pas une ressemblance étonnante ?

Je regarde de nouveau la photo. Je ne connais pas cette personne, mais il est vrai qu'elle me ressemblerait beaucoup si j'avais son âge. Oui, en effet, je me vois ainsi, plus tard. J'en suis plutôt bouleversée, mais je ne vais pas l'avouer à ce type pour autant.

— Une ressemblance avec qui?

— Mais avec vous, évidemment.

— Vous croyez? Primo, cette femme a au moins vingt ans de plus que moi. Secundo, ses cheveux... Non, je ne vois pas, désolée.

— Vous le faites exprès. C'est votre droit. Vos parents, eux, ne sont pas du même avis. Ils ont dit avoir trouvé la photo très ressemblante.

— Mes parents? Qu'ont-ils à voir là-dedans?

Les pensées se bousculent dans ma tête. Qu'est-ce que ce Hank est allé chercher, bon sang, et pour quelle raison?

— Qui êtes-vous au juste, monsieur Dahler? Que cherchiez-vous en allant voir mes parents?

— Je parle de vos parents adoptifs, bien sûr.

— C'est pour cela que vous étiez chez moi plus tôt aujourd'hui?

Il ne répond pas et persiste à me dévisager. Je le relance :

— Vous travaillez pour qui, exactement?

— Disons que je m'occupe de dossiers internationaux.

— Comme?

— Les adoptions, par exemple!

C'en est trop. Qui est-il pour se mêler de mes histoires, pour aller importuner ma famille? Quelque instinct me dit que je dois m'en méfier. Il a un air de policier, d'enquêteur, d'agent secret, de meurtrier, si ça se trouve. S'il s'intéresse à moi, c'est qu'il y a anguille sous roche. Danger !

— C'est tout ? lui dis-je. Vous avez terminé ?

— Pas vraiment, mais je peux m'arrêter ici. Pour le moment. Quoique je pourrais peut-être, si seulement vous vouliez collaborer un tant soit peu, vous raconter une histoire. Et il se pourrait bien que vous y figuriez.

— Ça ne m'intéresse pas. Laissez-moi, je vous prie.

— J'ai d'autres photos, d'autres documents que…

— Puisque je vous dis que cela ne m'intéresse absolument pas !

— Soit. Mais encore une petite chose, si vous permettez… La femme sur la photo…

Il attend que je réagisse, mais je ne vais pas lui faire ce plaisir.

— Elle aussi aimait beaucoup les gorilles.

Hank affiche de nouveau ce sourire que je lui ai vu plus tôt. Celui de l'enfant pris en faute. Et cette fois, de sous son bras un peu trop raide, il ressort la main qu'il gardait cachée depuis le début. Elle tient un petit tube de verre. Hank l'approche de moi pour que je le voie bien. C'est une éprouvette de laboratoire. Il y a un objet à l'intérieur, un truc allongé. En le voyant, je constate que je n'ai pas rêvé lorsque j'ai senti quelque chose me toucher l'oreille. Hank m'a frottée avec ce machin. On dirait un cure-oreille plus grand que nature. Avec un bout orangé. Fluo. Luisant comme un cocon de soie. C'est dégoûtant ! J'ai un haut-le-cœur, et Hank me fait l'effet d'un maniaque lorsqu'il me dit, tout bas, comme s'il craignait que les voisins entendent :

— Il ne me faut que quelques-unes de vos cellules. Avec votre ADN, je pourrais prouver sans le moindre doute…

Je suis là, bouche bée, incrédule, assise à côté d'un maniaque, à dix mille mètres au-dessus de l'océan.

— Idéalement, j'aimerais échantillonner dans votre bouche. Vous pouvez le faire vous-même, si vous préférez. Ou aller aux lavabos, passer l'écouvillon sur vos autres muqueuses…

Déjà, je l'ai repoussé d'un coup et, le dos collé à la paroi, le cou pressé douloureusement contre le rebord du hublot, je lui lance :

— Si vous ne quittez pas immédiatement ce siège, je crie, je hurle. Pour que tout le monde entende ! Je hurle que vous m'avez tripotée !

Hank Dahler a repris son siège dans le calme feutré de la cabine de première classe. Le petit tube de verre entre ses doigts luit étrangement contre la lumière tamisée du plafonnier. Lorsqu'il l'agite doucement, il voit des fragments de fibres et quelques cheveux flotter en décrivant des spirales. Il croit aussi percevoir un nuage diffus qui s'élève du fond et se perd dans la colonne de liquide tamponné. Ce geste ravive dans sa mémoire le souvenir d'un objet qui était posé sur sa table de nuit lorsqu'il était enfant. Un demi-globe de verre transparent, scellé et plein d'un liquide dense. Au fond reposait le modèle réduit d'une ville miniature entourée d'un champ enneigé. En tournant et retournant le globe, le petit Hank pouvait faire tomber sur la scène une tempête de neige. Il tenait ainsi entre ses mains le sort des habitants de toute la ville.

En ce moment, l'homme imagine, plus qu'il ne les voit, les flocons qui dansent dans le tube. Il a beau l'approcher de son œil, le coller presque sur son front, le faire pivoter, il n'est certain de rien. Il faudrait un microscope pour voir le petit amas de cellules qu'il vient de prélever sur la passagère pendant qu'elle était assoupie, en frottant délicatement un coton-tige sur son siège, sur ses vêtements, sur sa peau, sur le pavillon de son oreille. «C'est peu, songe-t-il, vraiment peu, mais probablement suffisant pour une analyse.» Hank ouvre sa mallette posée sur le siège voisin, en retire une boîte de métal allongée et un crayon gras. Il inscrit sur le tube la date et l'heure, puis le nom de la jeune femme. Il replace le tube dans la boîte, qu'il referme hermétiquement.

D'un doigt, il allume son ordinateur portable. Pendant que l'écran s'éveille, Hank s'étire le cou et pose sa tête contre le dossier du siège. Depuis des années qu'il est sur cette affaire, il peut aujourd'hui enfin se permettre un moment de détente. Il appuie sur le bouton d'appel logé dans l'accoudoir du siège. Même s'il n'a pu terminer sa mission – bien des étapes restent encore à franchir –, l'occasion mérite tout de même du champagne.

Hank choisit sur l'écran une petite icône qui a la forme d'un navire, sous laquelle le mot «Arche» est inscrit. Il clique. Une mappemonde apparaît. Une ligne trace le parcours d'un navire depuis la côte est du Canada, du nord au sud sur l'Atlantique, dans l'océan Indien et jusqu'en Asie. Tout en savourant l'effet pétillant du champagne sur sa langue, il agrandit la carte plusieurs fois. L'archipel indonésien à cheval sur l'équateur tranche sur la pénombre de la cabine. Hank fait pivoter l'image et la Terre virtuelle se déplace vers l'est jusqu'au continent africain. Du doigt, il arrête sa course sur les montagnes du Rwanda et clique.

Le fichier qui s'ouvre porte en haut à droite une case intitulée « Symbole ». S'y trouve un dessin tout simple fait de quatre traits légers et disposés en éventail. Hank sourit. Il se demande comment la passagère aurait réagi s'il lui avait demandé de lui montrer son aisselle. « Juste un instant, s'il vous plaît, mademoiselle Berger ? Pour vérifier si vous portez bien la marque ! » Sur la ligne suivante, deux cases sont nommées « Poids à la naissance » et « Mère ». Pour avoir consulté mille fois l'ensemble du fichier, Hank connaît de mémoire ce que contiennent ces deux cases : « 2,61 kg », et « Katia Agvituk ». Le reste du document est entièrement libre.

Hank hésite un moment, prend une autre gorgée de champagne, puis après s'être frotté les mains de satisfaction, il se met à taper sur le clavier.

L'homme inscrit successivement la date, « Au-dessus de l'Atlantique, en route vers Paris », et les données qu'il a écrites sur le tube de verre. À la case intitulée « Description », il s'interrompt et tend la main vers son veston pendu à un crochet sur la paroi. Il en sort un mini-appareil photo numérique ultrasensible, dont il décharge le contenu dans son ordinateur. Les photos sont des scènes qu'il a croquées dans l'avion, à l'aérogare de Montréal avant le départ, clandestinement. Hank examine les divers plans du visage de la passagère, choisit les trois meilleurs et les fait glisser dans le fichier.

Cette tâche terminée, il se sent comme dans une bulle qui s'élève dans la stratosphère jusqu'au point d'éclater. Il pouffe d'un rire étouffé, ferme le dossier « Arche » et consulte la liste des messages et documents qu'il reçoit constamment par courrier électronique. Il y en a des dizaines, et Hank réalise à quel point ses occupations des derniers jours l'ont empêché de se mettre à jour. Il regarde sa montre. « Encore du temps devant moi », se dit-il. Son choix s'arrête sur un dossier crypté daté de l'avant-veille, qui provient de « BRNO » et est destiné à « jack.minnie ». Dahler se plonge aussitôt dans la lecture des messages qu'il contient.

Une heure plus tard, après avoir consulté plusieurs fois sa montre, Hank juge que la nuit à Paris est bien terminée. Dans le répertoire de son téléphone portable, il trouve un numéro qu'il compose aussitôt. La sonnerie se fait entendre plusieurs fois, puis une voix familière répond :

— Oui, allô ?

— Bonjour, Alexandre. Je ne te tire pas du lit, j'espère ?

— Hank ! C'est toi ?

— Eh oui, c'est bien moi !

— Tu es à Paris ?

— Non, en route. Nous devrions atterrir dans environ une heure.

— Tu viens chez moi ? Je t'attends ?

— Je ne sais pas. Peut-être.

— Tu es sur une affaire, alors ?

— Évidemment…

— Pas…

— Oui ! Toujours la même.

— Quel pitbull ! Tu crois toujours pouvoir aboutir ?

— Plus que jamais !

— Tu as trouvé ?

— Avec un peu d'aide, oui. Et cette fois, c'est la bonne. Je ne dois pas me louper.

— Et c'est pour cela que tu as besoin de moi, si je comprends bien. De nos services, devrais-je dire.

— Exactement. Si c'est possible, bien sûr !

— Mon vieux, à moins qu'il ne s'agisse d'un secret d'État, tu sais que je ne peux rien te refuser. Après ce que Ron Hovington et toi avez fait pour nos services secrets dans le temps...

— Merci, Alexandre.

— Au fait, as-tu des nouvelles de lui ?

— Aucune. Depuis qu'il a pris sa retraite à Antigua, les dernières personnes qu'il a envie de voir sont précisément ses anciens collègues du service de renseignement.

— Oui, je comprends. Il ne m'a jamais appelé ni écrit, moi non plus. J'espère qu'il se porte bien.

— Lui ? Il est increvable !

— Bon, vas-y, Hank, je t'écoute.

— Voilà. Je vais te donner le nom d'une passagère sur ce même avion, et je veux que tu la pistes dès l'arrivée.

— Sans problème. Signalement ?

— Je te le donnerai. Ou, mieux encore, je vais te télécharger sa photo.

— Parfait.

— Je suis plutôt brûlé avec elle et je veux savoir où elle va, tout ce qu'elle fait, qui elle voit. Il se peut qu'elle soit simplement en transit. Dans ce cas, j'ignore sa destination finale. Le cas échéant, tu me diras sur quel vol elle repart, quel est son hôtel là-bas, si possible où elle prévoit aller, et le reste. Tout ce que tu pourras découvrir.

— Ce sera fait. S'il le faut, nous trouverons un prétexte pour la retenir à l'immigration. Tu as son passeport ?

— Non. Mais elle est canadienne.

— OK, c'est tout simple ! Je t'envoie quelqu'un à Charles-de-Gaulle immédiatement !

— Par contre, Alexandre, je voudrais que tout cela reste entre toi et moi. Pas de dossier, pas de témoin.

— Je vois… Dans ce cas, je vais tout faire moi-même.

— Merci.

— Vous atterrissez dans une heure, tu m'as dit ?

— À peu près, oui.

— Alors donne-moi le numéro de ton vol. Je t'attendrai à la passerelle.

— C'est gentil, mais il ne faut pas qu'elle se doute de quoi que ce soit. Je crois bien l'avoir déjà pas mal échaudée.

— OK !

— Encore une chose, Alexandre, s'il te plaît. Il me faut un billet pour sa prochaine destination. Mais pas sur le même vol, et il faut que j'arrive le premier. Même si tu dois me donner son siège à elle et la faire attendre. J'aurai quelques préparatifs à faire là-bas.

— C'est du sérieux alors, Hank, cette fois !

— Tu parles !

Ce n'est qu'après avoir raccroché que la crainte d'échouer s'insinua chez Hank. À Montréal, le désastre avait été évité de peu. Il ne savait toujours pas comment l'autre avait réussi à trouver Vicky Berger, mais il avait agi comme un imbécile. Heureusement, il avait manqué son coup. Autrement, la piste aurait presque certainement été perdue et Hank aurait été de nouveau forcé de traîner ses savates avec Stark d'un bout à l'autre de la Chine. Il ne pouvait plus se permettre de faire la moindre erreur.

«Patience! Patience!» songea-t-il, en déplorant que son mentor ne soit plus dans le décor et qu'il ne puisse pas lui demander son avis sur la façon de procéder à partir de ce point. «Patience, patience.» Ces mots ramenaient à tout coup le souvenir du premier appel qu'il avait reçu de Ron Hovington. À cette époque, Hank débutait dans le métier et cet agent d'expérience qu'il connaissait seulement de réputation lui demandait de se joindre à lui pour une enquête. Presque en transe, la recrue avait sauté dans le premier avion. Et aujourd'hui – qui l'aurait prédit? –, Hank était toujours sur la même affaire!

Il y avait longtemps de cela. Plus ou moins vingt-cinq ans. C'était dans une autre vie, une vie de fonctionnaire, mais qui avait tout appris à Hank des rouages du métier. Et il les mettait à bon profit dans sa seconde carrière, un travail de mercenaire, mais combien plus lucratif! Il se rassura de nouveau en ruminant la phrase que Hovington utilisait à toutes les sauces: «Patience! Patience! Plus le poisson est gros, plus il faut savoir le travailler.»

Le jour n'est pas encore levé sur Istanbul. Le globe jaune d'un lampadaire jette une lueur maladive dans le cube noir de ma petite chambre. Un rai de lumière traverse la forme de mon corps allongé sur le lit, poursuit sa course sur le parquet et monte le long de la porte qui mène au couloir de l'étage.

La veille, à Paris, pour une incompréhensible histoire de passeport, j'ai raté mon vol. J'ai aussitôt appelé Gulshen pour lui dire que j'arriverais à Istanbul très tard en soirée, sinon dans la nuit. Nous avons convenu de nous rencontrer ce matin dans un petit café derrière l'ancien hippodrome. J'attends la fin de cette nuit qui s'étire, interminable, scrutant les ténèbres et les bruits lointains de la ville, épiant les gargouillis dans la tuyauterie, les craquements au-delà des murs minces et poreux comme des rideaux. Je tourne les mains devant mes yeux dans la lumière blafarde, examinant ma peau, cherchant à discerner ce que cet inconnu dans l'avion connaît de mon histoire au-delà de ce que je sais et qui déjà me bouleverse.

Un bruit perce soudain le silence. Puis un autre, juste derrière la porte de la chambre. Il me semble voir la poignée bouger. Lentement. Peut-être un quart de tour. Je suis certaine d'avoir bien verrouillé. La serrure résiste. Je m'assieds au bord du lit. Ai-je rêvé ? Non, voilà le bec de canne qui revient vers le haut, dans un grincement de ressort. Puis plus rien. Sinon le glissement d'une main qui tâte la porte, l'encadrement. Un souffle se fait entendre, comme la lente expiration d'un ballon qui se vide de son air. Je me lève doucement et m'approche pour mieux voir. Un cisaillement fouille la nuit. Un éclair métallique jaillit entre le battant de la porte et l'encadrement. Une lame de couteau ! Quelqu'un dehors cherche à forcer le pêne. Je n'entends plus rien parce que mon cœur, à l'étroit dans ma poitrine, bat jusque dans ma gorge.

Je saisis ma chaussure et la brandis devant moi en guise de gourdin, comme si je pouvais repousser la lame, décourager celui qui tente de s'introduire chez moi. Approchant sur le bout des pieds, alors que j'arrive à la porte, mon poids fait craquer une planche. Je fige. Devant, je ne vois plus la lame avancer et se retirer, avancer et se retirer. Il me semble aussi que le crissement s'est tu… Puis le plancher du couloir se met à craquer à son tour. Ou serait-ce plutôt l'une des marches de l'escalier juste à droite de ma chambre, par où je suis montée de la réception cette nuit ?

Il n'y a plus de doute. Quelqu'un monte ou se déplace de l'autre côté de la cloison. Des pas qui progressent en douceur. Je suis tout contre la porte maintenant, comme si ma terreur, tel un vertige, me poussait à m'approcher toujours plus du danger. L'oreille vissée au battant, j'entends distinctement les pas. Ils s'éloignent ! Je me souviens d'une porte vitrée au bout du couloir, qui permet de rejoindre la partie neuve de l'hôtel.

Je ne peux résister. J'attends encore quelques secondes et j'entrouvre doucement la porte, ma chaussure à la main. Le couloir est encore plus sombre que ma chambre. Il est vide. Non ! Je vois une ombre à l'autre bout. La porte vitrée est ouverte, le plafonnier luit sur le palier. Je vois l'homme qui s'enfuit. Au moment de descendre, il jette un regard dans ma direction, un court instant, et je le reconnais. Sans le moindre doute. C'est le type de l'avion. C'est Hank Dahler !

Je ne veux plus rester dans cette chambre. Je m'habille en vitesse, saisis mon sac à main. Après quelques secondes aux aguets, d'un coup sec j'arrache presque la porte, saute dans le couloir et dévale l'escalier, sautillant comme une ballerine pour faire le moins de bruit possible. Mon arrivée à la réception réveille le veilleur de nuit et son copain. Ils ne parlent que le turc, mais ici je me sens moins vulnérable. Ils m'offrent du thé. Il est très sucré, je le sirote comme une aïeule tout en épiant le couloir obscur par lequel je viens d'arriver. Rien. La pendule marque cinq heures trente-cinq. Il est trop tôt pour le rendez-vous, et cet endroit me donne la nausée. Je reste là encore un peu à attendre que le jour se lève parce que je ne sais pas où aller et que je ne suis pas certaine de vouloir me retrouver seule dans la rue.

Au lever du jour, il me reste encore beaucoup de temps à tuer, mais la bravoure revient avec la lumière. En face de l'hôtel, un homme ouvre les grilles d'un commerce. Les premiers passants paraissent, un taxi vient déposer quelqu'un. Je demande au chauffeur de m'emmener vers le lieu de mon rendez-vous sur la colline du sultan Ahmet. Il me dépose près de Sainte-Sophie, où les piétons sont déjà nombreux. Il fait froid, et quand je sors de la voiture mon souffle se condense sous le soleil frileux. Le ciel glauque ressemble à une gigantesque cloche de verre antique sous laquelle on aurait mis la lourde basilique flanquée de ses minarets et les maisons de bois à corniches appuyées aux murs du Sérail.

À l'endroit où ma carte touristique situe l'hippodrome de l'ancienne Byzance, je ne trouve qu'une bande de terre gazonnée entre deux artères. Dans cet espace trop étroit pour faire courir des chevaux ne gisent que quelques blocs d'une pierre gravée de caractères grecs aux trois quarts érodés. Sur la gauche, un arbre tordu va bientôt bourgeonner à travers deux pans de mur en briques plates et minces que le temps a presque soudées. C'est là que je trouve le café du rendez-vous. Les vitres suent sous la chaleur d'un four à bois au fond de la pièce. Le plancher de couleur rouille est dur et lisse comme du béton poli. Coiffant les murs aux vieilles briques brunes, le plafond de bois tout blanc semble flotter. Incliné devant une table, un vieil homme en djellaba blanche et babouches rayées pétrit du pain. La porte résiste. L'homme me fait signe que le café n'est pas encore ouvert.

Étrangement, je suis soulagée. Je dois préparer le moment où je devrai affronter Gulshen pour lui apprendre ce que je lui ai caché. Ce qui se trouve dans la grande enveloppe au fond de mon sac. Il faut m'apaiser et oublier ce qui vient d'arriver à l'hôtel. M'efforçant de marcher calmement, comme une touriste, je refais plusieurs fois le même circuit de ruelles au bout desquelles paraît la surface morne de la mer de Marmara. Je m'égare un moment, et lorsque je reviens sur la colline le café a ouvert ses portes. À l'intérieur, il règne une bonne chaleur. Une lente mélodie turque se mêle aux odeurs de café et de pain.

Gulshen est là qui m'attend, les mains jointes autour d'un bol qui fume. Son regard souriant est sur moi au moment où j'entre, comme si elle avait suivi tout mon trajet depuis le lever du jour. Je lui réponds par un geste un peu figé qui ne me plaît pas. Même si je m'y attendais, je suis troublée de constater à quel point cette femme, à n'en pas douter, est tout à fait moi. Absolument identique.

— Bonjour!

Elle s'est levée brusquement. Un peu gauchement, je m'apprête à la toucher, peut-être même l'aurais-je prise dans mes bras, aurais-je caressé sa joue, je ne sais. Mais le patron a accouru, s'est presque interposé entre nous deux. L'endroit est désert, on dirait qu'il a ouvert juste pour elle, pour nous deux. Il me dévisage de ce regard intense, à la fois chaud et hostile, que les hommes ont ici.

— Un café, s'il vous plaît! lui dis-je en français en montrant le bol tout chaud sur la table.

L'homme ne bouge pas et continue de me vriller du regard. Gulshen lui adresse quelques mots dans sa propre langue et elle nous présente. Il se nomme Kémal, c'est un vieil ami de sa famille. L'homme approche une chaise pour me signifier de m'y asseoir et retourne à son comptoir sans nous quitter des yeux, s'essuyant machinalement les mains sur son tablier.

— Il est comme ça, dit Gulshen. Il me surprotège. En plus, je ne lui avais rien dit à ton sujet. Il ne comprend pas que tu sois étrangère, que tu ne parles pas notre langue, tout en étant…

Nous nous asseyons.

— Tu as fait bon voyage ? s'informe-t-elle dans un anglais très soigné avec un accent presque british.

Sa voix hésite et je ressens toute l'émotion qui se cache derrière cette banalité.

— Pas vraiment, lui dis-je.

Je lui raconte ce qui s'est passé à l'hôtel pendant la nuit, ainsi que la veille dans l'avion pour Paris. Elle en est aussi bouleversée que moi. Ses mains posées sur le bol tressaillent légèrement. Nous savons confusément que ces agressions dirigées contre ma personne visent aussi Gulshen. Mais il n'y a pas que cela. Je me sens envahie par une pudeur inattendue. Ce n'est pas seulement dû à l'incident de cette nuit. Je me sens ailleurs. Je croyais qu'au moment de rencontrer Gulshen je serais pour le moins expansive. Au contraire, je suis troublée par quelque chose qui émane d'elle. Comme si son attitude nous retenait volontairement toutes les deux. Je comprends qu'elle est tout à fait consciente que je sais une chose qu'elle ignore. Un secret qui va au-delà de ce que je lui ai dit jusqu'à maintenant.

— Désolée de ce rendez-vous si tôt, fait-elle, mais je n'avais pas d'autre moment avant ce soir. Je ne peux vraiment pas m'absenter de mon travail aujourd'hui.

— Oh! Ce n'est rien. De toute façon, je n'arrive pas à dormir ces jours-ci.

— Moi non plus, depuis que je sais pour nous deux.

Elle glisse sa main sur la table entre les bols de café, et je la saisis, tout naturellement, soulagée. J'arrive à sourire à mon tour. Je sens aussitôt qu'un poids s'est envolé, et je constate à quel point j'attendais moi aussi sans le savoir cette rencontre qu'elle a provoquée en m'écrivant. Depuis longtemps. Depuis si longtemps.

— C'est une longue histoire, fais-je. Je ne sais par où commencer.

— Attends encore un peu. Moi aussi, j'ai une chose à te dire.

Elle se recueille un long moment puis se met à parler lentement, avec beaucoup d'émotion :

— J'étais certaine que cette rencontre viendrait. Je veux dire, pas nécessairement celle-ci, pas nécessairement toi. J'ai toujours su plus ou moins confusément qu'il y avait quelqu'un d'autre… Je veux dire quelqu'un qui soit, comment dire, très près de moi.

Et moi, je suis là à l'écouter, je la trouve belle, comme on se trouve belle soi-même parfois, ni sublime ni magnifique, juste belle. Simplement vivante et fière. Et je me sens bien, libérée en sa présence, comme on l'est auprès de sa mère, de ses enfants, des gens que l'on aime quand on les sait heureux.

Le patron derrière son comptoir ne cesse de nous couver comme un aigle, avec sa barbe non faite, ses cheveux en bataille. La musique qui coule entre les tables nous rapproche. Dehors, un jeune garçon vient de poser une échelle contre le mur pour laver la fenêtre derrière laquelle nous sommes assises. Avec son bras levé qui tient un bout de pain, lui aussi nous dévisage en mâchonnant. Je suis chez moi ce matin.

Et les mots qui passent les lèvres de Gulshen, je les connais déjà. Je sais tout ce qu'elle me dit pour l'avoir vécu. Ses lapsus, ses déjà-vus, ce sont les mêmes que les miens. Elle sait que je sais, que je n'ai pas besoin d'entendre tous ces détails. Et nous savons toutes deux qu'elle parle avec tous ces détours parce qu'elle sait que je ne suis pas prête à lui révéler mon secret.

— Un jour, poursuit Gulshen, j'étais dans un endroit où je me rendais souvent pour briser avec le boulot, me couper de tout et laisser le vent et les arbres me donner de l'énergie, me souffler ce que je devrais faire pour la suite de ma journée, de ma vie. Je regardais le journal distraitement, appuyée contre un banc public un peu bancal sur une dalle crevassée… Je laissais le vent tourner les pages, comme si c'était lui qui devait guider ma lecture.

Je ne peux m'empêcher de l'interrompre :

— Gulshen, j'aimerais voir cet endroit.

— Pourquoi pas ? Nous irons peut-être un de ces jours.

— Ce n'est pas à Istanbul ?

— Non, pas du tout, c'est à Iğdir. C'est là que j'habitais jusqu'à tout récemment.

— C'est loin ?

— Plutôt, oui. À l'autre bout du pays.

— Et ce parc, il est comment ?

— En fait, ce n'est pas un parc, plutôt une section de rue piétonne, fermée sur trois côtés par des maisons. Il y fait toujours bon, même au creux de l'hiver. Un endroit sans bruit, dans une ville où, comme à Istanbul, la circulation automobile est à rendre folle.

— Et il y a une montagne derrière.

— Tu connais?

— Non, mais je l'ai en tête, cette scène, je la vois tout le temps. Une montagne très haute en forme de volcan.

— Bien sûr, c'est la plus haute montagne de mon pays! À la frontière avec l'Arménie.

— Je n'y suis jamais allée, mais je connais… C'est étrange, n'est-ce pas? Je crois que je t'ai vue dans ce parc. J'ai même vu le journal, le *Huru* quelque chose.

— *Hürriyet.*

— Oui, c'est ça.

— Moi aussi, j'ai vu des endroits que je ne connais pas, des gens, une personne, dans un autre pays. Mais ce que j'ai enfin compris ce jour-là, c'est que ces images qui me venaient, ces silences de mon cerveau avaient une signification. D'une certaine façon, ils me disaient que je n'étais pas seule.

Elle s'interrompt un moment, porte son café à ses lèvres.

— Il est froid!

Nous en sommes au point crucial. Il y a encore beaucoup à dire, à confier, mais il y a surtout cette vérité qui crie au fond de moi pour se faire entendre. Gulshen le sait, je le sais. Il me semble même que le patron du café se pose aussi la même question. Et le garçon derrière la vitrine, et les clients qui commencent à entrer. Tous, ils nous dévisagent, comme s'ils attendaient une révélation.

Ce que Gulshen et moi avons échangé jusqu'à maintenant n'est que le préambule, l'excuse pour ne pas attaquer le vrai sujet. Si nous sommes identiques, si nous sommes sœurs, la question est de savoir comment nous avons été séparées. Du regard, Gulshen m'incite à parler la première.

— Et tu l'expliques comment, cette... ressemblance ?

— C'est plus qu'une ressemblance. Nous sommes d'accord là-dessus. Tu es mon sosie, je suis le tien...

— Nous sommes donc jumelles. Et vraisemblablement identiques. Mais que tu habites ici, et moi à Montréal...

— Ça, ce n'est qu'un détail. Enfin, je veux dire, pas fondamental. Je sais que j'ai été adoptée, mais on a toujours cru que j'étais une enfant unique. Mes parents ne m'auraient pas caché que j'avais une sœur jumelle.

— À la condition qu'ils l'aient su, Gulshen. Quand mes parents adoptifs m'ont recueillie, j'étais, comme toi j'imagine, une toute petite enfant. Comment auraient-ils pu être certains que je n'avais eu ni frère ni sœur ?

Sans la quitter des yeux, je me penche pour saisir mon sac posé sous la table.

— Il y a plus...

Ça y est, nous y sommes. Je ne sais pas pourquoi, un vent de panique s'empare de moi. Je bois goulûment le reste de mon café refroidi, et il me met l'estomac à l'envers. Instinctivement, je fais glisser ma chaise vers l'arrière. Gulshen ouvre la bouche :

— Quoi ? Nos…

Je ne suis pas certaine de ce qu'elle s'apprêtait à dire – « nos parents » ou « nos sœurs » –, mais je ne peux plus attendre. Je sors la grande enveloppe et la pose sur le guéridon. Gulshen m'interroge du regard.

— Tu vas être en retard à ton travail, Gulshen. Peut-être est-il préférable que tu sois seule pour prendre connaissance du contenu de cette enveloppe. Comme je l'ai fait, moi. Tout y est. Du moins, tout ce que je sais. Je ne suis pas, tu n'es pas…

— Quoi ?

J'allais ajouter quelque chose, mais je me ravise.

— J'aime mieux que tu regardes d'abord ce qu'il y a à l'intérieur.

— Et toi ? Tu ne vas pas m'attendre ici toute la journée ! Je passe te prendre à ton hôtel après mon travail. Disons dix-huit heures, ça te va ?

— Non, ça ne va pas du tout. Je ne remettrai pas les pieds dans cet hôtel.

— Ce soir, tu viendras chez moi, conclut-elle. En attendant, deux portes à côté sur la droite, il y a un petit hôtel sûr, Hippodrome.

— Un nom français !

— Ah bon ? Il appartient à Kémal. Attends une seconde !

Elle se lève pour aller régler le tout avec le patron du café.

— C'est arrangé. Kémal va t'héberger pour la journée. Donne-moi la clé de ton hôtel là-bas, il enverra quelqu'un récupérer ta valise. Je te retrouve à côté après le travail.

— D'accord.

— Mais tout à l'heure, tu as dit «Je ne suis pas, tu n'es pas…». Ça veut dire quoi?

— Tu verras.

— Je ne suis pas quoi?

Elle insiste. Comme moi, Gulshen n'aime pas ouvrir une enveloppe, un colis, un présent, sans avoir à l'avance au moins une petite idée de ce qu'il y a à l'intérieur. Je prends sa main, doucement.

— Tu verras.

— Je ne suis pas quoi?

— Je suis heureuse d'être là, Gulshen. Très heureuse.

Elle attend la suite, elle commence à perdre un peu les pédales. Je lui donne un début de réponse:

— Tu es la toute première à m'avoir écrit à l'hôpital. Mais tu n'es pas la seule…

— Qu'est-ce que ça veut dire?

Je montre l'enveloppe sur le guéridon.

— Je te la laisse. À ce soir.

Je vois qu'elle est perdue, qu'elle ne sait plus où elle en est. Elle saisit l'enveloppe et l'ouvre d'un geste brusque. Plusieurs feuilles en tombent et s'étalent sur la table. Pendant que ses doigts fébriles les ramassent, ses yeux les parcourent rapidement, refusent de croire ce qu'ils voient. Elle les rassemble, elle a besoin d'air, elle sort.

Kémal lève les yeux. Le linge blanc dans sa main interrompt son mouvement circulaire sur le fond d'un verre. Dehors, le jeune garçon a terminé ses vitrines et replié son échelle. J'aurais dû partir avec Gulshen. Je la cherche par la fenêtre. La rue l'a avalée. Et l'endroit me paraît soudain étranger, désert et froid. La porte du café est grande ouverte. Au-delà du seuil commence un monde nouveau où je suis sans défense aucune, comme aux premiers jours de la vie quand on ne sait rien, absolument rien, et que tout est neuf et inconnu.

J'attends Gulshen au bar du petit hôtel Hippodrome. Un endroit chaleureux qui a su conserver le charme et le décor un peu lourd du vieil Empire ottoman. À cette heure, il ne s'y trouve que quelques clients. Uniquement des hommes, qui me regardent de côté comme des lézards en sirotant leur thé sucré.

Gulshen entre. Elle qui était si calme ce matin paraît maintenant surexcitée.

— Qu'y a-t-il, Gulshen ?

— Ton hôtel, la nuit dernière, c'était bien l'Erboy, sur Ebussuut Caddesi ?

— L'Erboy, oui. Le nom de la rue, j'ai oublié…

— Il n'y en a qu'un. À quelle heure es-tu partie ?

— Pourquoi ? Je ne sais pas. À six heures peut-être…

— Il y a eu du grabuge peu après cinq heures et demie. Tu n'as rien entendu ?

— Du grabuge ?

Gulshen fait signe que oui.

— Un homme a été abattu. C'était dans le journal. Et à la radio. Apparemment, il voulait s'introduire dans une chambre au troisième.

Je vois qu'elle a une de ces trouilles. Moi, j'ai les jambes qui flageolent.

— C'était la mienne !

— Un gardien de sécurité faisait sa ronde. Il a interpellé le type. Tu sais, dans cette ville, à cause du terrorisme, il y a parfois des gardes dans les hôtels. L'homme a tenté de s'échapper, et le garde l'a abattu.

— On l'a identifié ?

— Je ne sais pas. Les journaux parlent seulement d'un caucasien.

— C'est ce Hank ! Il m'a suivie.

— Tu as eu raison de t'enfuir. Il est retourné à ta chambre !

J'en ai la chair de poule.

— Le garçon envoyé par Kémal pour récupérer ta valise s'est heurté à un cordon de police. Il a parlé avec un employé qu'il connaît. Il y avait un graffiti sur la porte de la chambre. Comme pour la marquer...

Je sais ce que Gulshen va me dire ensuite. Et cela me glace d'effroi.

— Quatre lettres.

— Gulshen, tais-toi, veux-tu ?

— Mais qu'y a-t-il, ça va ? Eh ! Eh !

Elle a juste le temps de me saisir dans ses bras.

— Excuse-moi, je revis un moment très pénible.

— Je sais, je sais. On n'en parle plus.

— Non, ça va, je veux savoir.

— Tu l'as échappé belle ! Encore une fois !

— Mais, Gulshen, je n'ai rien entendu. À cette heure-là, j'étais à la réception, attendant qu'il fasse jour et que je puisse m'éloigner de cet endroit. Tu es certaine qu'il est bien mort ?

— C'est ce qu'on a dit.

— Tu es consciente, Gulshen, que ce n'est pas seulement moi qui étais visée.

— Pourquoi dis-tu cela ?

— Parce que je pense que nous le sommes toutes !

Je ne sais plus où j'en suis. Et mon esprit dérive vers une chose insignifiante, mais qui m'apparaît soudain de première importance :

— Et mes vêtements, ma valise ?

— Le garçon a préféré rebrousser chemin, quitte à y retourner plus tard. Il ne voulait pas être interpellé par la police. Et puis, c'est mieux pour toi ainsi. Ils voudront sûrement t'interroger.

— Oh, que oui !

— Je suggère de laisser ta valise là où elle est.

— Mais cela va paraître suspect si je ne reviens pas…

— Je sais, mais attendons un peu que la poussière retombe. Nous irons chez moi. Je te prêterai des vêtements.

— Merci, petite… sœur.

C'est la première fois que j'utilise ce mot. Gulshen en est aussi émue que moi.

— Ce sera un bonheur !

— J'espère qu'ils m'iront.

— Comme un gant !

Nous rions nerveusement, et l'atmosphère se détend un peu. Mais il y a toujours autant d'interrogations qui se bousculent dans ma tête. Je demande à Gulshen de commander du vin. J'en prends une bonne lampée. Nous regardons toutes deux cette enveloppe avec ses pièces à conviction.

— Ce n'est pas possible, dis?

Je l'ouvre et saisis les lettres avec les photos.

— Après la tienne, celle que j'avais placée sur le dessus est venue du Brésil. Tu imagines comment je me sentais dans mon lit d'hôpital? Tour à tour ravie et désespérée. Un bouchon livré à une mer enragée, j'en avais le cœur qui restait accroché en haut chaque fois. C'était tellement énorme que je me suis dit que l'on me montait un bateau! Que c'était toi, peut-être, qui prenais plaisir à m'envoyer toujours la photo de la même personne prise en des lieux différents.

Je m'épanche, comme si Gulshen n'avait pas elle aussi vécu les mêmes tourments, comme si je ne savais pas ce qui se passait en elle...

— Et pour moi, reprend Gulshen, ton appel de Montréal avait un côté irréel. Ta voix, c'était la mienne! Ce matin, par la vitrine du café embuée par le froid, j'ai vu apparaître ton image embrouillée traversant la rue, grandissant comme si tu te matérialisais. Jusqu'à ce moment, je doutais encore un tout petit peu. Et tu as ouvert la porte, la clochette a tinté, tu existais. Tu es toujours là ce soir, bien réelle, bien vivante. Et je n'ai plus aucune raison de croire que les autres ne sont pas, elles aussi, bien réelles et bien vivantes.

La voilà, cette vérité inéluctable. Gulshen se penche vers moi.

— Vois-tu, ce qui me trouble, au-delà de notre rencontre, c'est que maintenant, je me sens... comment dirais-je… déçue, ou plutôt trompée. Une fois passé le choc de ton appel, je suis montée sur un nuage. J'avais enfin trouvé… toi, ma vraie famille, en quelque sorte.

— Moi aussi, dis-je en poursuivant sa pensée, que tu sois là avec moi, à l'intérieur, Gulshen – je me tape la tempe de l'index – cela, je peux l'accepter… Avoir une âme sœur, c'est un rêve. Mais trois, c'est trop. Je me sens envahie, privée de mon intimité. Et aussi, c'est gênant, je n'ose plus regarder nulle part. Après tout, ce pourrait être un moment où je vois pour quatre ! Comment dire ? Je me sens mise à nu et je me trouve soudain trop…

— … nombreuse ?

— Voilà, plus assez seule. Et découverte, dévoilée. Absolument plus moi du tout…

Je ne sais combien de temps s'est écoulé ensuite. Nous étions silencieuses, à boire ce vin léger, à chercher la suite. Soudain, Gulshen s'est penchée vers moi et a chuchoté :

— Et puis, elles sont nos sœurs, comme toi et moi sommes sœurs.

Quelque part, malgré ce qu'elle vient de me dire, je vois que Gulshen essaie toujours de se convaincre elle-même. Je joue son rôle à mon tour et répète les mêmes mots comme pour les rendre légitimes :

— Nous sommes des sœurs…

— Oui, absolument. Il n'y a aucun doute.

Nous avions faim et Gulshen a commandé une salade de tomates et une autre de flageolets pour nous deux. C'était délicieux et apaisant.

— Comment est-ce arrivé ? D'accord pour deux sœurs, ou même peut-être trois, mais quatre, c'est beaucoup. Une mère avec quatre bébés, cela se sait, on en parle dans les journaux.

— Et on ne les sépare pas !

— Tu es capable de le comprendre, toi ?

— Pas plus que toi.

— Reprenons depuis le début, veux-tu ?

J'ai lancé ça comme ça, mais je n'ai aucune idée par où commencer.

— Vas-y, je t'écoute.

— Admettons que nous soyons, disons, jumelles, nées en même temps. Comment se fait-il que nous ne nous connaissions pas ? Enfin, je veux dire, que nous n'ayons aucun souvenir d'avoir jamais été ensemble. Tu en as, toi ?

— Souvenir lointain, de ma plus tendre enfance... Je ne sais pas. Non. Aucun.

— Gulshen, toi et moi, les quatre, nous habitons aujourd'hui aux antipodes l'une de l'autre. Plus dispersées que nous le sommes, ce n'est pas possible. Il y a toi ici en Turquie, il y a moi à Montréal au Canada. Il y a celle qui a écrit de Manaus au Brésil. Puis celle de Cariacou. Ça, je connais pour y être allée : une île des Grenadines. Nous sommes dispersées aux quatre vents. Trop dispersées, justement. Ça ne peut être que voulu.

— Ce me semble une évidence.

— Mais pourquoi, bon sang ?

Gulshen éclate de rire. Je ris aussi. Je suis toujours un peu ridicule quand je m'énerve.

— Excuse-moi, mais tu es drôle quand tu souffles comme ça. Et si je ne m'abuse, je ne suis pas la seule à penser ainsi. Regarde les deux types au fond là-bas. Ils nous mangent des yeux.

— Oui, je vois leur manège depuis le début.

— C'est compréhensible, non ?

— Sûr, et voilà donc pourquoi nous avons été dispersées…

— Pour nous soustraire aux regards ?

— Pourquoi pas ? Si, à deux, nous attirons l'attention, imagine à trois, à quatre !

— C'est possible, mais ça ne me semble pas sérieux.

Soudain, une évidence me frappe :

— Selon moi, Gulshen, on a surtout voulu nous cacher. Nous protéger de cet homme, de cette organisation qui a essayé de me…

— Oui, mais je ne comprends toujours pas.

— Moi non plus. Pourquoi ces gens nous en veulent-ils ?

— Je l'ignore.

— Mais qu'avons-nous fait ? Gulshen, qui sommes-nous, d'où venons-nous, pour l'amour du Ciel ?

L e lendemain de son retour de la République tchèque, l'inspecteur Canesta était allé au Service canadien du renseignement de sécurité. Il avait obtenu une fin de non-recevoir. Malgré les années écoulées, tout ce qui concernait Winter et le BRNO était toujours classé secret, et seul le ministre de la Sécurité publique pouvait le libérer. L'inspecteur eut beau faire valoir qu'il enquêtait sur un meurtre pour lequel Winter pourrait peut-être fournir quelque information, rien n'y fit. « Nous serons heureux de collaborer avec vous si vous apportez un élément dans une affaire qui n'est pas en cours au Service. Un élément probant.» Canesta, comme il s'y était attendu, constata que le récit coloré de son voyage en Moravie ne faisait pas partie de cette catégorie. L'inspecteur revint donc bredouille au quartier général de la police.

Assis à son bureau, Canesta ouvrit le dossier et les quatre clichés de la manifestation organisée par le BRNO en 1994. Il les avait regardés tant de fois dans l'avion qui le ramenait de Prague à Montréal qu'il aurait pu les dessiner de mémoire. « Ça date, avait dit

son collègue Havel en les examinant. Des vieilleries!»
Soudain, le mot frappa Canesta de plein fouet. Pourquoi n'y avait-il pas songé plus tôt? Tout ce temps, obsédé par le contenu, il avait négligé le contenant: les photos étaient imprimées sur du papier qui ne s'utilisait plus.

Il appela aussitôt les archives:

— Bonjour, Monique, c'est Louis.

— Monsieur Canesta! Encore vous? Deux fois en si peu de temps, c'est un record! Que puis-je faire pour vous?

— Les appareils photo numériques, ça remonte à quand?

— Je ne comprends pas...

— En 1994, chez nous, à la police, on utilisait encore ces vieux machins avec des rouleaux de film?

— Des appareils à pellicule? Forcément, les premiers appareils numériques courants sont arrivés sur le marché vers 1999, je crois.

— Et les films que nos photographes prenaient autrefois?

— Vous voulez dire les négatifs?

— Oui, les négatifs. On les a conservés?

— Votre doute me déçoit, monsieur l'inspecteur...

— Pardonnez-moi, Monique, j'arrive tout de suite!

L'archiviste l'attendait à la sortie de l'ascenseur.

— Vous avez le nom du photographe? s'informa-t-elle.

— Je l'ignore... J'étais encore aux études en 1994, expliqua Canesta.

— Aïe! Pouvez-vous me donner une piste?

— Je n'ai que ce dossier qui ne porte ni numéro, ni nom, ni rapport écrit, dit-il en le lui tendant.

Apercevant les lettres BRNO sur l'onglet, Monique repoussa aussitôt la chemise d'un geste de la main.

— Pas la peine, c'est celui que je vous ai envoyé. Il ne porte pas de numéro parce que ce n'est pas un dossier de cas.

— Et le dossier du cas, où est-il ?

— Monsieur Canesta, s'il y en avait un, je vous l'aurais donné l'autre jour. Il n'y en a pas.

— Il n'y en a jamais eu ou bien il a été retiré ?

— Ah, ça, je n'en ai pas la moindre idée.

— Et rien d'autre sous le nom BRNO ?

— Rien. Je vous ai donné tout ce que j'avais.

— D'accord, d'accord, je vous crois. Revenons à ces quatre photos. Au verso, il est écrit 1994.

— Oui, quoique le registre indique que ce dossier n'a pas été déposé aux archives cette année-là, mais longtemps après. Il appartenait à Talbot. C'est probablement lui qui a inscrit la date, ainsi que BRNO sur l'onglet.

— Talbot ?

— Le photographe. Il est décédé. Cette chemise devait se trouver parmi ses affaires dans son bureau. Lorsqu'on l'a vidé, tout a été déposé ici et classé par ordre alphabétique, comme je fais toujours avec les documents divers. Au cas où... En ce qui concerne les négatifs, si Talbot les avait conservés dans son bureau, ou même déposés lui-même aux archives, ils seraient dans cette armoire là-bas.

Canesta avait vu juste. L'armoire contenait un rouleau de négatifs sur la manifestation de 1994. Monique le plaça dans un lecteur. On y voyait des participants, quelques policiers en uniforme, et un grand type qui revenait souvent et qui semblait être en position d'autorité. Canesta ne le connaissait pas. Il était inconnu de Monique aussi, elle qui était dans la boîte depuis toujours.

— Ce n'est pas quelqu'un de la maison, certifia l'archiviste. Je n'ai jamais vu ce type.

Quelques images sur la pellicule attirèrent soudain l'attention de l'inspecteur. On y voyait une grande automobile noire, luxueuse, sous divers angles. Un chauffeur à l'avant, deux passagers derrière. « De grosses légumes », marmonna-t-il. Sur l'un des négatifs, agrandi plusieurs fois, le numéro de la plaque d'immatriculation était parfaitement lisible. L'inspecteur demanda à l'archiviste de consulter les registres du gouvernement. Il ne fallut que quelques minutes pour constater que ce vieux numéro, devenu caduc, se rapportait à une automobile qui avait appartenu à la firme Genelog. Canesta demanda à Monique de transmettre une copie informatisée de tout le rouleau à son adresse électronique et à celle de Richard Neil, et il retourna à son bureau.

Quelques heures plus tard, Richard entra chez Canesta. Quoiqu'il n'eût trouvé sur les négatifs aucun visage connu parmi les manifestants, Neil avait une hypothèse sur le grand type en civil qui semblait superviser les opérations ce soir-là.

— Il a l'allure d'un inspecteur, mais il n'était pas de chez nous. Pas non plus de la Sûreté du Québec, j'ai tout vérifié. Il ne porte pas l'uniforme de Genelog ni d'une agence privée. Par conséquent…

— J'écoute, fit Canesta, qui avait sa petite idée.

— Il est soit un détective privé, soit un agent de la Gendarmerie royale du Canada ou du SCRS.

Étant donné sa navrante rencontre plus tôt ce même jour, Canesta proposa un choix logique :

— Je vote pour le dernier.

— Alors je ne comprends pas pourquoi ils s'intéressaient à une petite manifestation à Montréal, ajouta Neil. Que dit le dossier là-dessus ?

— Justement, il n'y a pas de dossier, Richard.

— Ho ! Ça devient intéressant ! Allons faire un tour au SCRS ! lança Neil avec enthousiasme.

— J'en arrive, s'impatienta Canesta. Ils ne nous aideront pas. Tant que nous n'aurons pas une preuve irréfutable à leur mettre sous le nez. Et encore là, je n'en suis pas absolument certain. D'abord Winter, et maintenant cet autre type… Je ne sais pas ce qu'ils cachent. En attendant, nous n'allons pas rester ici les bras croisés. De ton côté, vois ce que tu peux trouver sur le dénommé Samuel Winter. S'il est encore de ce monde, il doit bien habiter quelque part, conduire une voiture, se balader avec un passeport, être abonné à Internet. Ensuite, envoie-moi quelques gars et deux voitures pour le début de l'après-midi. Nous irons faire une petite balade.

Dès que Neil fut sorti, l'inspecteur ralluma son ordinateur. Lorsqu'il était à court d'imagination, il allait naviguer sur Internet. Il y trouvait souvent sinon ce qu'il cherchait, du moins une inspiration qui le mettait sur une piste. Il regarda sa montre. « J'ai une bonne heure avant que Richard n'ait réuni les hommes », songea-t-il. Il ouvrit son fureteur favori et, tout en se demandant pendant combien d'années un article pouvait demeurer sur la grande toile, il tapa deux mots clés pour une recherche : Genelog 1994. À sa grande surprise, il obtint des douzaines de pages. La plupart lui parurent totalement inutiles. « Brevet n° 1994, un signe des temps pour Genelog… Achat d'une société de Singapour par Genelog, qui marque ainsi l'année 1994 d'une pierre blanche… En 2012, les profits de Genelog atteignent 1994 millions de dollars… » Puis, Canesta tomba sur un filon intéressant : « Au musée Genelog, en 1994, la… »

L'article rapportait l'inauguration d'une exposition sur les nouvelles techniques de recherche en génétique. Sans intérêt en soi. Par contre, parmi les autres pages virtuelles du musée Genelog, Canesta trouva des informations sur le fondateur de la firme. Il se nommait Thomas Monier. « Études classiques au Collège des Jésuites à Québec, doctorat à Harvard, fondateur de Genelog, il en a fait une des plus grandes firmes de génie génétique au monde. […] s'est insurgé contre la loi canadienne de 1993 limitant la recherche sur les embryons humains et interdisant le clonage humain. Personnage haut en couleur, il a souvent été critiqué pour ses tirades contre les positions de l'Église catholique et des autres communautés religieuses fondamentalistes sur l'avortement, sur le contrôle des naissances et sur la recherche avancée en génétique […] encore étudiant, Monier publia son premier article scientifique dans le prestigieux *Journal of Theoretical Biology*. Intitulé "Origin and Evolution of the Genetic Code", le papier décrivait comment le code génétique actuel était dérivé d'un code primitif apparu dès les débuts de la vie sur terre, plus de trois milliards d'années auparavant [...].»

Un détail piqua la curiosité de l'inspecteur. Thomas Monier avait brusquement quitté la firme qu'il avait fondée. C'était précisément en 1994, l'année de la manifestation. «Un simple hasard?» se demanda-t-il. Le musée virtuel présentait une photo du personnage. Canesta l'envoya à son imprimante, puis ouvrit la série de clichés que Monique lui avait transmis. Il en trouva un sur lequel les deux passagers de la voiture noire étaient sortis, entourés de policiers et de manifestants. Une femme et un homme. L'homme était, sans le moindre doute, l'ancien PDG Thomas Monier.

Canesta consulta sa montre. Il était près de treize heures. Il se rendit dans la cour arrière où Neil l'attendait avec une dizaine d'hommes.

— Alors patron, on repart à la chasse au gorille? roucoula Neil.

— À l'homme, cette fois-ci, précisa Canesta. Tu as les coordonnées GPS?

— Absolument, je nous y emmène sans problème.

— À la condition que tu aies aussi la clé de la barrière, ajouta Canesta.

— Le Service des parcs nous attend sur place.

Les autos-patrouille franchirent la barrière qui donnait accès au chemin de service ceinturant le flanc nord du parc du Mont-Royal. Elles s'arrêtèrent quelques centaines de mètres plus loin, en un point qui se trouvait, selon les calculs du GPS de Neil, exactement au-dessus du pavillon où habitait Vicky Berger. Un petit sentier croisait le chemin à cet endroit et se perdait dans la futaie de chaque côté. L'inspecteur Canesta expliqua à ses hommes ce qu'il cherchait :

— Vers le nord, ce sentier mène à la rue et à la résidence des Berger, qui se trouve juste en bas d'où nous nous trouvons. Vicky Berger l'empruntait fort probablement chaque matin pour son jogging. Selon moi, le salaud connaissait sa victime. Et, surtout, j'ai le pressentiment qu'il l'a épiée un certain temps, peut-être pendant des jours, des semaines, caché ici dans la forêt, avant de se mettre en embuscade pour l'agresser. Si mon flair ne me trompe pas, il aura laissé des traces. Je suis venu marcher dans cette rue hier soir en revenant de l'aéroport. Il faisait noir, mais j'ai repéré une hauteur depuis laquelle il m'a semblé qu'on pouvait observer l'entrée, le parterre et les fenêtres du pavillon. C'est logiquement là que ce type se serait posté. Votre travail consiste à ratisser le secteur, centimètre par centimètre, pour relever tout ce qu'il aurait pu y laisser. Des traces, des objets, n'importe quoi.

Il attendit une réaction des membres de l'équipe que Neil avait réunie. Ils avaient l'air bien jeunes. Et muets.

— Richard va vous donner des sacs numérotés, des gants, des pinces. Je veux des données systématiques. Richard vous dira comment procéder. Et surtout, n'abîmez rien. Idéalement, je veux des empreintes digitales. Pas de questions ?

— Avec la pluie qui tombe presque tous les jours, fit observer un policier, ce ne sera pas facile de trouver quelque chose d'utilisable.

— Je pense comme toi, approuva Canesta, mais on ne sait jamais. À tout le moins, si on pouvait établir que quelqu'un a passé des heures et des heures dans ce bois à piétiner le sol, à se les geler, à boire du café et à grignoter. Ce serait déjà quelque chose...

Il songeait «quelque chose de plus crédible qu'un gorille en cavale», mais se contenta d'ajouter :

— Allons-y !

Laissant Richard prendre en charge la battue, Canesta descendit jusqu'à la propriété des Berger. Il voulait interroger Vicky et jeter encore un coup d'œil au pavillon ainsi qu'à la grande porte de bois fermée à clé qui permet d'accéder au sous-sol. À Brno, Cyril Havel avait semé un doute dans son esprit lorsqu'il avait dit «dans une ville, ce n'est pas dans les arbres, mais dans les caves que l'on cherche à se cacher», et il lui fallait en avoir le cœur net. Mme Berger l'accueillit. Le père était absent, et la fille était partie à l'étranger. Canesta fut contrarié. Ce n'était pas prudent de sa part. En plus, il avait besoin d'interroger la jeune femme. En outre, il voulait la revoir, quoiqu'il gardât pour lui ce dernier détail. Canesta enjoignit Mme Berger de s'assurer que Vicky lui téléphonerait dès qu'elle donnerait signe de vie.

La femme lui ouvrit le sous-sol du pavillon. Il n'y avait rien, sinon un bric-à-brac de vieux meubles de jardin et de matériaux de construction sous un linceul de poussière vierge. Canesta referma la porte et s'en retourna par le sentier de la montagne. Au moment où il arrivait à mi-pente, il aperçut Richard Neil qui descendait vers lui en sautillant sur le sentier.

— Louis, tu es un génie !

— Hum. Vous avez trouvé quelque chose ?

— Suis-moi.

Neil entraîna Canesta sur un plat rocheux en retrait, à quelques dizaines de mètres du sentier, parmi les grands arbres. Il désigna une dépression sur le sol :

— Regarde derrière cet arbre ! Ici, et là. Le sol est aplani et durci. Il y avait des traces de semelles. Pas mal effacées, mais protégées de la pluie par l'arbre. On a des photos. Et les gars ont trouvé plein de mégots de cigarettes. Même chose au pied des trois grands érables là-bas.

— Je ne m'étais pas trompé !

— En périphérie, nos gars ont aussi trouvé quelques gobelets de carton, des emballages de gâteaux et des trucs.

— Ça suffira, tu crois ?

— Tout est plutôt délavé et souillé. En plus, on ne peut savoir si c'est bien la même personne qui les a jetés. En fait, il y en a partout. C'est fou ce que les gens peuvent jeter, même dans un parc !

— C'est mince, mais on laissera le labo décider. C'est tout ?

— Non.

— Ah !

— Je t'ai gardé le dessert pour la fin.

— Allez, Richard, déballe !

— Dans un buisson à côté du deuxième arbre à gauche, le grand Carl a trouvé un sac de plastique fermé. À l'intérieur, deux sandwichs, une barre de chocolat, une canette de Coke.

— Génial ! Vous n'avez rien touché ?

— T'as faim ? Ils sont pas très ragoûtants, je t'avertis...

— Sans blague, Richard.

— Mais non, relaxe, on n'a rien touché. Lui non plus d'ailleurs. Pas une seule bouchée. Les sandwichs sont encore dans leur emballage plastique. Et la canette est intacte. Le gars aura été dérangé par quelqu'un ou forcé de partir en vitesse. Il n'est jamais revenu chercher son pique-nique.

— Magnifique!

— Si ça te va, je renvoie les gars. À moins que tu veuilles ratisser la montagne au complet?

— Non, c'est parfait, on rentre.

Dans l'auto, Canesta s'adressa à Richard:

— Dépose-moi au premier stand de taxis, veux-tu? Et lorsque tu arriveras au bureau, insiste auprès du labo pour qu'ils me fassent tout ça tout de suite. Dépose les résultats sur mon bureau, je les regarderai ce soir.

— Ça ira à demain, patron, protesta Neil. Le temps de retourner au poste, de terminer ma petite recherche sur Winter... Et puis, il faut que je passe chercher Lili à la garderie...

— Bon, OK. Ça ne me regarde pas, mais...

— Merci, Louis, mais je suis très bien comme ça. Le poste d'inspecteur ne m'intéresse pas.

Lorsque Canesta pénétra dans son bureau le lendemain matin, Richard Neil s'y trouvait déjà, jubilant. Il tenait un dossier dans chaque main.

— Nous l'avons, patron! Lequel veux-tu voir en premier? interrogea-t-il en tendant les deux bras.

— Je te laisse le choix, Richard!

— Il y avait des empreintes digitales sur la canette de Coca-Cola, annonça Neil en avançant la main gauche.

Les empreintes étaient peu prononcées, mais bien définies. Canesta devina la suite :

— Et elles étaient déjà fichées.

— Exactement ! conclut Neil. Un homme qui a été arrêté et condamné pour agression à l'endroit d'un policier et violence sur un animal.

Richard ouvrit le dossier qu'il avait apporté dans sa main droite :

— Il a agressé un cochon, Louis.

— Un cochon ? Un vrai ?

— Avec quatre pattes, un groin et une petite queue en tire-bouchon. Il y a longtemps, et tu vas aimer la date.

— Je parie que c'était en 1994.

— Touché ! Et je ne serais pas étonné que ce soit lors du même événement que dans tes photos BRNO.

Canesta saisit le dossier que Richard lui tendait. Un seul coup d'œil suffit à le convaincre qu'il avait enfin la bonne piste. L'animal avait été lacéré, taillé sur tout le corps. Il leva les yeux vers Neil.

— La même signature que sur cette pauvre Vicky Berger.

— Mais vingt-cinq ans auparavant… Ce maniaque a aussi balafré l'un des policiers qui étaient intervenus. S'il n'avait pas été maîtrisé, il aurait probablement égorgé l'animal.

Canesta approcha de son nez la photo du cochon et l'examina un long moment avant de s'exclamer :

— Tu as vu ces marques ?

— Montre.

Les lacérations de la peau étaient courtes et peu profondes. Comme si l'agresseur n'avait pas eu l'intention de tuer sa victime, mais plutôt de la stigmatiser, de la marquer pour toujours. En regardant attentivement, Neil vit que le tracé des entailles était très net, comme autant de coups de bistouri portés avec précision. Chaque série formait deux traits à angle droit. Il siffla :

— Des croix romaines !

— Exactement.

— Un fanatique !

— Je ne me souviens pas d'avoir remarqué des croix comme celles-ci sur le corps de Vicky Berger. Et toi ?

— Ce matin-là dans le bois, avec tout le sang, ç'aurait été impossible. Je vais vérifier le rapport du médecin légiste.

Canesta songeait à cette étrange Église moravienne dont Havel lui avait parlé à Brno. Mais pour le moment, d'autres questions plus pressantes se présentaient à lui :

— Si c'est lors du même événement, comment se fait-il que l'autre dossier se soit, disons, envolé, alors que celui-ci est encore dans nos classeurs ?

— Selon moi, puisqu'il y a eu agression d'un de nos agents, puis condamnation, on a forcément un dossier sur le coupable. Je te fais remarquer qu'il ne s'y trouve pas la moindre référence au BRNO, seulement agression et cruauté.

Canesta en arrivait à sa dernière question. La plus importante, celle qu'il gardait pour la fin, redoutant d'être déçu :

— Et cet agresseur de cochons, c'est bien notre homme, ce…?

Neil exhiba fièrement un bout de papier.

— C'est bien lui, et son permis de conduire dit qu'il habite loin dans l'est de la ville, à l'autre bout de la rue Notre-Dame.

Canesta aurait dû être satisfait, mais il était songeur. Il y avait quelque chose qui ne tournait pas rond. C'était trop facile. Si ce Winter était bien l'agresseur, il avait été bien imprudent de laisser ainsi des traces de son passage près de la résidence des Berger. Avait-il oublié qu'il avait été fiché, ou était-il sûr que le SCRS avait effacé ses traces et le protégerait? Il y avait aussi une autre possibilité pour ce genre de déviant: il cherchait à se faire prendre.

— Richard, tu le comprends, ce type? lança Canesta.

— Selon moi, c'est un illuminé. Il agit sans réfléchir. Il pète les plombs et il frappe.

— Alors, si on se rend là-bas, mieux vaut se méfier.

— Il n'est pas chez lui en ce moment. J'ai fait vérifier par une auto-patrouille qui était dans le secteur. Personne n'a répondu à leurs coups répétés sur la porte. Ils nous attendent sur place.

Dans la minute qui suivit, Canesta demanda un mandat de perquisition pour le domicile de Samuel Winter, quarante-six ans, citoyen canadien.

Debout sur la dalle de béton qui servait de perron, les bras collés au corps et la tête dans les épaules pour se protéger du crachin, Canesta et Neil faisaient penser à deux oiseaux de mer posés sur une jetée. La vieille maison sans étage et au toit pointu donnait directement sur la rue, seule de son espèce dans ce quartier qui avait été graduellement dévoré par des entrepôts et des cours de triage. On voyait à ses murs pelés et à ses vitres couvertes d'une croûte grisâtre qu'elle avait lâché prise depuis longtemps et que ses jours étaient comptés. Mais l'intérieur devait valoir quelque chose, parce que Samuel Winter avait fait installer deux verrous à sa porte. Attendant le serrurier du service, les deux policiers regardaient les camions-citernes passer en cognant dans les nids-de-poule. Canesta, comme toujours, balayait la rue et les environs du regard, notant les voitures, les rares passants, tel un enregistreur de données.

Lorsque la porte fut enfin ouverte, l'inspecteur la poussa du pied et demeura quelque temps aux aguets. La maison semblait déserte et les deux hommes se retrouvèrent dans une pièce qui leur parut plutôt grande.

Le côté gauche était occupé par quelques meubles défraîchis, pour ne pas dire vétustes : une table, deux chaises, deux fauteuils défoncés et un mauvais lit aux draps défaits appuyé au mur du fond. Au-dessus de ce grabat, une fenêtre au rideau fané donnait sur une longue rangée de remorques rouges et jaunes. Cette désuétude contrastait avec l'autre moitié du logis à droite de la porte d'entrée. Le mur y était presque entièrement couvert de bibliothèques bien droites et bourrées de livres et de dossiers rangés dans un ordre parfait. Au centre trônait un bureau portant des documents empilés soigneusement et un grand écran d'ordinateur en apparence tout neuf.

Pendant que Neil examinait le coin bureau, Canesta se dirigea vers une porte face à l'entrée, qui menait à une pièce en avancée. Instinctivement, il porta la main à son pistolet et tendit l'oreille avant d'y pénétrer. Il se retrouva dans une cuisinette. Vide. Au fond, une porte à battants débouchait sur une salle de bain très étroite, mais plutôt correcte. Canesta y pénétra. Le sol de la douche était sec. Une couche d'inflorescence brunâtre tapissait le fond de la cuvette. De retour dans la cuisine, il constata qu'il n'y avait ni restes de repas ni vaisselle sur le comptoir. Le minuscule frigo ne contenait rien. Dans l'armoire sous l'évier, la poubelle était vide. « Personne n'a vécu ici depuis un certain temps », conclut-il.

L'inspecteur avisa la sortie arrière. Un vitrage dans la porte laissait voir une marche de pierre à demi enfouie dans la terre molle d'une étroite bande de terrain délimitée par la clôture d'acier des Camionnages Bolduc. Il y avait des traces de pas sur la terre boueuse. C'est alors que Canesta aperçut dehors, au niveau de la poignée, une tige de plastique qui pointait vers l'extérieur. L'objet lui rappela le manche d'un ustensile de cuisine. Se penchant au bord de l'embrasure, il trouva l'autre partie : une spatule. Elle avait été insérée entre le pêne et la gâche pour coincer la porte, après que la serrure et le verrou eurent été forcés. L'occupant n'aurait pas agi ainsi, il avait la clé. « Quelqu'un s'est introduit ici en l'absence de Winter. Et avant nous », déduisit l'inspecteur.

Dans la pièce principale, Richard Neil avait fait un examen sommaire des bibliothèques et des dossiers. Toujours assis au bureau, il héla son collègue :

— Hé ! Louis, tu sais à quoi il occupe ses journées, ce type ?

— Dans un coin pareil, si c'était moi, je ne pourrais rien faire, sauf devenir dingue ! insinua Canesta, qui revenait de la cuisine.

— De la traduction ! claironna Neil. Il est traducteur. Il traduit de l'inuktituk et du naskapi en anglais et vice versa.

— Le naskapi ?

— Ça se rapproche du montagnais…

— Tu m'impressionnes, Richard !

— Bof ! Je viens juste de le lire dans un de ses dictionnaires. Je suis certain que ce Samuel Winter est autochtone. Naskapi ou inuit. Mais j'ai encore mieux. Regarde-moi ça, Louis !

Neil tenait entre ses doigts une photo qu'il avait trouvée entre les pages d'un bouquin. Quatre types. Deux en tenue de brousse, deux habillés en citadins, au milieu de buissons de rhododendrons et de bosquets d'épinettes maigrichonnes. À leurs pieds, la carcasse d'un caribou, étendue sur le tapis gris-vert des lichens.

— L'un de ces types a un visage connu !

Canesta examina la photo un moment et siffla :

— Incroyable ! C'est le type de la manifestation de 1994 !

— Ouais ! L'agent du SCRS qui jouait au grand chef !

— Et les autres ?

— Selon moi, celui de gauche est Winter. Pas beaucoup de ressemblance avec son permis de conduire. Il a le visage bouffi et s'est rasé le crâne, mais regarde ses yeux. Le même regard fiévreux. Je suis certain que c'est lui. À sa gauche, vêtu aussi en chasseur, je ne sais pas qui c'est.

— Mais qu'est-ce que c'est que cette histoire ? s'étonna Canesta. Qu'est-ce qu'un agent du SCRS fout en forêt avec un assassin ?

— Sais pas, fit Neil en haussant les épaules. Le dernier à droite, le grand blond, m'a tout l'air d'être son copain. Je mettrais ma main au feu qu'il est avec le SCRS lui aussi. Et les chicots derrière eux, ce sont des épinettes noires, le seul arbre qui pousse dans le nord du Québec.

— Ou bien ils sont dans le nord de l'Ontario, ou à Terre-Neuve ou ailleurs, s'impatienta Canesta plutôt sèchement.

Parfois, Neil l'agaçait vraiment. Il était perspicace mais sautait vite aux conclusions. Surtout, il avait de la difficulté à placer les éléments par ordre d'importance. Qu'en avait-on à foutre que ces types soient dans une forêt d'épinettes noires ou bleues ? Le fait majeur était que le SCRS était indubitablement mêlé à cette histoire et ne voulait pas que cela se sache. « En plus, se dit Canesta, ils me mettent des bâtons dans les roues pour protéger ces types ! » L'inspecteur déplaça quelques livres sur les rayons pour se calmer.

— Tu n'as rien trouvé sur le BRNO, Richard ?

— Non. À moins que ces trois types sur la photo soient des membres ? Mais si tu veux mon avis, Winter travaille en solitaire. Les traducteurs sont toujours seuls.

— Vraiment ? ironisa Canesta.

— Je crois, oui. Winter est un type très méticuleux et obsessif. Dans un carnet sur son bureau, il inscrit tous ses appels téléphoniques : la date, l'heure, des notes sur la conversation. On pourrait contrôler tout ça...

— Pourquoi pas ? Le dernier appel remonte à quand ?

— Deux jours.

— Le jour du départ de Vicky, évalua Canesta.

— Tu crois qu'ils sont ensemble ou qu'il la suit à son insu ?

— D'après toi ?

— Oui, c'est idiot.

— Rien d'autre ?

— Eh bien, il y a aussi tous ces livres dans la bibliothèque.

Neil se leva et empoigna quelques bouquins et un classeur.

— Winter a une marotte. Écoute-moi ces titres : *L'Arche de Noé et autres articles religieux de l'abbé Mallet dans l'Encyclopédie, L'arche de Noé était-elle un submersible ?*,

La Véritable Histoire de l'arche de Noé. Il y a des centaines de papiers et de vieux bouquins sur le même sujet. Et des bibles à la douzaine. Le Livre de la Genèse dans divers formats. Les rayons en sont pleins.

— Et tu en déduis quoi ?

— Pas la moindre idée. Sauf qu'il est religieux… En plus, ce qui m'étonne dans cette baraque, Louis, c'est le contraste entre le désordre de l'autre côté et la rigueur de ce côté-ci, où tout est classé, rangé de façon impeccable. Les petits livres à gauche, les grands à droite, alignés à la perfection. Il est bizarre, non, ce type ? C'est sûr, si j'avais son portable, j'en apprendrais encore plus sur lui. Il n'a laissé que les fils de l'écran et de l'imprimante.

— Et ses vêtements ? T'as vu une armoire quelque part ?

Se retournant, Canesta nota au bout des rangées de livres, dans la partie la plus sombre de la pièce, un lourd rideau qui pendait du plafond jusqu'au sol. Pendant que Neil se dirigeait vers le côté dortoir, Canesta s'approcha. Un velours de couleur rouge vin était tendu entre l'arête de la cloison de la cuisine et le mur tapissé de livres. Il semblait fermer entièrement un espace, derrière, dont la superficie aurait logiquement complété le carré de la maison. À ses deux extrémités, contre les murs, ainsi qu'au plafond, le rideau avait été solidement fixé avec des languettes de bois ouvragé. Un liseré de ruban torsadé aux reflets gris argent, cousu sur tout le pourtour, achevait de donner à l'ensemble l'apparence d'un rideau de scène. « Ou de l'entrée d'un tombeau », songea Canesta.

De plus près, il constata qu'en haut, au centre du rideau, des agrafes retenaient ensemble les deux pans de tissu. À la commissure, deux épais cordons passés dans des anneaux vissés au plafond pendaient jusqu'à hauteur d'épaule. Les saisissant, l'inspecteur avisa, à un mètre de chaque anneau, deux ferrures en forme de pinces pointant vers l'avant. Tendant les bras au ciel comme s'il allait s'envoler, Canesta y coinça les cordons. Ce mouvement souleva les deux pans du rideau dans un froissement de tissu, créant une ouverture béante. Se présenta ainsi à Canesta une scène comme il n'en avait jamais vu. Il eut l'impression d'avoir touché la corolle d'une plante carnivore qui lui présentait maintenant son cœur pourri. Il ne put retenir un cri.

Sous la lumière blafarde d'une lampe suspendue, sur une longue table étroite qui occupait le centre du réduit, entouré de chandeliers et de photophores envahis de cire figée, et couvrant presque toute la surface de ce simulacre d'autel, un corps humain était allongé sur le dos. Il était nu et zébré de sang. De la tête aux pieds, la peau avait été balafrée de centaines de petites marques en forme de croix.

À cet instant, un rayon de lumière vive balaya le réduit, vola sur les murs tel un papillon, avant de se poser sur l'autel. Un cercle d'un blanc éclatant monta lentement sur tout le corps et vint s'arrêter en tremblotant sur la tête. Le visage qui apparut raviva aussitôt chez Canesta un horrible souvenir. «Vicky!» souffla-t-il. Au même moment, il entendit un gémissement derrière lui. Richard Neil, sa lampe de poche à la main, était figé dans la bouche du rideau.

Sous cet éclairage, les deux hommes constatèrent alors que ce qu'ils avaient devant eux n'était pas un être humain, mais un mannequin. La facture était très ressemblante et l'illusion était amplifiée par des zones d'ombre et des traits à l'encre noire qui dessinaient parfaitement le corps de la jeune femme. Ils durent examiner le mannequin pendant encore plusieurs secondes avant de comprendre l'origine de ce trompe-l'œil. La surface du corps était tapissée de reproductions photographiques des diverses parties de l'être bien réel dans l'état moribond où les deux policiers l'avaient trouvé quelques semaines auparavant.

Une pensée traversa alors l'esprit de Canesta et l'habita par la suite comme une révélation sur le sens de ce catafalque. La pâleur et le jeu de la lumière pendue au plafond avaient été ajustés à dessein pour mettre en relief les coups assassins de l'agresseur, tout en donnant l'illusion que la victime luisait d'une vie intérieure. Il eut l'intuition qu'il s'agissait d'un rite d'apaisement et de rémission pour des gestes de désespoir insensés. Cette mise en scène exprimait une incantation à Dieu et au diable dans le but de ramener un mort parmi les vivants. La tête et le visage surtout, plongés dans la pénombre, semblaient attendre la fin de la nuit et le retour du soleil.

Réprimant leur aversion, les deux hommes explorèrent la pièce avec minutie. En passant derrière le corps, Neil avisa une fenêtre condamnée par un rideau noir doublé d'un lourd carton qu'on avait coincé contre le chambranle. Les dégageant, il fit pénétrer la lumière du jour dans la chapelle improvisée, laquelle sembla se réduire soudain de moitié. Apparut alors dans l'axe de l'autel, du côté de la tête du mannequin, un grand plat en laiton posé sur un guéridon. Il était rempli de cendres et de résidus calcinés, tels les restes d'une offrande consentie lors du rituel obscur dont cet endroit semblait être le temple. Un fragment de papier aux bordures découpées par les flammes avait survécu. Quelques mots étaient encore visibles, au milieu de plages roussies par les flammes. Les caractères étaient grands, tracés à la main, et disaient « … origine de la… », puis plus bas « Brno, Moravie, MDCXL ». Canesta plongea dans ses souvenirs de collège pour trouver la signification de ces chiffres romains : « L'an 1640 », calcula-t-il.

Sur le sol, un seau métallique contenait une plus grande quantité de débris semblables. Canesta le souleva avec précaution et examina un morceau plus gros qui se serait effrité entièrement s'il n'avait été retenu par un lambeau de reliure noire. « Un cahier en vieux cuir », songea-t-il. Après s'être relevé, l'inspecteur aperçut sur une tablette fixée au mur, et dominant toute la scène, le modèle réduit d'un navire. Ou plutôt d'une immense barque, aux formes arrondies, qui portait sur son dos une grande maison. Canesta reconnut immédiatement le bateau mythique qui, selon ce que lui avait raconté son grand-père, avait sauvé la création : « L'arche de Noé ! » murmura-t-il.

Cette arche portait sur son flanc une inscription qui fit sursauter l'inspecteur. Les mots étaient précisément ceux dont avait parlé son collègue Havel. Il en avait oublié la signification exacte, mais pas l'acronyme que les initiales formaient : *Buh Racy Nečistý Odsúdit'*.

Au-dessous, comme sur les gravures anciennes, la porte sur le flanc de l'arche échouée était ouverte, pour laisser sortir les couples d'animaux. D'après ce que Canesta put en juger, cette arche-ci était bien vide. « À moins qu'elle n'ait servi de reposoir pour ces vieux parchemins... » supposa-t-il.

C'est à ce moment qu'il entendit Neil l'appeler.

— Louis, viens un peu par ici !

Richard, le dos tourné, se tenait face au mur à l'autre bout de l'autel. Des photos étaient collées en mosaïque et dessinaient sur la cloison la forme d'une croix.

— Je te l'avais bien dit. Il est autochtone, et ça c'est son bled !

La main de Neil indiquait une série de petites maisons dispersées sur le roc d'un paysage nordique dénudé. Des sentiers et des passerelles de bois les reliaient à un long bâtiment blanc, rectangulaire, percé de grandes fenêtres au dessus arrondi. Surplombant la mer, l'édifice était recouvert d'un haut toit rouge en pente, coiffé d'un clocher vert.

— L'église du village ! Et ce n'est pas un modèle qu'on voit chez nous au sud ! lança Richard.

D'autres photos montraient des gens et des scènes de la vie courante.

— Tous des Inuits, non ? renchérit-il.

Canesta constata que la collection de photos incluait également une série de clichés pris à Montréal. Et un élément commun à toutes les scènes lui sauta aux yeux : Vicky. Elle était presque partout le sujet principal, autant dans les paysages nordiques qu'à Montréal. Là-haut, elle montait dans une barque avec d'autres personnes, elle observait un phoque sur la grève, on la voyait enfant, puis adolescente, et très souvent main dans la main avec un garçon un peu plus jeune qu'elle. Au contraire, à Montréal, elle était toujours seule, silhouette à la fenêtre du pavillon au flanc du mont Royal, visage songeur en gros plan dans le jardin des Berger, marchant sur un sentier sous les arbres. La même femme, partout, photographiée à répétition. Une conclusion sautait aux yeux. Ce mur, tout comme le reste du réduit, était entièrement dédié à Vicky Berger.

Canesta passa de longues minutes à scruter les photos une à une. Lorsqu'il eut terminé, il se tourna vers Neil.

— Quelque chose ne colle pas, Richard.

— Qu'est-ce qui ne colle pas ? Ce ne sont pas des Inuits ?

— Non, pour ça, tu as probablement raison. C'est autre chose. Regarde !

Il promena son doigt sur le collage, désignant ainsi plusieurs des photos qui avaient été prises dans le Nord.

— Selon toi, le type à côté de la jeune fille, c'est Winter ?

— Ouais, il change un peu en vieillissant, mais c'est bien lui.

— Et là ? Là ? Les tourtereaux, ils ont vingt ans, vingt-cinq, peut-être ?

— Dans la vingtaine, en tout cas.

— Et la jeune femme immolée derrière nous sur l'autel, et qui est sur tous ces clichés au mur ?

— Eh bien, c'est la même, c'est Vicky, Vicky Berger !

— Justement, c'est elle qui ne colle pas.

— Vicky ? Qu'est-ce qu'elle a, Vicky ?

— Dans le Nord, quand elle était enfant, elle jouait avec le petit Winter ?

— Et alors ?

— Est-ce qu'il faut vraiment que je t'explique ?

— …

— Sur son permis de conduire, il a quel âge aujourd'hui, Winter ?

— … quarante-neuf, cinquante…

Richard balaya le mur du regard plusieurs fois, de gauche à droite, avant de s'écrier :

— Merde, Vicky Berger n'était pas encore née !

— Voilà ! C'est ça qui ne colle pas.

— Mais c'est pourtant bien la même femme, absolument identique !

— Sur les photos prises à Montréal, c'est Vicky. Mais pas sur celles qui datent de vingt-cinq ans et plus.

— Et son sosie, qui est-ce ?

— Je parierais que c'est la mère de Vicky, avança Canesta. Sa vraie mère, sa mère biologique. Et que Winter…

— Quoi, Winter ?

— Je ne sais pas, je ne sais pas. Je n'ai pas l'esprit assez tordu. Mais Winter avait sur la mère la même fixation que sur la fille. Et tout ce fatras ici, ce sordide pantin de carnaval, cette arche de Noé et ses offrandes de papier, cette parodie de religion, tout ça a germé dans son esprit malade.

Canesta fit un geste de dépit. Il aurait aimé que ce soit plus simple.

— Richard, je veux que tu me déniches tout ce que tu pourras trouver sur ce Winter, sur ses parents, sur ce bled où qu'il soit, sur cette femme qu'il a connue.

Du dehors leur parvint le signal d'alerte d'un camion qui reculait pour garer sa remorque dans la cour voisine. L'inspecteur jeta un coup d'œil par la fenêtre.

— Et aussi, tu vas me planter quelqu'un pour surveiller cette maison, jour et nuit ! Si Winter revient, je ne veux pas le rater.

— Pas évident. Une voiture garée dans les parages, ça va être discret comme un orignal dans le potager.

— Alors, qu'il se planque dans un des tracteurs des entreprises Bolduc. Il n'aura qu'à tenir à l'œil la fenêtre qui donne sur le tombeau. Dès que Winter y mettra les pieds et verra que nous l'avons profané, il va péter les plombs.

— Ça n'est rien à côté de la réaction du chef lorsque je lui demanderai un homme en permanence, vingt-quatre heures sur vingt-quatre, pour surveiller une piaule vide. Ouille, ça va faire mal à son budget !

— Essaie d'avoir le maximum, veux-tu ?

— C'est toi le patron, Louis ! Selon moi, c'est du temps perdu. L'oiseau ne reviendra pas de sitôt. Il est dans son camp de chasse là-haut et il n'en bougera plus avant un bon moment.

— Eh bien, nous irons le chercher là-bas ! Au pôle Nord s'il le faut. Allez, on rentre !

Canesta quitta la hideuse chapelle d'un bond et se dirigea vers la porte d'entrée. Il allait ajouter quelque chose du genre « Si je reste trop longtemps ici, je retourne chez mon psy », mais il s'arrêta net. Un vêtement était posé en travers de la chaise devant le bureau. Sur le tissu noir, une forme ovale de couleur bleu clair semblait prête à s'envoler comme un rond de fumée. La lettre O. Canesta interrogea Neil du regard. Ce dernier saisit les fringues comme s'il s'agissait du journal de la veille.

— Ah ! J'allais oublier la tenue de jogging. Tout à l'heure, lorsque tu as hurlé derrière le rideau, j'ai cru que tu te faisais égorger et je l'ai balancée là. Elle était dans le meuble au pied du lit.

Neil écarta les bras pour bien étaler devant les yeux de son patron le haut du vêtement de sport en nylon.

— Avec tout ce qu'on vient de voir ici, Louis, crois-tu que tu en auras vraiment besoin pour établir ta preuve ?

Elles n'avaient pas été tracées par un professionnel, mais n'importe qui pouvait lire clairement sur le tissu les lettres B, R, N, O.

Le Nelson's Dockyard avait perdu un peu de son lustre, mais son bar demeurait le plus célèbre d'Antigua. Non pas à cause de ses cocktails alambiqués ou de sa clientèle. Les deux étaient plutôt ordinaires. À n'en pas douter, sa renommée ne devait rien non plus aux charmes des serveuses, qui n'avaient rien de spectaculaire. On ne pouvait cependant nier que cet ensemble de pavillons et d'anciennes casernes de pierres habillées de vignes et de bougainvilliers avait du panache. Mais en fait, comme beaucoup d'autres sites inscrits dans les guides touristiques du monde entier, l'établissement vivait sur le dos d'un mort.

Longtemps avant de devenir amiral et héros de la bataille de Trafalgar, Horatio Nelson avait été posté aux colonies. Il avait établi, dans un marigot protégé de la haute mer, un chantier naval pour y construire les vaisseaux de guerre avec lesquels il pourrait attaquer les colonies françaises des Antilles. Avec le temps, son ouvrage avait été converti en hôtel dont le caractère indolent convenait parfaitement aux nostalgiques. Quiconque a séjourné sur l'île reconnaîtra que Nelson y avait certainement passé de longues journées à polir sa longue-vue, en admettant que cette image puisse être l'équivalent maritime de l'expression « ronger son frein ».

Le petit train-train quotidien sous le soleil des Caraïbes faisait tout à fait le bonheur du nouveau propriétaire du Nelson's Dockyard. Ron Hovington y avait trouvé l'endroit idéal pour son projet de retraite. L'hôtel se gérait tout seul pour quelqu'un qui ne visait pas de gros profits mais cherchait seulement un endroit où vivre honnêtement et des menus travaux pour se tenir occupé. Finie l'époque où Ron venait à Antigua pour enquêter sur des Canadiens propriétaires de yachts de luxe amarrés dans la baie toute proche, dont les coques blanches servaient surtout à décolorer des dollars. Aujourd'hui, ces faux marins venaient de leur plein gré chez l'ancien agent du SCRS pour boire ou manger à sa table. Sans le savoir, bien sûr, puisque l'ancien Hovington, tout comme le grand amiral Nelson, était mort et enterré.

Pour la première fois depuis qu'il était arrivé sur l'île, Ron avait passé une nuit agitée. Il se rendit derrière le bar se servir un grand verre de jus d'ananas et passa sans les voir devant les splendides boiseries d'acajou et le comptoir de marbre blanc. En quittant le pays des neiges, il avait pris la résolution de se couper du monde : il ne lisait pas les journaux, ne regardait jamais la télé et n'écoutait que les postes de radio qui diffusaient de la musique. Seule l'intéressait l'histoire ancienne, étant donné que ses protagonistes ne risquaient pas d'avoir le moindre effet sur sa propre vie.

Hovington sortit sur la terrasse comme il le faisait chaque matin pour voir le jour se lever au jardin, du côté où s'élevaient deux rangées de hauts piliers de pierre. Plus larges à la base et surmontées d'un petit dôme, ces colonnes supportaient autrefois le toit du chantier principal de Nelson. Ron estimait que leur architecture avait une parenté avec celle des temples égyptiens, et il avait le projet de faire une petite recherche sur ce sujet.

— C'est foutu pour aujourd'hui, lança-t-il à voix haute aux sternes qui voletaient au-dessus de la baie.

Deux communications téléphoniques reçues la veille avaient chamboulé ses plans. La première venait d'un haut fonctionnaire du SCRS qui appelait d'Ottawa. Un nombril vert dont Ron se souvenait vaguement parmi ceux qui étaient entrés au Service pendant qu'il était encore à la direction. La voix avait ressuscité un fantôme qui lui avait donné la nausée. « Surtout, ne venez jamais me voir, ne me téléphonez même pas », avaient été les derniers mots de Hovington à ses patrons et aux collègues qui lui avaient offert un tout petit dériveur en guise de présent d'adieu. La fête avait eu lieu à St-John's! « Dans la capitale de Terre-Neuve, pas dans celle d'Antigua. Quelle ironie que les deux portent le même nom », songea Ron en s'efforçant à nouveau de s'engourdir. Pourquoi diable l'Angleterre, dont le dictionnaire comportait pourtant beaucoup plus de mots que celui de la France, avait-elle si peu d'imagination lorsqu'il s'agissait de donner un nom à un patelin?

Rien n'y fit. La voix venue du froid était encore là dans sa tête. « Vous recevrez la visite d'un certain inspecteur

Canesta. Vous pouvez refuser de le voir, vous n'y êtes pas forcé…» Le jeunot avait bien appris sa leçon : ses silences et ses omissions disaient plus que son discours lui-même. «Canesta enquête sur Winter. Vous pouvez dire ce que vous savez à son sujet, mais n'exposez personne d'autre de la maison.» En clair, cela voulait dire que le Service avait lâché Winter et qu'on pouvait tout lui mettre sur le dos. Quel que soit le délit dont on l'accusait. Un détail qu'Ottawa, évidemment, n'avait pas jugé bon de révéler à Hovington. «Canesta vous mettra au courant.» Nul besoin d'être sorcier cependant pour deviner de quoi il s'agissait. Hovington et Winter avaient travaillé ensemble, à une certaine époque, et sur un seul dossier. Ce ne pouvait être qu'à ce sujet. Et il se disait que, pour que le Service coule ainsi Winter, il fallait que le bougre ait fait une grosse bêtise. Une très grosse bêtise. Ron connaissait suffisamment le personnage pour savoir que ce devait être lié à sa lubie. Winter avait été encore plus obsédé que Hovington par cette affaire. Et maintenant, il ramenait tout le monde de force dans ce cauchemar.

Se levant d'un coup, Ron traîna son fauteuil de rotin jusqu'au bord de l'ancien petit bras de mer où Nelson lançait ses frégates. Cette partie de la propriété avait été surélevée pour retenir la mer, qui montait inexorablement. De ce point, on pouvait constater que les dénivelés qui autrefois menaient à l'eau, ainsi que les premiers centimètres des colonnes de pierre, étaient submergés. Ron s'enfonça dans son fauteuil, les mains crispées aux accoudoirs comme si quelqu'un cherchait à s'en emparer. Il tenta un moment de se distraire en se disant qu'il avait amplement le temps de rendre l'âme avant que son investissement ne devienne un parc sous-marin. Le vent agitait les palmes des cocotiers, qui cliquetaient comme un rideau de billes pendu au chambranle d'une porte. « Ce n'est pas tout à fait ça, corrigea Ron, plutôt le frottement d'un balai de branchages qu'on passe sur des pavés. »

Faux. Hovington essayait encore de se mentir à lui-même. En réalité, le son qu'il entendait venait du fond des oubliettes où il croyait l'avoir enfoui à jamais. C'était le glissement des savates de milliers de piétons sur la chaussée, dans une ville merdique où il avait séjourné et bousillé le foutu dossier que cet inspecteur Canesta venait de ramener à la lumière du jour. Ron se sentit comme Nelson alors que, mortellement blessé sur son navire à la bataille de Trafalgar, on lui présentait les doléances d'un matelot qu'il avait mis aux fers avant de quitter Antigua.

— Mais pourquoi tenez-vous toujours à me rappeler cette vieille histoire ? Vous ne voyez pas que je souffre ? lança-t-il à la colline de l'autre côté de la baie, comme si sa voix pouvait amoindrir son mal.

La colère montait en lui. Mêlée de dépit. Il claqua la paume de sa main sur le bras du fauteuil et laissa sortir la pression. Au fond, c'était à lui-même que Ron s'en prenait. Il était encore une fois la victime d'un trait de caractère qui lui avait causé des problèmes toute sa vie. S'il avait fait des pieds et des mains autrefois pour se rendre là où il aurait pu laisser sa peau, c'était pour une seule raison. La même qui l'avait poussé à accepter cette rencontre aujourd'hui : il voulait connaître la fin de l'histoire.

— Vous avez appelé, monsieur Hovington ?

Il se retourna. Une serveuse en robe à froufrous synthétique imitant plutôt mal la traditionnelle robe créole de coton lui souriait aimablement.

— Vous voulez que je remplisse votre verre ? proposat-elle en souriant.

Ron se secoua. Il lui faudrait combattre cette façon qu'il avait de se parler à lui-même à voix haute. «Cela m'arrive de plus en plus fréquemment», songea-t-il.

— Oui, Cynthia, merci.

Puis il se ravisa :

— Non, apportez-moi plutôt un caïpirinha.

— À cette heure-ci ? Avant votre petit-déjeuner, monsieur ?

— Ce matin, oui, j'en ai besoin. Et si on me demande, dites bien que je suis ici, au fond du jardin, fit-il en se détournant.

— Je sais, monsieur. Vous me l'avez déjà dit. Oh ! Il y a bien trois bonnes minutes !

L'instant d'après, Ron sentit une présence à ses côtés. Auréolée des rayons du soleil, une très belle jeune femme lui souriait. Ce n'était pas la serveuse qui apportait son verre. Il se leva plutôt brusquement, les jambes un peu flageolantes, et se sentit étourdi.

— Bonjour, lança-t-il maladroitement.

— Monsieur Hovington ?

Il fit un signe de la tête au moment où son cœur bondissait. Ron venait de reconnaître cette personne, bien qu'il ne l'eût jamais vue. Sinon en photo, il y avait très longtemps. Et comme un cliché saisit et fige pour l'éternité un moment précis, il lui sembla que cette femme en chair et en os devant lui avait traversé les années sans vieillir d'un trait. Elle avait peut-être même rajeuni. Son instinct ne l'avait pas trompé, et malgré sa hargne plus tôt, il sut qu'il ne regretterait pas cette journée, même si celui qu'il attendait n'était pas venu.

— Oui, c'est moi. J'attendais ici quelqu'un, s'excusa-t-il, mais…

— Louis Canesta? Il est en route. Il sera là dans quelques minutes, ajouta-t-elle.

C'est alors seulement que Ron constata que la jeune femme n'était pas seule. Une seconde femme, aussi jeune, se tenait légèrement en retrait. Cette fois, tiré en arrière comme par une force invisible, Ron eut un mouvement de recul et fut forcé de faire un pas pour garder son équilibre. Sans qu'il s'en rendît compte, il prononça, en écarquillant les yeux:

— Ce n'est pas vrai!…

L'instant effaçait totalement trois années pénibles que Hovington avait passées autrefois au SCRS. Cette seconde personne était en tout point identique à la première. Et le fait qu'elle avait la peau si blanche et des traits asiatiques le frappa comme une incongruité sur cette île brûlée par le soleil.

Deux mains étaient tendues devant lui, et Ron perçut, avec un léger retard, qu'on venait de lui dire:

— Bonjour, monsieur Hovington, je me nomme Vicky Berger. Et voici ma sœur, Gulshen Kügu.

Il serra les mains dans une sorte de stupeur.

— Je crois que je somnolais, s'excusa-t-il. C'est le soleil, sans doute. Allons sous la véranda, et prenons une table. Nous y serons plus à l'aise…

Mais Vicky le retint d'un geste.

— J'aime bien cet endroit. Peut-être pouvons-nous faire apporter des chaises?

— Je m'en occupe, approuva Hovington, retrouvant les répliques de son rôle d'aubergiste. Vous voulez boire quelque chose?

Elles répondirent en même temps:

— Oui, merci. Un thé glacé, si c'est possible.

Ron revint avec trois serveurs qui portaient des chaises, une petite table, deux thés glacés et le caïpirinha dont Ron n'avait plus besoin. Pendant qu'ils installaient le tout, les jeunes femmes regardaient la baie et les voiliers amarrés près du rivage. Fait insolite, les bollards étaient d'antiques fûts de canon abandonnés par l'amirauté britannique quelque cent ans plus tôt. « Et après? » lança Ron pour lui-même dans le but de bien montrer qu'il entendait rayer Nelson et l'amirauté de son esprit. Un instant plus tôt, tout se bousculait dans sa tête, mais maintenant il s'était ressaisi et avait rouvert le dossier que Winter avait déterré. Comme dans ses meilleures années au Service, alors qu'il trouvait toujours le haut-fond le plus prometteur pour tendre la ligne de sa canne à pêche, il s'entendit poser froidement la question fondamentale. Sans esquisser le moindre mouvement, le regard toujours fixé sur le miroir de l'eau, il lança de façon anodine aux sœurs qui lui tournaient le dos:

— Vous êtes combien de jumelles, au juste?

— Quatre.

— Vraiment? s'enquit Ron en prenant un siège. Asseyez-vous, je vous prie. Vous dites que vous êtes quatre sœurs, reprit-il sur un ton qu'il s'efforça de rendre banal, tel un employeur qui interroge un candidat qui ne l'intéresse pas.

— Oui, mais les deux autres ne viendront pas, précisa Vicky.

«Quatre», répéta Hovington pour lui-même. Comment pouvaient-elles avancer ce chiffre? Cela prouvait à ses yeux que ces deux jeunes femmes ne connaissaient pas toute leur histoire. Il venait à peine de se rasseoir qu'un homme arriva depuis la terrasse de l'hôtel. Souriant, il avait le visage et les aisselles en sueur comme quelqu'un qui n'est jamais venu dans le Sud et qui ignore qu'il ne faut pas courir. Du revers de la main gauche, l'homme essuya son front et sa chevelure frisée avant de se présenter:

— Louis Canesta. Et vous êtes monsieur Hovington, je suppose. Excusez mon retard, je devais faire quelques appels à Montréal et ils ont pris plus de temps que prévu. Vous permettez?

Ron lui tendit la main et Canesta prit la place libre à côté de Vicky.

— Bienvenue au Dockyard, monsieur Canesta, dit Ron, passant à l'attaque. Je vois que vous avez amené du renfort…

— Je vous demande pardon? hasarda Canesta.

— Ces dames, précisa Ron en les montrant de la main, auront certainement aussi quelques questions pour moi si vous n'êtes pas satisfait de mes réponses aux vôtres, j'imagine.

— Vicky et Gulshen ont leurs propres préoccupations, disons, plus personnelles, corrigea l'inspecteur. Mais je crois que les deux sont intimement liées.

— Tout est toujours lié, remarqua Hovington. N'attendons pas que le soleil soit trop haut et la chaleur inconfortable. Je vous écoute, monsieur Canesta.

L'inspecteur résuma à l'intention de Hovington ce que son enquête lui avait permis de trouver. Il expliqua que Winter était le seul suspect dans l'agression contre Vicky. Hovington reçut la nouvelle comme une volée de plombs. Quelques minutes auparavant, il ne savait pas que ces jeunes femmes, qu'il avait vues bébés, étaient toujours vivantes. Il avait même renoncé à tout espoir depuis longtemps. Et voilà qu'il apprenait que Winter avait voulu en éliminer une. Ron comprenait pourquoi le SCRS l'avait abandonné aux vautours. L'imbécile avait vraiment disjoncté et il était grillé. Hovington se remémora que la perte de contrôle était le défaut majeur de Winter, une tare qui le rendait imprévisible lorsque certaines conditions étaient remplies. Le bougre se comportait alors comme un robot avec un défaut de fabrication. Bien sûr, par la suite, il regrettait ses gestes, mais il ne connaissait que le repentir naïf d'un enfant. Maintenant qu'il était grand, il cassait des pots impossibles à réparer.

— La logique, poursuivit Canesta, autant que les éléments de preuve montrent que ce n'est pas un hasard s'il s'en est pris à Vicky. Samuel Winter était au courant de son origine, de celle de Gulshen, de leur histoire, qui est un peu particulière, comme nous le savons tous…

C'était un piège, et il était un peu gros. Si ces deux femmes ne savaient pas, Canesta non plus, se dit Hovington. Il se garda bien de montrer par quelque signe approbatif que lui-même faisait partie de ce « nous tous » et qu'il était par conséquent au courant de ce qui aurait pu pousser Winter à faire une chose pareille. La question que Hovington se posait était d'ordre purement technique : comment Winter avait-il fait pour retrouver cette Vicky Berger ? À première vue, cela semblait impossible.

— Nous savons également, reprit Canesta, que Winter n'agissait pas seul. Il y a eu une autre tentative de meurtre contre Vicky. Cette fois, elle a entrevu son agresseur, et ce n'était pas Winter.

Hovington avait sa petite idée là-dessus, mais il attendait la suite. Canesta poursuivit :

— Vous étiez aussi sur ce dossier, monsieur Hovington. Du moins à l'origine. Vous avez travaillé avec Winter.

— Monsieur Canesta, permettez-moi de retourner un peu en arrière. Je vous assure que je n'étais pas au courant de ces actes d'agression. En outre, il y a à peine dix minutes, je n'avais même jamais entendu parler ni de Mme Berger ni de Mme Kügu.

C'était un bon début, se dit Hovington : la stricte vérité.

— Par contre, concéda-t-il, j'ai effectivement connu Samuel Winter. Que voulez-vous savoir à son sujet ?

— Quelles ont été vos relations avec lui ?

— Si vous aimez comme moi l'histoire ancienne, vous serez servi. J'ai rencontré Samuel Winter quelque part à la fin de l'été 1994, sauf erreur. Il y a donc plus de vingt-cinq ans de cela ! Je travaillais alors au SCRS, où j'avais la charge de plusieurs dossiers. Il se trouva que Winter, en vertu de son passé et de ses relations, pouvait être utile dans l'un d'eux. Nous avons discuté, je l'ai engagé comme informateur. Nous nous sommes rencontrés régulièrement pendant un an ou deux, peut-être trois. Je ne me souviens plus exactement et, Dieu merci, je n'ai pas conservé mon agenda de cette époque.

— Combien de temps Winter a-t-il travaillé au SCRS ? demanda Canesta.

— Ce n'est pas à moi qu'il faut poser cette question.

— Avec vous alors ?

— Je vous l'ai dit. Trois ans, tout au plus. J'avais besoin de lui comme informateur. Lorsque j'ai compris qu'il m'avait dit tout ce qu'il savait et que le dossier ne progressait plus, j'ai mis fin à notre collaboration.

— Il n'a pas été engagé pour un autre projet au Service ?

— Encore une fois, je ne peux vous répondre. Mais je peux vous dire qu'en ce qui me concerne, je n'ai pas requis son aide dans mes autres dossiers.

— Pourquoi ?

— Ce n'est pas livrer un très grand secret que de vous dire que Winter était imprévisible. Voilà pourquoi j'ai préféré ne plus avoir affaire à lui. Ç'avait été une erreur de le prendre avec moi. Il s'est révélé impossible à contrôler. C'est une chose que je ne savais pas au départ. Il était brillant, apprenait tout très vite. Il a réussi tous les cours de formation avec brio. Même parmi les agents réguliers, rares étaient ceux qui pouvaient filer quelqu'un aussi discrètement que lui. Et, à l'inverse, brouiller ses propres pistes. Vous me dites, monsieur Canesta, qu'il est en fuite. Je vous souhaite sincèrement bonne chance pour le retrouver. Winter a plus d'un as dans son jeu.

— Vous ne savez donc pas où il est en ce moment ? avança Canesta.

— Non. Je ne l'ai jamais revu, et je ne lui ai jamais parlé par la suite.

— Qui d'autre travaillait sur ce dossier ?

— Quel que soit le dossier que vous ayez en tête, ma réponse serait la même que tout à l'heure : ce n'est pas à moi qu'il faut poser cette question.

— Il faut la poser au SCRS, suggéra Canesta.

— Exact, approuva Hovington.

L'inspecteur Canesta s'enfonça dans son fauteuil et poussa un soupir qui lui vida les poumons. Portant la main à son veston, il en sortit une feuille imprimée qu'il posa sur la table devant Hovington. D'une voix soudain devenue calme et presque anodine, il s'informa :

— Pouvez-vous identifier Samuel Winter sur cette photo ?

Ron saisit la feuille. Le cliché montrait un coin du pays du froid qu'il avait vu pour la dernière fois lorsque l'avion qui l'emmenait à sa retraite dorée avait fait un virage au-dessus de l'Atlantique et laissé Terre-Neuve loin au nord. L'ancien agent du SCRS avait totalement oublié l'existence de cette photo. Sinon, elle aurait disparu depuis longtemps. On y voyait quatre personnes. À l'avant-plan, un caribou était allongé sur la mousse. L'animal nordique jurait vraiment avec les cocotiers qui bordaient le parterre du Dockyard. « Qui donc avait tiré le premier sur la bête ce jour-là ? » cherchait Ron en se taraudant le crâne. Tandis qu'il examinait la photo, sa bouche se tordait pour façonner un sourire de circonstance. Elle ne réussit qu'à produire un rictus qui rappelait la déconfiture du cervidé au moment où la vie l'avait lâché sans avertissement.

Les questions suivantes étaient prévisibles et Ron se souvint que les affirmations directes et décochées rapidement, même fausses, donnaient plus facilement le change que celles longuement travaillées.

— Samuel Winter est le premier à gauche.

— Et ensuite ?

— Le petit, c'est Jack Minnie. Un Américain. Winter et lui étaient toujours ensemble. Ils se sont connus dans un collège en Pennsylvanie.

— Minnie était au BRNO ?

— Ils l'ont fondé ensemble et l'ont mis au rancart ensemble. Enfin, le BRNO a perdu tous ses membres d'un seul coup, et Winter et Minnie se sont retrouvés seuls.

— À la suite d'une histoire de cochons, insinua Canesta.

— Je n'ai pas à confirmer ni à infirmer ce que vous croyez savoir déjà, inspecteur.

— Ce Minnie, il a travaillé pour vous ?

— Non, jamais.

— Pourquoi ? s'informa Canesta.

— Parce que je n'avais pas besoin de lui. Minnie n'avait qu'un seul maître, Winter. Et à l'inverse de ce dernier, Minnie n'était pas très intelligent. Lui non plus, d'ailleurs, je ne l'ai jamais revu.

— Et j'imagine, bien entendu, que vous ne savez pas où il est en ce moment...

— Il y a au moins vingt ans que je n'ai pas eu de ses nouvelles.

— D'accord, concéda Canesta. Et les deux autres sur la photo?

— Le suivant est bien sûr votre serviteur. Avec vingt ans de moins. Le quatrième, je ne le connais pas.

— Vraiment? s'étonna Canesta, vous êtes allés à la chasse avec ce grand homme blond et vous ne le connaissez pas?

— Je n'ai pas son nom en tête, corrigea Ron. Ça fait des lustres. Je crois qu'il a conduit la chaloupe ce jour-là.

Ce n'était pas faux, se dit Ron. Il avait tenu le hors-bord pendant environ quinze minutes, pour rigoler.

— C'est étrange, monsieur Hovington, déclara Canesta en s'avançant sur le bout de sa chaise. Parce que, voyez-vous, Mme Berger qui est assise devant vous, et que vous dites ne pas connaître non plus ni d'Ève ni d'Adam, et qui ne se baladait pas avec vous en forêt ce jour-là...

Ron n'écoutait plus. Il était resté accroché aux mots «ni d'Ève ni d'Adam». «Comme il y a des expressions bizarres!» se disait-il. Tout ce qu'il connaissait de ces deux dames était précisément ceux qui pour elles avaient fait office de parents, d'Adam et d'Ève, en quelque sorte. Il jeta un coup d'œil à son caïpirinha, qu'il n'avait pas encore touché, puis examina les deux jolis visages identiques sirotant leur thé, se laissant distraire à la pensée que si les autres avaient toutes été présentes devant lui, l'effet aurait été absolument étourdissant.

Imitant Canesta, Ron s'avança aussi sur son fauteuil et posa son regard sur les deux jeunes femmes.

— Rappelez-moi laquelle de vous deux est Vicky Berger, s'informa-t-il.

— C'est moi, répondit Vicky.

— Qu'attendez-vous de moi au juste, Vicky ?

— Seulement ceci : que savez-vous sur nous ?

— Sur vous ?

Une fois encore, et sans se consulter le moindrement, les deux jeunes femmes hochèrent la tête d'un seul mouvement.

— Et pourquoi vous êtes-vous mis dans la tête que je sais quoi que ce soit sur vous ?

— Parce que selon moi vous êtes le chef de cette bande de truands, martela Vicky. Deux des hommes sur cette photo ont attenté à ma vie. L'inspecteur Canesta veut que vous lui disiez ce que vous savez sur eux. Moi, ils ne m'intéressent pas. Pas le moins du monde. Ni leur vie, ni leur mort. Ce que je veux savoir, c'est pourquoi ils ont voulu me liquider.

— Tout simplement parce que vous êtes qui vous êtes, laissa échapper Hovington.

— C'est-à-dire ?

Même sous la torture, Ron aurait pu résister longtemps à l'interrogatoire d'un policier comme Canesta. Ces jeunes femmes, au contraire, avaient le pouvoir de l'ébranler. En fait, elles représentaient la réponse. La réponse à une question que lui-même s'était posée tant de fois : que leur était-il arrivé après qu'il eut perdu leur trace, alors qu'elles n'étaient que des bambines ? Au moins, se plut-il à penser, la vie leur avait finalement souri. Elles étaient bien de parfaits petits humains femelles, normales et en excellente santé : absolument déterminées à parcourir la terre entière pour tout connaître sur elles-mêmes.

Pour l'instant, Hovington choisit de faire marche arrière. En réalité, il ne trouvait pas le moyen de se sortir du pétrin sans perdre ses chances d'en apprendre davantage.

— J'en conclus, dit-il évasivement, que deux hommes qui, selon vos dires, se connaissent et collaborent pour vous enlever la vie ont certainement un motif lié à la personne que vous êtes. Cela suggère probablement qu'ils vous connaissaient mais ne prouve rien en ce qui me concerne.

— Vous êtes de mauvaise foi, Hovington, ajouta Vicky. Je suis certaine que vous savez. Mais vous ne voulez pas nous aider.

Elle avait raison sur le premier point. Mais elle ignorait, ou faisait semblant d'ignorer, qu'un agent, actif ou à la retraite, devait se comporter comme s'il était déjà dans sa tombe. Par contre, elle se trompait sur l'autre point. Il voulait les aider. Les deux jeunes femmes avaient réveillé le démon qui habiterait un esprit comme le sien aussi longtemps qu'il ne reposerait pas six pieds sous terre. Ç'aurait été si facile si le SCRS avait révisé le classement secret de ce vieux dossier. Ron se creusait la tête à la recherche d'un morceau qu'il pouvait leur consentir afin qu'elles trouvent elles-mêmes la réponse. Et qu'il l'obtienne lui aussi.

Soudain, la lumière se fit en lui. Un nom à leur lancer, comme on donne à un chien pisteur une pièce de vêtement à renifler. Une personne que le jeunot au SCRS n'avait pas mentionnée. Une bon sang d'entêtée de bonne femme que Ron avait interrogée autrefois et qui n'avait pas desserré les dents une seule fois. Bien sûr, elle connaissait l'histoire de Vicky et de ses sœurs, mais comme tous les Inuits, elle avait la tête dure. À force d'ériger sur la toundra des bornes en empilant des cailloux en forme de petits hommes, leur crâne était devenu semblable à ces inukshuks. Dur comme de la pierre.

— Madame Berger, lâcha enfin Ron, je suis prêt à faire une chose pour vous. Un échange de bons procédés. Je connais peut-être une personne qui saurait des choses à votre sujet.

— Que voulez-vous en échange ? s'enquit Vicky.

— Vous me raconterez ce qu'elle vous aura appris. Tout simplement. Marché conclu ? proposa-t-il en tendant la main.

Les deux jeunes femmes hochèrent la tête à l'unisson.

— Vous connaissez Hopedale ? demanda Ron.

— Au Labrador ? fit Vicky.

— Exact. Là-bas, allez voir Mme Pinusiat. Kitura Pinusiat.

Vicky Berger se tourna vers Canesta. Ils ne connaissaient pas ce nom mais avaient entendu parler du bled, que Richard Neil avait fini par identifier grâce aux photos sur le mur et au registre des appels au numéro de Winter. Ce village du Labrador était la prochaine étape dans l'enquête de Canesta. Celui-ci s'interposa :

— D'accord, nous irons là-bas. Mais vous ne semblez pas avoir entendu ce que je vous disais tout à l'heure, monsieur Hovington.

— Excusez-moi. Pouvez-vous répéter, s'il vous plaît, monsieur l'inspecteur ? le pria Ron de sa voix la plus mondaine.

— Je vous disais que Mme Berger, elle, sait qui est le quatrième homme sur la photo.

— Vraiment ? fit Ron en battant des paupières innocemment.

— Selon son témoignage, il a fait une tentative pour la liquider, dans un hôtel à Istanbul. Et…

— Quand ça ? interrompit Ron, réellement intrigué cette fois.

— Il y a un peu plus d'une semaine. Et cet homme se nomme Hank Dahler. Je soupçonne qu'il travaillait comme vous au SCRS. Malheureusement, si j'en crois ce que m'a rapporté Mme Berger, nous ne pourrons pas obtenir sa version des faits parce qu'il n'est plus de ce monde.

Hovington vida son verre. Dans la baie, un petit voilier quittait sa bouée d'amarrage pour se diriger vers le large. Le second appel que la réceptionniste de l'hôtel avait acheminé à Ron la veille venait aussi d'outre-mer. Un ami et ancien collègue qui avait plein de choses à dire. Mais pas au téléphone. Avant de raccrocher, Hank Dahler avait lancé d'une voix pleine de sous-entendus : « Plus le poisson est gros, plus il faut savoir le travailler », et du même coup, Hank s'était invité au Nelson's Dockyard dès qu'il en aurait l'occasion.

Le voilier se fondit dans la haie de bougainvilliers couverts d'inflorescences aussi pourpres qu'un coucher de soleil sur le ciel d'Antigua. C'était vraiment étonnant comme l'histoire se répétait, songeait Ron : le Dockyard avait fait sa réputation sur le dos d'un mort, et voilà maintenant qu'il allait en héberger un.

DEUXIÈME PARTIE

TABOU

Mars 1994 à septembre 1997

— Merci de m'avoir accompagné, Colette.

La jeune femme sortit de la torpeur suscitée par la noirceur et entretenue par le doux roulement de la limousine sur l'autoroute.

— Thomas, vous êtes gentil. Vous le dites chaque fois avec tant de sincérité ! Et pourtant, cela fait des années que je vous suis partout.

— Tu n'en es que plus précieuse, voilà tout.

Colette Haineault observa à la dérobée le profil de l'homme dont elle était le bras droit depuis plusieurs années. Le nez était un peu long, le menton un soupçon trop carré, mais l'ensemble était harmonieux. Surtout, et c'est ce qui le rendait très attrayant, le visage de Monier exsudait l'intelligence et la volonté. Elle savait trop combien le grand patron pouvait être impatient lorsque les choses ne se déroulaient pas selon son désir chez Genelog, mais ce soir il était plutôt satisfait de la soirée qu'ils venaient de passer.

— À Québec aujourd'hui, je me suis senti transporté bien des années en arrière, lança Thomas en s'étirant. Pendant mon discours au collège, je me suis vu, étudiant, sur la même tribune, défendant mon point de vue en faveur de l'avortement. À l'époque, c'était un sujet on ne peut plus chaud !

— Vos anciens confrères m'en ont parlé. C'est d'ailleurs le seul sujet qu'ils ont abordé.

En prononçant ces mots, Colette avait exhalé un léger soupir, que Thomas releva.

— Oh ! Pardon, madame, de vous avoir ennuyée avec cette histoire !

— Ce n'est rien. Excusez-moi, Thomas, je suis un peu fatiguée après cette longue journée.

— Le sujet ne te rebute pas, tout de même ?

— Pas le moins du monde. L'avortement est une question tout à fait personnelle et qui se pose en des circonstances bien particulières. En ce qui me concerne, elle ne s'est jamais posée.

Thomas se tourna vers sa collaboratrice et la considéra un moment. Il la trouvait plutôt attrayante, enfoncée mollement dans le coin de l'habitacle, à demi appuyée sur la portière, le regard dans le vide, les jambes allongées sur une sorte de pouf qui prolongeait la banquette.

— Tu aurais souhaité en avoir, Colette ?

— Pardon ? Avoir quoi ?

— Des enfants.

Elle ne voulut pas regarder Thomas en face.

— Plus maintenant…

— Et autrefois ?

— Peut-être, oui. Sûrement, si j'avais rencontré la bonne personne.

Elle ne livra pas le fond de sa pensée : « Et si j'avais également été pour cet homme la bonne personne. »

D'un ton qu'elle façonna afin de le rendre le plus neutre possible, Colette lui retourna la question :

— Et vous, Thomas ?

— Moi ?

Il eut un rire bref qui se transforma en gloussement.

— Je t'avoue que, jusqu'à récemment, cela ne m'avait jamais effleuré l'esprit. J'ai toujours eu trop à faire pour fonder une famille.

Et comme à son habitude, sans même laisser passer une seconde, Thomas changea de sujet :

— Ç'a été, mon petit discours, ce soir ?

— Comme toujours, vous avez été parfait. Ils étaient fiers d'entendre un ancien qui avait acquis votre renommée. Et vous les avez bien fait rire. Même si je savais, moi, à quel point vous étiez on ne peut plus sérieux !

— Ils ne le croiraient pas, si je leur disais la vérité.

— Je vous avoue que j'ai eu la frousse que vous n'en dévoiliez un peu trop.

— N'aie aucune crainte, Colette, je suis devenu maître dans l'art de la dissimulation.

— Je m'en suis aperçue, en effet.

— C'est cela que tu as noté dans ton carnet ?

— Entre autres choses, oui.

— Tu notes sans arrêt, Colette. Du moins quand je suis là. Tu prépares ma biographie ?

Thomas avait pris un ton badin, qui eut pour effet de détendre Colette. Elle lui répondit en souriant :

— Pas vraiment, non.

— Quoi alors ?

— Je note ce qui me passe par la tête.

— C'est tout?

— Également nos conversations sur les projets en cours, vos éclairs de génie. Des idées et des petites choses qui, si elles ne sont pas consignées sur-le-champ, risquent de ne jamais revenir.

— Des choses personnelles également?

— À l'occasion, oui, bien sûr.

— Selon mes observations, tu dois avoir toute une collection de ces fameux carnets. Il faudra que je les lise, un de ces jours.

— Ce ne sera pas de mon vivant, Thomas. Vous devrez donc être patient. Et encore là, je n'ai pas l'intention de vous les léguer en héritage.

— À qui d'autre, alors?

Colette ne répondit pas. Il ne lui restait plus aucune parenté, pas même un neveu, oncle, ni tante éloignés. Un ami? En avait-elle un qui lui soit plus cher que l'homme assis à sa gauche et que le clair-obscur rendait encore plus séduisant? Déjà, Thomas changeait à nouveau de cap:

— Est-ce que la nouvelle est sortie?

— À quel sujet? Excusez-moi, Thomas, j'étais ailleurs.

— Le vote au Parlement, à la Chambre des communes, à Ottawa.

— Oh! Pardonnez-moi, j'ai oublié de vous le dire. Nos avocats ont téléphoné en fin d'après-midi. La loi est passée.

— Je le savais! Te rends-tu compte que cela fait huit ans que la Chambre débat de cette question? Huit années à discutailler.

— Je sais.

— Je n'ai pas besoin que tu me donnes le résultat du vote, Colette. Comme d'habitude, le Canada s'est mis à la remorque des autres pays. Et la société ne veut pas laisser les scientifiques faire leur travail.

— Avouez que ce serait un peu enfermer le loup dans la bergerie.

— Tu es de leur côté, maintenant?

— Thomas, vous savez parfaitement bien à quelle enseigne je loge. Je ne fais que vous préparer aux questions que les journalistes vous poseront demain. Il faudra que vous ayez une position claire.

— N'en doute pas une seconde!

— Je veux dire une position qui ne vous compromette pas. Qui ne compromette pas vos travaux, votre avenir.

— Qu'est-ce que je risque?

— Cinq cent mille dollars d'amende et dix ans de prison.

— C'est loufoque, lança Thomas, qui ruminait ce sujet depuis des mois. C'est le même débat qu'autrefois. On en fait une question de religion, et les opposants sont les mêmes. Quiconque est provie se retrouve automatiquement contre les manipulations génétiques et le clonage. Et pour les mêmes raisons.

La voiture approchait de Montréal sur son île au milieu du Saint-Laurent, et le jeu des lumières des gratte-ciel se reflétant sur le fleuve parut hypnotiser Thomas. Il savait qu'il les voyait peut-être pour la dernière fois.

— Je te laisse chez toi, Colette?

— Non, je vous l'ai dit, je dois passer au labo moi aussi.

— Alors allons-y.

Thomas appuya sur le bouton de l'interphone.

— Marco, nous allons chez Genelog.

— Si on nous laisse passer, précisa Colette.

Depuis des mois, les laboratoires de la multinationale Genelog étaient la cible de manifestations organisées par des groupes de pression. Ce soir-là ne fit pas exception et le chauffeur fut forcé d'arrêter la voiture à quelques dizaines de mètres de l'entrée principale.

— Encore le BRNO! lança le chauffeur.

En apercevant la voiture, les manifestants serrèrent les rangs devant la grille, brandissant haut leurs pancartes: «Non au clonage» «OGM = poison» «BRNO veille» «La Création est sacrée». Lentement, ils formèrent une chaîne humaine bloquant le passage. Les quelques policiers présents étaient débordés et l'un d'eux fit signe à la voiture de rebrousser chemin.

— Passons par-derrière, Marco, ordonna Thomas. Par l'entrée de l'animalerie!

Mais de l'autre côté du complexe scientifique, la situation se révéla encore plus agitée. Sur le chemin longeant la muraille en bordure de la propriété, des pancartes abandonnées et piétinées jonchaient le sol, luisant sous l'éclairage des réverbères. Contournant le dernier angle avant l'entrée, la limousine se retrouva devant la gueule béante d'une lourde porte d'acier qui était normalement verrouillée. La rumeur d'une confrontation violente montait de l'intérieur. Un photographe se tenait dans l'embrasure et les éclairs de son flash projetaient des silhouettes géantes au fond de la cour. Le chauffeur allait engager la voiture dans l'ouverture, mais le spectacle devant lui le fit s'immobiliser sur-le-champ.

Des hommes couraient dans tous les sens. Les uns, vêtus de noir, tentaient d'empoigner les autres, tout en blanc. Le sol glacé par endroits causait des embardées et des chutes spectaculaires. À première vue, les noirs, matraque à la main, étaient beaucoup plus nombreux que les blancs, moins d'une dizaine d'individus vêtus d'uniformes arborant l'une ou l'autre des quatre lettres B, R, N ou O. Ces derniers par contre étaient manifestement mieux chaussés pour l'activité prévue, puisqu'ils arrivaient assez facilement à échapper à leurs poursuivants. Mais un autre élément ajoutait une touche pour le moins insolite à cette scène de confusion nocturne. Au milieu des manifestants et des forces de l'ordre, des formes vertes phosphorescentes, autopropulsées et affolées, tournoyaient et passaient au ras du sol dans toutes les directions.

En les apercevant, Colette plaqua les mains sur ses joues et s'écria :

— Thomas ! Nous allons les perdre ! Non ! Non !

Thomas était déjà sorti de la voiture et s'avançait dans la cour intérieure. Pour lui comme pour son assistante, ces formes vertes n'étaient pas des objets mécaniques mais des êtres bien vivants, rondelets, qui foulaient de leurs petites pattes le sol extérieur pour la première fois de leur vie. C'étaient des cochonnets génétiquement modifiés qui étaient nés dans l'animalerie du complexe scientifique, et dont l'existence, croyait-on jusque-là chez Genelog, était inconnue du public. D'apparence normale le jour, ces porcs viraient au vert phosphorescent la nuit.

Un homme en civil s'approcha aussitôt.

— Monsieur, je vous demande de vous éloigner, s'il vous plaît.

— Mais je suis ici chez moi! clama Monier.

L'homme s'excusa et se présenta :

— Ron Hovington, du SCRS. Et vous êtes ?

— Thomas Monier.

— Oui, bien sûr. Désolé, monsieur Monier! s'excusa Hovington.

— Ça dure depuis longtemps, ce cirque ? tonna Monier.

— Moins de quinze minutes, fit Hovington. Quelques manifestants ont réussi à franchir le mur et ont pénétré dans vos locaux.

— Ça me paraît assez évident. Et vous croyez arriver à quel résultat comme ça ?

— Le service de police s'en occupe. Moi, je…

À cet instant, un cri horrible se fit entendre. Le hurlement d'un cochon qu'on égorge. Thomas avança et vit au fond sur la droite deux manifestants qui s'en prenaient à un animal. Pendant que l'un le maintenait entre ses jambes, l'autre cramponnait un carré de filet dans lequel il l'avait empêtré. Le premier homme tenait à la main un couteau et, par coups vifs et précis, il entaillait la peau de l'animal. Le sang qui giclait formait de petites taches luminescentes sur le sol.

Thomas se précipita aussitôt et fut sur eux au moment où, redouta-t-il, les deux individus allaient égorger l'animal. Au même instant, un policier se saisit de l'homme au filet. D'un geste ample du bras, l'autre fit siffler la lame de son couteau devant le nez de Thomas. Pendant quelques secondes, les deux se mesurèrent. Le cochon, toujours prisonnier, se tortilla, réussit à se dégager, se prit les pattes dans les mailles du filet et roula sur le sol en gémissant. Son agresseur détourna le regard une fraction de seconde et Thomas, sans hésiter, bondit sur lui. Mais le sol glacé se déroba sous ses pieds et il ne réussit qu'à agripper le vêtement de son adversaire, qu'il entraîna à sa suite dans une chute sur le pavé. Au moment où le manifestant levait le bras pour asséner un coup, d'autres policiers arrivèrent. L'un d'eux reçut la lame destinée à Thomas, entaillant sa veste et lui tailladant le bras. Quelqu'un fit voler le couteau d'un coup du tranchant de la main, et l'agresseur se retrouva maîtrisé au sol.

Lorsque Thomas se releva, il constata que le calme était revenu dans la cour arrière. Les hurlements du cochonnet avaient figé les autres manifestants, qui s'étaient volontairement laissé arrêter. Des employés de Genelog s'affairaient à diriger les animaux vers la grande porte de l'animalerie. L'adversaire de Thomas était maintenant debout, menotté, et le regardait intensément. Il soufflait comme quelqu'un qui revient à la surface depuis les profondeurs, et ses yeux fiévreux brillaient encore de la lutte qu'il venait de livrer. S'approchant, Thomas perçut au fond de cet homme une fureur peu commune, une déraison déterminée et plus profonde que le geste de démence qu'il venait de commettre sur un animal innocent. Le prisonnier cracha sur le sol et lança à Thomas d'une voix de prophète :

— Tu ne souilleras pas le pays de Dieu avec tes créatures !

La réaction de Thomas fut instantanée, et au-delà de tout ce que Colette connaissait de lui. Il saisit l'homme par l'encolure de son habit blanc et, d'une voix forte et calme, lui rétorqua :

— Quel est ton nom ?

— Winter. Samuel Winter, lâcha l'autre.

— Moi, je suis Thomas Monier, tonna-t-il. Tu n'as pas le monopole des citations bibliques, Winter. Moi, je te dis : tu ne tueras point ! Et j'espère ne plus jamais te croiser sur mon chemin.

Thomas se détourna et retourna jusqu'à la voiture. Hovington, qui était demeuré auprès de Colette, s'adressa à Thomas :

— Je sais que le moment est mal choisi, monsieur Monier, mais j'aimerais prendre rendez-vous avec vous. Demain ou un autre jour.

— À quel sujet ?

— À propos de vos programmes de recherche. Voici ma carte de visite.

Thomas la saisit et, sans la regarder, la remit à Colette.

— Mme Haineault en sait autant que moi, affirma Monier. Si elle le juge approprié, elle se fera un plaisir de vous renseigner.

Puis il ajouta à l'intention de son assistante :

— Assez perdu de temps, Colette. Filons au labo.

Une fois à l'intérieur, Thomas et Colette progressèrent rapidement en utilisant des corridors réservés, dont les portes verrouillées ne s'ouvraient que sur présentation d'empreintes digitales et de pupilles autorisées. Ils purent ainsi passer sans les traverser les autres unités de recherche dont les noms changeaient au même rythme que leurs occupants tant la science progressait rapidement dans le domaine du génie génétique. Des noms auxquels même un citoyen cultivé n'aurait pu accoler une définition exacte : « Bioconversion, Biogènes thérapeutiques, Biopuces, Certification d'espèces, Digestion anaérobie, Fourrages modifiés. »

Ils arrivèrent au dernier couloir menant à l'édifice niché au centre géométrique du complexe. L'entrée affichait « Procréation humaine ». Thomas avait choisi cet euphémisme pour masquer de façon élégante la nature véritable de ses projets de recherche. Lorsque Thomas et Colette pénétrèrent dans leur laboratoire, deux jeunes assistants s'y affairaient. Thomas esquissa un sourire à leur intention et s'arrêta un moment pour examiner les manipulations auxquelles ils se livraient.

— Bonsoir, Nguyen, bonsoir, Nathalie. Tout va bien ici ?

— Bonsoir, monsieur. Oui. Mais l'expérience de cet après-midi n'a pas fonctionné. Alors nous reprenons depuis le début.

— Bien, bien.

Thomas savait que celle-là non plus ne mènerait à rien, du moins pour ces deux jeunes chercheurs. Au matin, il devrait leur annoncer qu'ils étaient mutés dans une autre section.

— Bien, bien, répéta-t-il.

Puis, glissant la main sur le comptoir de granit comme pour en essuyer la surface, il désigna le fond de la pièce.

— Et là-dedans ?

— Rien à signaler, répondit la jeune femme.

Thomas entraîna Colette dans cette direction. Le laboratoire se terminait en cul-de-sac sur une lourde porte en acier inoxydable flanquée de cadrans indiquant les conditions de l'atmosphère à l'intérieur. Une petite fenêtre permettait de distinguer vaguement des tablettes grillagées portant de petites cuvettes. Chacune contenait une culture de cellules souches humaines. Ce terme technique désignait en fait un assemblage de cellules qui n'était ni plus ni moins que le début de mini-embryons humains. Il suffisait de les faire passer à l'étape suivante, selon l'expression de Thomas, c'est-à-dire de les faire se multiplier et se développer, de cent cinquante à trois cents cellules, puis à six cents, et ainsi de suite, pour en arriver aux milliards de cellules que compte un être humain. Après des années de travaux pointus, jalonnées de percées originales et d'emprunts aux techniques de manipulation mises au point dans les laboratoires de Corée du Sud qui appartenaient à Genelog, Thomas avait réussi à contrôler toutes les étapes du processus. Et il était prêt à se lancer dans ce qu'il appelait, faute d'avoir trouvé un terme plus approprié, la production.

Thomas les désigna.

— Tu crois que nous devrions les jeter à l'égout, Colette, pour nous conformer à la nouvelle loi ?

— Thomas…

Colette ne s'était pas sentie aussi lasse depuis fort longtemps. Ce n'était pas uniquement une question de sommes englouties, d'années de recherche et d'espoirs. Elle s'était souvent interrogée sur le sens à accorder à la façon dont on pouvait mettre un humain au monde. Certains couples ont des enfants tout naturellement, sans y penser. D'autres font chaque jour les gestes de l'amour et de la procréation sans jamais y parvenir. Et des gens comme Thomas et elle-même avaient maintenant le pouvoir de procréer sans devoir passer par aucun de ces gestes millénaires. Pourquoi fallait-il déterminer que l'une ou l'autre façon était la bonne, la seule acceptable? Quelle que fût la méthode, le résultat était immanquablement le même. Un humain. Un bébé, un enfant qui grandirait.

— À l'égout, Thomas? Ne comptez pas sur moi, protesta-t-elle.

Ce qui comptait vraiment, c'était ce qui arrive à l'enfant après sa naissance. Comment il était élevé, ce que ses pairs pensaient de lui, les droits que la société lui accordait. Les peurs, les espoirs, les sentiments. Ce qui se passait au-dedans, dans la raison et dans le cœur. Sans savoir si cela constituait ou non une suite logique à cette journée, le front appuyé sur la vitre, juste à côté de celui de Thomas, Colette ajouta :

— L'amour, Thomas, vous y songez parfois?

Thomas se redressa et considéra Colette un long moment. Si la question lui avait été posée seulement quelques semaines auparavant, il aurait répondu sans hésiter, et en riant : « Non, jamais. » Mais aujourd'hui, la situation n'était plus la même. Quelque chose avait changé dans sa vie. Et justement à cause de ce changement qui avait ouvert chez lui un sixième sens, il sut que sa réponse ne plairait pas à son assistante de toujours. Le plus naturellement du monde, il répondit :

— J'ai rencontré quelqu'un récemment.

Le visage de Colette, réfléchi par la vitre, ne lui parut ni flancher ni même sourciller, et c'est d'une voix absente qu'elle s'enquit :

— Je la connais ?

— Je ne crois pas, non. Elle s'appelle Hélène. Hélène Ashokan.

— Et que fait-elle ?

— Elle est biologiste. Elle parcourt le monde pour une fondation privée qui achète des terres dans le but de préserver l'habitat d'espèces menacées.

— C'est bien, répondit Colette, qui sentait son monde s'écrouler sous ses pieds.

— Ce type du SCRS dehors, ce Hovington...

— Oui ?

— Je ne suis pas dupe, reprit Monier. Je sais ce qu'il veut : s'assurer que je vais me conformer à la nouvelle loi.

— Cela ne fait pas le moindre doute, approuva Colette.

— Mais j'ai pris mes dispositions, et je vais disparaître un certain temps. Assez longtemps, en fait, précisa-t-il.

— Ah ? fit-elle, feignant l'indifférence. C'était donc ça votre allusion dans la voiture ce soir.

— Oui. Mais avant, à la fin de juillet, je vais avec Hélène au Zaïre.

— En Afrique ? Pour y faire quoi ?

— Hélène y va pour conclure un projet sur la conservation des gorilles.

— Ah ! Et vous, Thomas ?

— J'essaierai d'obtenir quelques échantillons.

Thomas replongea son regard dans la chambre d'incubation. Tout récemment, en discutant avec Hélène de ses projets à elle, il avait eu un éclair de génie. «Encore quelques petites mises au point, se disait-il, et ces cultures d'embryons humains ouvriront la voie à la science de demain.» Il lui apparut soudain que toutes les avancées technologiques réalisées dans son laboratoire au cours des dernières années l'avaient préparé à faire ce gigantesque bond en avant, comme si ses travaux avaient été orientés par une main invisible.

— À mon retour d'Afrique, ajouta-t-il, j'aurai terminé de tout liquider ici et je serai prêt à recommencer ailleurs.

— Ailleurs?

— Un laboratoire dans lequel ce gouvernement ne pourra pas mettre son nez.

Il observa son assistante. Il ne pouvait se résoudre à se passer de sa collaboratrice de tant d'années, même si Hélène était d'avis que le secret de leur projet ne devrait être partagé avec personne. «Même pas avec Colette», avait-elle ajouté.

— Il y aura bien sûr une place pour toi, Colette, l'assura-t-il.

— Comme toujours, vous êtes gentil, Thomas.

L'assistante se détourna et se dirigea vers son bureau. Au moment où elle ouvrait la porte, elle sentit soudain que des vannes à l'intérieur de son corps s'ouvraient d'un seul coup et que sa vie entière dévalait en tourbillonnant comme une chute tombe jusqu'au pied de sa falaise.

Au moment d'entrer dans l'hôtel Le St-James, Colette Haineault fut envahie par le doute. Se souvenait-elle vraiment de ce à quoi ressemblait Ron Hovington? Elle ne l'avait vu qu'une fois, dans la pénombre, une semaine auparavant. Normalement, elle n'aurait pas rencontré quelqu'un qu'elle connaissait à peine, et pour des motifs officiels, ailleurs que dans un bureau. Celui de Hovington, évidemment, pas le sien chez Genelog, où elle n'avait pas mis les pieds depuis cette soirée mouvementée, et où elle n'avait toujours pas envie de retourner.

Colette vérifia discrètement la réflexion de son corps dans la porte vitrée. Comme toujours, elle avait choisi une tenue raffinée, d'un prix fou mais sans ostentation, et avec une petite touche d'insouciance. Son image la rassura. Même ses cheveux étaient parfaits. Elle poussa la porte et se dirigea vers la salle à manger, déterminée à se rendre jusqu'au bout.

Un garçon la conduisit vers une alcôve devant une fenêtre. Lorsque Hovington se leva pour l'accueillir, Colette le trouva plus grand que dans le souvenir qu'elle en avait conservé. Cette constatation lui plut, elle qui était plutôt mince et élancée. Il y avait des fleurs dans un vase sur la table. D'un coup d'œil, elle constata qu'en cette fin d'après-midi les clients étaient rares. Et que les autres tables n'étaient pas décorées ainsi. « Intéressant », se dit-elle.

— Bonjour, madame Haineault, merci d'être venue, lança joyeusement Hovington.

Colette répondit par un sourire, retira son blouson et le posa sur le rebord de la fenêtre.

— Vous mangez quelque chose ? s'enquit-il.

— Non, merci. Mais je prendrais bien un café !

Colette observa Hovington. Son blue-jean, sa chemise blanche et son veston de lin noir décontracté lui donnaient l'apparence d'un jeune professionnel qui avait réussi. Il dégageait une calme assurance qui ajoutait à son charme. Sa carte de visite le présentait comme « Agent spécial » au SCRS. La fonction amusait Colette.

— Y a-t-il une différence entre agent spécial et agent secret ? ironisa-t-elle.

— Pas vraiment, répondit Hovington. Sauf que les autres ne montrent pas leur carte de visite.

« Il est intelligent en plus », songea Colette. Elle n'était pas du genre à tourner autour du pot. Encore moins depuis qu'elle avait appris, à propos de Thomas. Elle lui en voulait, bien sûr, mais s'en prenait surtout à elle-même de ne rien avoir su dire, ni oser, pendant des années. Désormais, elle était consciente que sa vie s'envolait et que chaque minute comptait. Voilà pourquoi elle avait suggéré de rencontrer Hovington à l'hôtel où il était descendu dans le Vieux-Montréal. Elle décida d'en terminer avec les banalités d'usage.

— Vous voulez savoir quoi sur Genelog, au juste ?

— En fait, répondit Ron, j'ai été affecté récemment à une nouvelle section, que je dirige. Et jusqu'à hier, j'étais pour ainsi dire seul.

Il eut un rire plaisant, franc.

— Vous savez comment vont les choses. Les décisions prises en haut lieu mettent du temps à se concrétiser. Il y a longtemps que des politiciens et des citoyens s'affolent au sujet des OGM, des cellules souches et du clonage humain.

— Vous êtes du côté du BRNO et de leurs semblables, si je comprends bien, suggéra Colette en guise de ballon d'essai.

Hovington sourit et ne se défendit pas. Colette le trouva rassurant. Accessible. « Ce sera plus facile », se dit-elle.

— Je n'approuve ni les excès d'amateurs comme ceux qui ont fait du sabotage chez Genelog l'autre soir, ni les agissements de professionnels qui enfreignent la loi dans le secret de leur laboratoire. C'est comme ça. Sans aucune ambiguïté.

— Et vous faites quoi pour les contrôler ?

— Lesquels ?

— Je vous laisse le choix.

— En ce qui concerne le BRNO, et particulièrement les rares éléments violents parmi eux, nous avons déjà pris des dispositions pour les suivre de près. Désormais, ce mouvement et les autres qui menacent la sécurité publique relèveront de mon service, où toutes les informations seront consignées.

— Vous avez dit «qui menacent la sécurité publique», souligna Colette. Je ne vous suis pas très bien.

— Disons qu'ils représentent à tout le moins un risque pour la santé. S'ils ont pu faire une razzia dans votre animalerie, ils sont également susceptibles de pénétrer dans des labos où ils trouveraient peut-être des créatures moins visibles et moins inoffensives que des cochons vert fluo…

— D'où votre intérêt pour nous également, conclut-elle.

— Si vous voulez.

— Que voulez-vous savoir au juste?

— Madame Haineault, je veux que nous nous comprenions bien. Ceci n'est pas un interrogatoire en règle. C'est un peu la raison pour laquelle j'ai tout de suite accédé à votre suggestion de nous rencontrer ici.

— Et que vous avez apporté des fleurs, ajouta Colette.

Hovington éclata de rire. Il était désarmant.

— Ce sont, je crois, les premières tulipes de la saison. Je n'ai pas pu résister. Elles sont pour vous.

Colette porta la tasse à ses lèvres et observa son vis-à-vis. «Désarmant et séduisant», songea-t-elle. Hovington réfléchit un moment, puis continua d'étaler son jeu:

— Je serai on ne peut plus franc avec vous. Mon mandat premier est de m'assurer que Genelog ne procédera pas à des recherches sur les sujets que la nouvelle loi interdit. Point. Une loi ne peut pas être prise au sérieux s'il n'y a pas d'organe de surveillance et de prévention. Par ailleurs, je ne suis pas généticien, ni scientifique. J'ai besoin de quelqu'un pour me guider dans les dédales de votre science.

— Et c'est moi que vous avez choisie…

— Je vous ferai remarquer que c'est votre patron qui vous a envoyée à moi. Est-ce que ce rôle de professeur privé pour un nul vous intéresse ?

Colette ne s'attendait pas du tout à cette question. Elle avait enseigné à l'université quelques années auparavant et, quoiqu'elle eût apprécié l'expérience, les cours lui bouffaient trop de temps. Par la suite, elle avait décliné toutes les offres. Mais jamais on ne lui avait demandé des cours particuliers. Hovington était habile. Elle aurait préféré refuser immédiatement et poliment mais s'empêtra dans son désir de faire durer la rencontre et d'arriver à ses fins.

— Si vous me posez des questions techniques, je tenterai d'y répondre aussi simplement que possible, affirma-t-elle.

Hovington allongea le bras, lui saisit la main et la serra chaleureusement.

— Excellent ! Je suis vraiment heureux. Commençons-nous dès maintenant ?

Colette laissa retomber sa main sur la table et eut soudain une irrésistible envie de rire. Comment cet homme, qui paraissait si direct, sinon naïf, pouvait-il être un agent, secret ou non ? Elle se sentit en même temps quelque peu soulagée de sa mélancolie des derniers jours, qu'elle n'avait pas encore réussi à balayer.

— D'abord, débuta-t-il, vous pouvez m'appeler Ron. Et tutoyons-nous. Ça vous va ?

Colette se contenta de hocher la tête, réprimant son hilarité.

— Alors dites-moi, Colette. Pardon ! Dis-moi… Les cochons fluorescents, ils étaient fascinants ! Sont-ils constamment aussi verts ?

— Non, seulement dans l'obscurité. Ce sont des cochons transgéniques, mais à l'œil nu, à part cette particularité, ils sont indissociables des autres cochons de la même race.

— La couleur fluo permet de les reconnaître ?

— Voilà !

— Oui, mais pourquoi ?

— La luminescence vient d'une protéine extraite de méduses qui a été introduite dans le noyau des cellules du cochon à l'état d'embryon. Tout le cochon brille dans l'obscurité, même son sang.

— Je voulais dire, quelle en est l'utilité ?

— En soi, aucune. C'est un exploit ! Mais aussi, le cochon, qu'on le veuille ou non, est très près de l'homme physiologiquement.

— Ce qui vous prépare à faire des manipulations du même genre chez les humains ?

Colette le considéra. Il était perspicace et direct, deux qualités qu'elle appréciait. Elle formula sa réponse prudemment :

— Cela nous aide dans l'étude des cellules souches humaines. Pour éventuellement produire des organes, corriger des maladies génétiques et le reste.

— Tantôt, tu as utilisé le mot « transgénique ». Qu'est-ce que ça veut dire ?

— Ouf ! Vous en êtes vraiment au b a-ba !

— Tu, Colette, tu.

— D'accord, Ron! En termes simples, cela consiste à insérer dans un animal un gène qui vient d'une autre espèce.

— Dans quel but?

— Prenons les cochons fluorescents. Leur véritable rôle est la production d'insuline.

— Pour…?

— Les diabétiques.

— Mais l'insuline est déjà disponible, non?

— Depuis longtemps. Autrefois, on l'extrayait des animaux de ferme. Mais comme l'insuline animale n'est pas exactement identique à celle des humains, elle manquait d'efficacité et provoquait parfois une réaction immunitaire chez le diabétique. En 1978, la firme américaine Genentech a isolé le gène pour l'insuline humaine et l'a inséré dans une bactérie, qui s'est aussitôt mise à la produire.

— Aussi simple que ça…

— Une fois qu'on a développé la technique, oui. La bactérie est une cellule vivante comme une autre. Il suffit de lui donner le bon programme. C'est cette méthode, qui consiste à insérer un gène étranger, qu'on appelle transgenèse. Simplement, « transfert » de « gène ».

— Et c'est pareil pour vos cochons?

— Par un procédé récemment breveté à l'Université Laval, à Québec, on a inséré le gène pour l'insuline humaine dans les vésicules séminales du porc. Tu sais, ces petits trucs situés juste derrière la vessie, au-dessus de la prostate, qui servent à accumuler le sperme? Les porcs mâles aiment bien éjaculer et ils n'ont pas besoin de beaucoup d'encouragement. Tous les deux jours, on obtient ainsi leur sperme et on en retire l'insuline. Les diabétiques ont leur injection et les porcs leur orgasme, tout le monde est heureux !

Satisfaite de son effet, Colette posa les coudes sur la table et attendit la réaction de Ron. Il n'en eut pas. Il la regardait intensément de ses yeux d'un bleu profond, comme s'il repassait dans son esprit toute la conversation. Ou comme s'il fouillait en elle… Soudain, il rompit le silence :

— Tu as faim, maintenant ?

— Oui. Allons manger. Mais parlons un peu d'autre chose. Nous reprendrons après, si tu veux.

Le dîner fut très agréable et lorsqu'ils se rendirent au foyer pour un digestif, Colette réalisa qu'elle s'était fait prendre à son propre jeu. Elle s'attendait à quelques questions d'ordre légal concernant ses travaux et ceux de Thomas chez Genelog. Elle n'avait pas prévu de parler pendant le repas ni de son propre travail, ni de ses espoirs et de ses désirs. Et surtout, elle n'avait pas envisagé qu'elle aimerait à ce point la compagnie de Hovington et qu'elle trouverait plaisir à répondre à ses questions.

— Nous n'avons pas encore abordé le clonage…, lança-t-il soudain.

— Ah ! Nous y voici, monsieur Hovington ! Le clonage humain. Au fond, c'est la seule chose qui t'intéresse vraiment !

— Professionnellement, oui.

— Que veux-tu savoir ?

— Admettons que quelqu'un veuille me cloner, moi. Ou toi. Comment ça fonctionne ?

— Eh bien, comme tout le monde, tu es entièrement contenu dans tes gènes, ou dans ton ADN, tes chromosomes si tu préfères. Tu as vu le film *Le Parc jurassique* ?

— Il y a longtemps, oui.

— Dans ce film, un scientifique reconstitue un dinosaure à partir de l'ADN préservé dans un moustique fossilisé qui avait sucé son sang. Le moustique recelait des cellules sanguines de dinosaure, dont le noyau contient le code pour le reconstituer. Autrement dit, en principe, donne-moi une de tes cellules et je te refais avec exactitude. Mais, en réalité, cela n'aurait aucun intérêt.

Ron éclata de rire.

— Charmant, je ne vaux même pas un dinosaure ! Pourquoi donc serait-ce sans intérêt ?

— Ni toi ni un autre individu. Le clonage est un mot à la mode mais, mis à part l'exploit scientifique, il n'a aucun intérêt. Si j'en avais le temps, je te donnerais des tas de raisons. En voici une. Si des copies identiques d'un être humain représentaient un avantage certain pour la survie de l'espèce, il y a longtemps que la sélection naturelle y aurait veillé, et nous serions déjà, tous autant que nous sommes, des copies identiques. Non, ce qui est intéressant – et le clonage peut ainsi devenir un outil formidable –, c'est l'amélioration des individus et la modification des espèces. Ajouter des gènes, en enlever, les combiner, il y a tant de possibilités ! Ce que la nature a mis des millions d'années à produire, nous pourrions le faire en quelques décennies et nous rendre encore plus loin! Voilà la véritable aventure de la biotechnologie.

— Tu en parles comme s'il s'agissait de recettes de cuisine. Ça ne vous dérange pas, vous, les scientifiques, d'insérer des gènes humains dans des vaches ou des cochons, et d'assujettir ensuite ces animaux à nos besoins, à nos désirs, en faisant d'eux les instruments de nos propres fins? Il y a quelque chose de monstrueux dans tout cela.

— Est-ce plus répréhensible que d'élever ces mêmes animaux simplement pour les abattre?

— Il nous faut bien manger!

— Et les diabétiques qui ont besoin d'insuline ont bien le droit de vivre, non? Quant à moi, je considère la transgenèse moins rebutante que la façon dont on procédait autrefois. Sais-tu comment on obtenait l'hormone de croissance humaine avant l'ère de la biotechnologie?

— Non, mais quelque chose me dit que je vais bientôt le savoir.

— La mise en marché était un monopole de la firme suédoise Kabi. Cette hormone est produite par la glande hypophyse située juste à la base du crâne. Elle est très spécifique et l'on ne peut y substituer son équivalent animal. Comme personne, et pour cause, n'acceptait qu'on la leur enlève de leur vivant pour la donner à d'autres, les techniciens de Kabi visitaient les morgues pour ouvrir les crânes et prélever la toute petite glande. De nos jours, l'accès aux produits de la biotechnologie est une question de vie ou de mort pour des milliers de gens. Si tu n'aimes pas les procédés contre-nature, peut-être vaudrait-il mieux s'en remettre à la bonne vieille méthode : la sélection naturelle. C'est elle qui façonnait les humains autrefois en éliminant ceux qui portaient des gènes déficients. C'est une forme de justice aveugle. La nature n'a pas de sentiments, mais je t'assure, elle peut tout de même paraître impitoyable.

Pendant qu'elle parlait, Ron s'était levé. Calme et droit comme un dieu, il regardait le feu qui craquait dans le foyer.

— Je me doute bien que Thomas Monier n'a pas l'intention de se départir de ses cultures d'embryons humains. Si j'ai bien compris également, le clonage l'intéresse avant tout parce qu'il permet de modifier génétiquement un individu.

Colette ne souffla mot. Elle observait en silence ses épaules, son dos et le reste lorsqu'il déclara, sans se retourner et le plus simplement du monde :

— Colette, ce serait bien que tu me tiennes au courant de ce qui se passe chez Genelog. On pourrait se voir toi et moi pour discuter comme aujourd'hui. Disons une fois par semaine ?

Au complexe scientifique, dans le bureau de Colette, une immense carte du génome humain était affichée au mur. Une illustration qui ressemblait à une enfilade de codes-barres et qui était la liste et la disposition des quelque trente ou quarante mille gènes qui composent la symphonie du corps humain. Malgré toute sa science, Colette n'aurait su identifier sur cette carte le gène responsable du phénomène qui bouleversait ses plans. Un phénomène que l'instant venait de lui révéler, à la fois trop grand pour qu'elle le mesure et assez petit pour qu'il soit inscrit quelque part au fond de son être le plus intime.

Colette déposa son verre, se leva, s'approcha jusqu'à sentir son bras toucher le corps de Ron et lui répondit par une autre question, tout aussi simple :

— Ta chambre est à quel étage ?

— Madame Ashokan! Hélène Ashokan! Madame Ashokan! Ashokan!

La voix du jeune Zaïrois se perdait dans le bruit, était avalée par la foule des passagers qui engorgeaient la petite aérogare de Goma. De ses longues jambes à la démarche nonchalante, l'homme se fraya un chemin à travers les monceaux de bagages et les voyageurs épuisés, s'épongeant le front et répétant comme une litanie le nom de sa cliente : « Madame Ashokan! Ashokan! »

Thomas l'entendit le premier. Il se leva d'un bond et agita le bras très haut au-dessus de sa tête. Son autre main trouva l'épaule d'Hélène, assoupie sur le sol contre son sac à dos.

— Hélène! Hélène! Il est là!

Thomas enjamba corps et colis dans la direction d'où venait la voix en criant :

— Par ici! Mme Ashokan est ici!

Hélène était perplexe. Le Zaïrois venu à leur rencontre n'était pas son collègue et ami, le gardien-chef du parc national, avec qui elle avait rendez-vous.

— Je suis Reuben, madame. C'est moi qui vous emmènerai aux volcans. Le chef Rwangazire est resté là-bas. Il ne veut pas quitter le parc. Avec ce qui se passe en ce moment, il a trop peur pour nos gorilles.

Reuben était accompagné de deux porteurs aux airs de pirates, qui se saisirent aussitôt des bagages.

— Non, pas ce sac, dit Thomas, il est fragile, je le garde avec moi. Oui, oui, ça va. Ça va, pour les autres, merci !

Il passa sur son épaule le gros sac qui contenait la trousse dont il aurait besoin si l'occasion se présentait. Thomas était heureux d'être venu au Zaïre pour voir le monde dans lequel Hélène évoluait, mais il avait un mauvais pressentiment. En outre, quiconque avait suivi les actualités savait que ce n'était vraiment pas le moment idéal pour venir dans ce pays. Et puis, Thomas était conscient qu'il aurait tout aussi bien pu récolter cet échantillon dans un zoo. Il prit la main d'Hélène et ils se dirigèrent vers la sortie, sans se douter qu'avant la fin du jour ils auraient vu l'enfer et le paradis.

Ils durent d'abord passer par le purgatoire. Dehors, le désordre était encore plus grand qu'à l'intérieur. Les passages pour piétons, les voies d'accès, l'abord des pistes, tout était jonché de caisses et d'immenses piles de sacs portant l'acronyme des Nations Unies et ceux des programmes humanitaires des États-Unis, de la Croix-Rouge et de l'Union européenne. Des équipes de journalistes du monde entier couraient à la recherche de nouvelles. Les cameramans et preneurs de son avaient installé leur matériel devant des rangées de tentes de l'armée française et filmaient tout, même les fardiers garés dans tous les sens sur les plates-bandes et les terre-pleins. Au fur et à mesure que les deux Canadiens avançaient à la remorque de Reuben, de nouveaux amoncellements surgissaient, débarqués sans le moindre plan, à perte de vue sur le tarmac, sans apparemment réserver le moindre mètre carré pour le mouvement des avions. Pourtant, on entendait distinctement le hurlement d'un petit avion de brousse s'éloigner dans l'espace aérien, tandis que là-bas, au-dessus des arbres qui vacillaient sous le soleil comme s'ils voulaient fuir eux aussi ce pays pris d'assaut, un immense cargo russe Antonov se posait sur le dernier mouchoir de piste dans un vrombissement d'éruption volcanique.

Reuben entraîna ses visiteurs le long d'une route dont le pavage, selon le diagnostic de Thomas, souffrait d'une maladie tropicale incurable. Ils arrivèrent enfin à une Toyota 4 x 4 qui devait avoir été blanche au début de son existence. Un jeune homme, qui était assis derrière le volant, en sortit aussitôt. Au même moment, deux militaires surgirent de l'ombre d'un buisson, l'un braquant une Kalachnikov, l'autre brandissant une machette. Les yeux des soldats s'attardèrent longuement sur le corps d'Hélène, puis ils dévisagèrent Thomas du regard vitreux et perdu qu'ont les hommes à la sortie des bars au petit matin. Ils puaient l'alcool, bien qu'ils ne fussent que des garçons loin d'avoir atteint l'âge requis pour commander ne serait-ce qu'une bière de banane. Thomas voulut s'interposer, mais Reuben, d'un geste à la fois fataliste et magnanime, désamorça la situation en leur donnant une petite liasse de billets de banque. Il pressa Hélène et Thomas de monter derrière sans tarder et le jeune chauffeur démarra sur-le-champ. En route, Reuben offrit une explication, faisant amende honorable au nom de son pays :

— Sans ces militaires, le 4 x 4 aurait peut-être été pillé pendant que j'allais vous chercher. Ils n'ont pas eu de solde depuis des mois.

Cent mètres plus loin, la Toyota tourna brusquement à droite sur une mauvaise piste qui allait vers la ville. Hélène s'inquiéta :

— Reuben ? Nous ne prenons pas la N2 vers le parc national ?

— Pas tout de suite, madame. En ce moment, la N2 est contrôlée par les militaires.

— À cause des réfugiés ?

— Oui, madame. En deux jours, sans avertir, un million de Rwandais sont arrivés à pied à Goma. Il y en avait partout : dans les parcs, sur la rue, dans les jardins des maisons. Totalement démunis. Normalement, la ville compte deux cent mille habitants. Même en temps normal, elle arrive à peine à nourrir son monde. Ce n'était plus tenable.

— Et alors ?

— Depuis deux jours, on les chasse.

— Où vont-ils ?

— Où ils peuvent. La plupart sont au nord, sur la N2. On dit qu'ils s'arrêtent tous à Kibumba.

— Mais c'est sur notre route, ça. Au pied du volcan…

— Oui. C'est pour cela que nous passons plutôt par cette piste-ci. Dans une dizaine de kilomètres, nous devrons tout de même retourner sur la nationale.

Reuben se tut un long moment, pendant que le chauffeur passait constamment les vitesses et que le 4 x 4 contournait des pierres enfoncées dans des mares de boue. Lorsqu'il parla de nouveau, sa voix, demeurée si assurée devant les militaires, était alors vacillante, presque terrifiée :

— Vous les verrez…

Ensuite, l'enfer. D'abord apparut au loin une longue et étroite bande colorée qui tranchait en deux plans le décor vert de l'Afrique. De plus près, la bande prit des formes : des sacs blancs gonflés comme des ballons, des jerrycans orange, des bidons bleus, des marmites rouillées, des nattes de roseau ocre, des fagots de branchages noirs, telle la cargaison à la dérive d'un cargo coulé. Débouchant sur la route principale, la Toyota se retrouva soudain au milieu de ces épaves qui se balançaient sur la tête des naufragés. Par petits groupes, ils passaient, le regard vide, la peau couverte de poussière, sans prononcer un mot. Et pourtant un long souffle s'élevait de cette migration, le chuchotement à grande échelle des centaines de milliers de pas qui se posaient simultanément et glissaient un instant sur des kilomètres de pavage, de terre et de gravier. Le son du labeur des pieds nus, des sandales, des chaussures, des enfants à demi nus, des garçons en culottes courtes, des fillettes en pyjama, des femmes drapées de la tête aux pieds de plusieurs mètres de tissus bigarrés, des hommes enfin portant chemise, chandail et manteau enfilés l'un par-dessus l'autre. Un peuple entier qui emportait avec lui ce qu'il avait pu sauver de la fin du monde.

La Toyota progressait à peine plus vite qu'un homme au pas de course, contournant les familles, évitant ceux qui s'étaient assis au bord de la route pour souffler un peu ou pour panser quelque horrible blessure ouverte. Le bas-côté était jonché de cadavres allongés entre les blocs de lave durcie, les uns souillés de boue, couverts de mouches jusque dans la bouche et les yeux grands ouverts sur la misère des vivants, les autres emballés dans de la toile comme des momies attendant d'être embarquées. Plus tard, le 4 x 4 passa devant une natte où un enfant semblait dormir sous une couverture de laine à carreaux bleus, blancs et rouges. Le bas de ses jambes et ses pieds luisaient au soleil.

— Reuben, arrête s'il te plaît! lança Hélène.

Le chauffeur refusa qu'elle descende de la voiture mais accepta de reculer. Sur place, l'on vit bien que la couverture avait été soigneusement repliée par-dessus la tête de l'enfant et aussi loin que possible, puis ficelée proprement avec des liens de paille et des racines. Il était mort et les mouches s'acharnaient sur lui.

Plus loin, ils furent arrêtés par un bouchon. Un véhicule semblable au leur était garé dans le sens inverse. Ses occupants, une équipe de la BBC, tournaient au milieu de la chaussée. Une jeune femme en pantalon noir et chemise blanche portant un badge de la Croix-Rouge s'approcha de Reuben.

— Excusez-nous, ils ont terminé. Vous pourrez passer dans un instant. Merci.

Puis elle ajouta:

— Vous allez à Kibumba?

— Nous allons au parc des Virunga, répondit Reuben.

— Je peux monter avec vous ? Ça évitera le détour à ces journalistes qui doivent retourner à Goma…

— Bien sûr, intervint Hélène, montez !

La jeune femme tendit la main, et avec un sourire radieux, se présenta :

— Moi, c'est France.

— Mais vous êtes québécoise ! s'étonna Hélène.

— Eh oui ! Je gère les journalistes qui viennent couvrir le camp. Enfin, le futur camp…

— Futur ?

— Nous sommes en train de l'installer. Il y a quelques jours, les réfugiés, épuisés, ont commencé à s'arrêter spontanément au bord de la route qui passe au pied du volcan. Là, devant, à Kibumba, dans un champ de lave.

Pendant qu'elle racontait, l'attroupement des gens sur la route se fit de plus en plus dense, et le véhicule déboucha enfin sur Kibumba. De chaque côté du chemin, des lignes tracées avec du ruban de plastique délimitaient la zone du camp. Derrière, piétinant la boue, les réfugiés, patients et muets dans leur dénuement, se pressaient comme du bétail, attendant qu'on les dirige vers les camions de nourriture et les tentes transformées en hôpital de fortune ou en centre d'enregistrement. Et à perte de vue sur la pente du volcan, dans la fumée des feux domestiques, parmi les débris calcinés et tordus de la végétation, les gens construisaient des abris de branchages qu'ils recouvraient de paille ou de toiles de plastique. En plusieurs endroits, des centaines de gens creusaient des fosses communes. Près de chacune s'élevait une pyramide de corps aux membres enchevêtrés qui attendaient d'être enfouis. L'atmosphère exhalait une odeur insupportable d'excréments fermentés et de putréfaction.

Hélène hasarda une question :

— Combien sont-ils ?

— On ne sait pas au juste, répondit France. Il en arrive constamment. Entre huit cent mille et un million… Nous avons eu une épidémie de choléra. Les ingénieurs allemands ont installé des équipements pour purifier l'eau, et ça va mieux maintenant. Nous sommes passés de mille deux cents morts par jour à moins de quatre cents !

— Comment font-ils pour manger, pour dormir, pour… vivre ?

— Les secours arrivent d'heure en heure. Mais au début, ils ont mangé ce qu'ils trouvaient, les plantes, les racines, les oiseaux, les lézards. Encore aujourd'hui, il y en a qui errent sur la montagne, jusque dans la forêt. Ils abattent des daims, des singes, des…

France s'interrompit un instant. Une évidence venait de la frapper :

— Vous allez voir les gorilles ?

— Oui, répondit Hélène, mais pas en touristes. Je participe à leur conservation. Et mon mari, Thomas, fait une étude génétique.

— Ah ! Pour eux aussi, cet horrible désastre humanitaire est un cauchemar.

Le 4 x 4 approcha d'un croisement où un chemin de fortune reliait les deux moitiés du camp. France tapa sur l'épaule de Reuben.

— Je descends ici, s'il vous plaît.

Puis, toujours avec le même sourire, elle lança un « Bonne chance ! » avant de disparaître parmi les ombres.

Le paradis était pourtant si près. À quelques kilomètres au-delà du camp, la Toyota quitta la nationale et prit un chemin qui montait vers le parc national des volcans. Les arbustes disparurent, une grande fraîcheur s'installa et les visiteurs se retrouvèrent bientôt dans une forêt de bambous. La piste était un long couloir vert tendre où les rayons du soleil jouaient parmi les tiges, où porter le regard vers le haut était comme observer la surface depuis le fond de la mer. Dès que la pente devint plus abrupte, les bambous firent place aux grands arbres et au brouillard. Après de nombreux détours sous les hautes branches chargées de plantes épiphytes, le 4 x 4 déboucha sur une clairière et s'arrêta devant un confortable gîte construit sous un arbre immense.

Au moment où Hélène et Thomas posèrent le pied sur le sol, une pluie fine se mit à tomber. Ils s'arrêtèrent là, sur l'herbe verte et rude. Ils avaient besoin d'écouter le silence, de sentir le vent frais, d'avoir froid même. Les yeux levés vers le ciel, les bras ouverts, ils laissèrent l'eau fraîche laver leur visage et leurs bras, tremper leurs vêtements jusqu'à la peau, libérer leur corps et leur âme des derniers lambeaux du cauchemar qu'ils venaient de vivre.

Thomas l'aperçut le premier. Un homme, grand et costaud, vêtu d'un uniforme kaki, une carabine en bandoulière, s'était approché d'eux. Il tenait dans sa main deux vêtements imperméables qu'il tendit en disant : « Hélène ! » Celle-ci se retourna et un grand sourire détendit immédiatement son visage.

— Charles! Charles Rwangazire en personne!
Le chef des gardes la saisit dans ses bras.
— Bienvenue à toi!
— Et voici Thomas!
— Bienvenue à vous aussi!
Hélène perçut que quelque chose n'allait pas. Charles
n'était pas dans son état normal. Il semblait préoccupé
et triste. Les nouvelles étaient mauvaises. Le matin, les
gardes avaient trouvé trois gorilles assassinés peu de
temps auparavant. Et en fin d'après-midi, ils en avaient
trouvé un quatrième.
— Je dis assassinés, précisa Charles, parce qu'ils ont
été tués par balle, à bout portant. Deux mâles, deux
femelles. Les tueurs n'ont rien pris, ni la viande, ni les
mains ou les pieds pour les vendre, comme font les
braconniers.
— Qui a fait ça, alors? interrogea Thomas.
— Ce sont les milices, celles de chez nous ou celles du
Rwanda voisin. Le parc chevauche la frontière, et en ce
moment beaucoup de gens circulent librement entre les
deux pays. La forêt protégée, la seule qui subsiste encore
dans la région, est le meilleur endroit pour se cacher. Pour
les gorilles autant que pour les humains, qu'ils soient
réfugiés, génocidaires ou militaires, vrais ou faux. Les
hommes chassent les animaux pour se nourrir, abattent
les arbres pour le bois et pour en faire du charbon.
— Mais pourquoi tuer ces gorilles s'ils n'en ont rien
gardé?
— C'est faire le mal pour le mal. Et ces meurtres
sont aussi un message. Pour nous, pour le parc national,
pour les visiteurs étrangers.

— Quel message ? Je ne comprends pas, intervint Thomas.

— Ils veulent nous effrayer. Et parfois, c'est à nous qu'ils s'en prennent directement. Certains ne veulent pas de cette réserve faunique. Pour eux, ce n'est pas une bonne affaire. Lorsqu'il n'y aura plus de gorilles, ils pourront s'emparer du territoire et l'exploiter à leur guise. Et puis…

— Et puis quoi ? demanda Hélène.

— Rien, je t'en parlerai plus tard. Allons dans le hangar derrière. Trois des gorilles y ont été emmenés. L'autre, le dernier, vient juste d'être trouvé. Son corps était encore chaud. Des gens le rapportent. Ils seront ici sous peu.

— Charles, c'est un dos argenté ? s'enquit Hélène.

— Oui.

— Je le connais ?

Charles hocha la tête. L'horreur et la peine envahirent le visage d'Hélène. Les dos argentés sont les mâles dominants, les protecteurs des familles. Sans son dos argenté, une famille se disperse, et parfois les plus jeunes meurent. Hélène, comme tous ceux qui étudient ou protègent les gorilles, connaissait la plupart de ces grands mâles et leur famille.

— Qui est-ce ? lança-t-elle. Salawa ? Luwawa ? Dis-le-moi ! Lequel ?

— C'est Rugabo.

Hélène, malgré son désarroi, ne put s'empêcher de regarder son mari. D'une certaine façon, tristement, cette mort récente d'un mâle dominant convenait à Thomas parce qu'elle lui simplifiait la vie. Il était déjà dehors, se dirigeant vers le véhicule pour récupérer sa trousse et les autres appareils qu'il avait apportés.

Les trois gorilles étaient sous un toit derrière le gîte, couchés sur des brancards improvisés. Les deux femelles avaient été atrocement mutilées : leurs membres étaient intacts, mais les tueurs avaient brûlé leur poil sur presque tout le corps et balafré leur visage. Sans aucune raison. Pendant que les Canadiens examinaient les blessures, des voix rythmées leur parvinrent depuis la forêt sur le flanc de la montagne. Le son grandit et devint un chant qui se rapprochait.

Bientôt, une longue procession parut, formée d'une centaine de personnes, des gens des villages voisins et des gardes du parc. Ils chantaient une longue mélopée, ils pleuraient, comme s'ils emmenaient un des leurs à son dernier repos. Devant, quatorze hommes portaient un énorme brancard fait de branches entrecroisées et liées. Une masse sombre y était étendue, proprement assujettie au brancard. Les pieds et les mains du géant étaient fixés aux tiges, sa tête était renversée vers l'arrière. Le corps était immense, son ventre était noir et sa poitrine sembla presque blanche lorsque le convoi arriva dans la lumière de la clairière. Dans les blessures et dans la bouche qui pendait, les hommes avaient placé des pousses tendres et des feuilles bien vertes, comme pour atténuer la faute et donner l'illusion d'un animal qui pourrait encore se nourrir dans l'au-delà. La bruine qui s'accrochait aux poils se condensait en petits globes d'argent qui roulaient sur le front et se rejoignaient sur le dôme du crâne avant de glisser vers la terre.

Rwangazire, d'un signe de la main, arrêta les porteurs, qui déposèrent le brancard sur le sol à côté des autres gorilles. Thomas était prêt. En quelques mouvements brefs et experts, il prit les échantillons de tissus dont il avait besoin, les plaça dans des tubes qu'il mit ensuite dans un contenant en acier. Hélène observait attentivement chacun de ses gestes, car elle aurait à les refaire, ailleurs, plus tard. Thomas consigna les tubes dans une petite unité réfrigérée contenant de l'azote liquide, qu'il brancha ensuite sur une génératrice de terrain. Malgré la tristesse qu'il ressentait, il avait réalisé au-delà de ses espérances son projet d'obtenir et de préserver les chromosomes d'un gorille sauvage.

Le lendemain, Hélène et Charles emmenèrent Thomas dans la montagne pour qu'il voie de ses propres yeux la vie paisible que les gorilles mènent normalement. Les trois observateurs passèrent la journée avec deux familles, qui partagèrent leur temps entre la cueillette de plantes comestibles et le repos. À la fin du jour, ils furent témoins d'un comportement que Charles avait vu plusieurs fois. Un mâle adulte se rendit sur une corniche surplombant la vallée. L'animal s'assit, le regard dans le lointain. De là-bas, très loin, où l'ombre était déjà installée pour la nuit, parvenaient la rumeur sourde des hommes et l'odeur âcre des feux dans le camp de Kibumba. Le gorille demeura ainsi longtemps, jusqu'à ce que le soleil fût couché, avant de retourner dans sa forêt.

Charles rompit de silence :

— Vous êtes toujours décidé à partir après-demain, Thomas ?

— Oui. Ce n'est pas que je n'aime pas cet endroit. Au contraire. Mais si je veux réussir ce que j'ai… ce qu'Hélène et moi avons entrepris, je dois rentrer le plus tôt possible. Je dois régler un tas de questions légales et financières.

— Et toi, Hélène ?

— Quelques jours seulement. Ensuite, je vais à Bornéo, à Sulawesi, puis je rentre chez moi, au Labrador, pour préparer la suite.

Hélène s'était levée et s'apprêtait à retourner au gîte, mais Charles posa la main sur son bras pour la retenir.

— Je dois te dire une chose, Hélène, et à vous aussi, Thomas, une chose que vous n'aimerez pas entendre. Ce problème ne fera que s'accentuer. Ce qui s'est passé au Rwanda, de l'autre côté de la frontière, est énorme et ne s'effacera pas avant longtemps. Que ce soit pour des raisons de haine ethnique ou de lutte pour le pouvoir politique, le résultat est le même : instabilité, pillages, massacres. Un combat est engagé.

— Que pouvons-nous faire pour vous aider ?

Rwangazire scruta les visiteurs longuement en silence, puis il détourna son regard et répondit d'une voix lointaine :

— Partez ! Et ne revenez pas !

— Charles ! supplia Hélène, ce n'est pas toi qui dis cela. Pas toi, Charles !

— Pour vous comme pour nous, c'est préférable. C'est trop dangereux ici, maintenant. Il y a des milices partout. Beaucoup ne sont que des enfants. Ils fument, ils boivent, ils perdent la raison et sont imprévisibles. Eux et les braconniers tuent en moyenne cinq gardes par an. Partez aussi parce que c'est à nous de résoudre ce problème, à nous seuls, Africains. Un combat entre le bien et le mal, une lutte entre les anges et les démons. Le chemin qui mène à la paix est sombre et encore long.

— Et les gorilles ?

— Ils auront besoin que l'on prie pour eux aussi.

Comme tous les mercredis en fin d'après-midi, Ron Hovington buvait une bière en solitaire au café de l'hôtel Le St-James. Il s'asseyait toujours au même endroit et dégustait lentement, le regard absent, indifférent aux mouvements et aux bruits dans la salle. Avec le temps, les serveurs avaient compris qu'il ne fallait pas demander à ce client s'il était seul, ni lui proposer un second verre. Hovington n'attendait plus personne, il ne comptait pas les minutes avec la même excitation qu'autrefois. Il venait simplement parce qu'il ne pouvait se résigner à abandonner ce petit rituel. Et puis, se disait-il parfois, il était toujours possible que Colette vienne un jour montrer le bout de son nez.

Parmi les projets que Hovington menait de front au SCRS, celui concernant Genelog avait pris des proportions démesurées. En bonne partie par sa propre faute : Ron avait mélangé travail et vie personnelle. « Et mené les deux au naufrage », songea-t-il. Tout au long du printemps, Colette et Ron s'étaient vus chaque semaine, le même jour, toujours au même endroit, toujours le même scénario : souper, conversation, lit. Évidemment,

Hovington avait approfondi ses connaissances sur la génétique, mais en ce qui concernait le déroulement des plans de Thomas Monier, il était toujours dans le noir. Comment savoir si le chercheur se méfiait de Colette et ne se confiait plus à son assistante, ou si c'était elle qui ne rapportait pas tout ce qu'elle savait?

En amour, par contre, Colette se donnait toujours entièrement, comme quelqu'un qui se jette à la mer du pont d'un navire en marche. Un geste définitif, une forme d'expiation. Ron était envoûté par cette femme raffinée qui savait tout et dont le sexe le fascinait. Un écrin de soie qui cachait un bouquet de pétales exotiques. Il n'avait jamais assez d'une nuit pour l'explorer en entier, de ses mains, de sa bouche, de son sexe à lui. Pourtant, Ron avait pressenti dès la première rencontre que leur relation était condamnée. Cette nuit-là, après l'amour, Colette se tenait devant le lavabo de la salle de bain, nue, immobile, les bras croisés sur ses seins, les mains coincées sous les aisselles. Ron était allé presser doucement son corps nu contre ses fesses et son dos. Il avait posé ses bras par-dessus les siens et, pendant qu'il sentait son érection revenir, il avait regardé dans le miroir les larmes glisser lentement sur les joues de son amante. Il comprit qu'un jour Colette se reprocherait de trahir Thomas, et que lui-même s'en voudrait d'utiliser chaque fois les mots et les gestes de l'amour pour obtenir ce qu'il voulait.

À l'été, Colette avait manqué un premier rendez-vous, puis un autre, et finalement cessé de répondre aux appels et aux messages de Hovington. Puis soudain, en août, elle avait téléphoné: «Tu descends toujours au

St-James le mercredi ? » s'était-elle informé. Ils étaient aussitôt montés à la chambre, avaient fait l'amour et commandé un repas. Lorsque Ron s'était réveillé au milieu de la nuit, Colette était déjà partie. Une feuille reposait sur la table de nuit, avec sa montre placée au milieu pour qu'il la trouve à coup sûr. La bordure gauche effilochée trahissait que la page avait été arrachée du carnet de notes dont Colette ne se séparait jamais. Ron avait souvent songé à le subtiliser pour en faire une copie, ainsi que les autres qu'elle devait conserver chez elle ou à son bureau. Assis au milieu du champ de bataille des draps et des oreillers, Ron avait contemplé la page un long moment avant de la saisir.

Il s'attendait à tout sauf à ce qu'il y trouva. Il n'y avait pas un seul mot, ni personnel ni autre. Sur une seule ligne, Colette avait tracé des petits dessins. À première vue, on aurait dit l'étalage d'un pâtissier. « Pour le petit-déjeuner », ironisa Ron. Tout à gauche, une baguette de pain, puis trois petits gâteaux allongés, suivis de trois beignets troués et enfin d'une grosse miche de pain bien ronde. Celle-ci était joliment décorée, avec des anneaux et les marques gonflées par la cuisson que le couteau avait tracées dans la pâte molle.

Évidemment, il ne s'agissait pas de pâtisseries mais d'un petit examen de génétique que le professeur soumettait à son étudiant en guise d'adieu. Un rébus. Ron reconnut aussitôt la miche à l'extrême droite. C'était une mitochondrie. Colette lui avait appris que ces petits objets microscopiques étaient présents dans toutes les cellules animales et humaines. Il entendit presque la voix de son amante résonner dans la chambre au cours de l'un de ses cours privés. «La mitochondrie provient d'une bactérie inoffensive qui se serait associée aux cellules animales, il y a des centaines de millions d'années. Elle est tolérée parce qu'elle produit une chose dont la cellule a besoin : l'énergie.» L'élève se souvenait aussi que les mitochondries sont indépendantes et possèdent leurs propres organes et leurs propres gènes, lesquels sont peu nombreux et disposés en cercle. Comme ceux d'une bactérie, ou les petits beignets du troisième indice. Enfin, Hovington supposa que la baguette à gauche était un chromosome et que les petits gâteaux représentaient des sections choisies le long de ce chromosome.

Hovington avait posé la feuille sur l'oreiller où Colette avait dormi. Ou plutôt, songeait-il, où elle avait simplement reposé, attendant qu'il s'endorme pour se sauver en catimini. Il n'y avait qu'une explication possible à ce dernier rendez-vous et au message qu'elle lui avait laissé : Colette avait pris parti pour Thomas, mais elle avait tout de même laissé à Ron une clé pour qu'il tente de comprendre le projet que le scientifique avait l'intention de réaliser. Ron était trop désemparé cette nuit-là pour chercher la signification du rébus. Sa peine et son dépit ne lui présentaient qu'une réponse : avant de le laisser tomber, Colette lui avait simplement donné une petite récompense. Pour services rendus. Au lit.

Hovington acheva sa bière et se rendit à la réception. Le chasseur lui ouvrit le petit salon où il pourrait téléphoner à l'abri des oreilles indiscrètes. Heureusement pour le moral de Ron, son collègue Hank Dahler au SCRS avait trouvé une autre façon de loger une taupe dans les pattes de Thomas Monier. Il composa le numéro en martelant les chiffres, impatient de savoir comment la proposition avait été reçue à Bonn, en Allemagne.

Ce même jour, en soirée, un homme jeune à l'allure athlétique venait d'atterrir à l'aéroport de Brême, dans le nord-ouest de l'Allemagne. C'était son premier voyage dans cette région et Erich Stark ne connaissait de la ville que la brasserie Beck's et Bremer Vulkan, le plus grand chantier naval du pays. Son plan de mission consistait à se rendre immédiatement au second, sans possibilité d'arrêt pour une dégustation à l'autre adresse. Après avoir récupéré sa valise et passé son sac d'aviateur sur son épaule, Stark se rendit au comptoir des enregistrements. À quelques mètres derrière, il trouva comme prévu le couloir qui menait au quai des trains. Moins de vingt minutes plus tard, le tramway 6 le déposait au centre-ville. Il faisait presque nuit, le brouillard effilochait la lumière des lampadaires comme dans une toile de Van Gogh, et Stark réalisa que c'était le plus beau jour de sa vie.

Il héla un taxi et s'enfonça dans la banquette. Lorsqu'il donna sa destination, le chauffeur se mit à parler sans interruption, comme si Stark avait appuyé sur le bouton d'un lecteur de cassettes :

— Mauvaise heure pour aller sur les quais. Enfin, c'est mieux qu'à la sortie des brasseries. Tenez, l'autre soir, à peu près à cette heure-ci…

L'homme avait l'air d'un grand-père qui faisait ce travail de nuit pour arrondir sa pension. Il s'exprimait en Bremer Platt, un dialecte bas allemand que même en temps normal le passager aurait eu du mal à suivre. Mais cette voix était une musique comme une autre pour servir de bruit de fond à la traversée de Brême. Tel un étranger en transit qui n'a que très peu de temps devant lui pour visiter une ville, Erich regardait d'un air amusé les tableaux de la civilisation qui passaient de l'autre côté des vitres. Une collection de vignettes qui dans quelques heures à peine n'auraient plus aucun sens pour lui : Wempe vendait des vêtements ou des objets de luxe ; un punk chevauchait un cochon de bronze sur une place animée ; les bus qui roulaient dans la nuit étaient blanc et noir ; le bistro Schröter's semblait déborder de clients ; et le kiosque annonçant la bière Beck's servait de support à un ivrogne dont le visage avait la couleur bleutée des néons. Cette nuit, Erich Stark partait en mer pour une destination inconnue et une durée illimitée. Rien ne pouvait le rendre plus heureux.

À la vérité, l'agent Stark considérait que la mission que lui avait confiée à Bonn le BfV – l'Office fédéral pour la protection de la Constitution – serait difficilement réalisable. Le genre de truc imprévu, sans priorité ni risque, et auquel le BfV ne croyait pas vraiment. Et qu'il confiait par conséquent à ses agents les plus jeunes et, comme c'était le cas de Stark, préférablement célibataires. Dans le cas présent, il s'agissait d'une entreprise de produits pharmaceutiques et de génie génétique dont la maison mère était à Montréal. Pour faire plaisir aux collègues du Canada, le BfV avait suivi en Europe les agissements du PDG de la multinationale : transactions bancaires, passages dans les aéroports, achats par carte de crédit. En moins d'un an, à l'exception d'une firme appelée DNAtura, le dénommé Monier avait vendu tout ce qu'il possédait. Ses comptes bancaires et lettres de crédit s'en étaient gonflés d'autant. Et maintenant, avait conclu le patron de Stark, il les vidait en dépensant gros.

— Bremer Vulkan a voulu avaler tout le monde, grommela le grand-père au volant, qui poursuivait son coq-à-l'âne en solitaire. Mais les centaines de millions de marks engloutis ne serviront à rien ! Croyez-moi, le géant va s'étouffer et vomir à la rue ses vingt-deux mille employés. Ce sera la plus grande catastrophe depuis la défaite de 1945, prophétisa-t-il.

Depuis un bon bout de temps, la voiture longeait le Weser, qui descendait vers la mer du Nord à soixante kilomètres en aval. Les affiches qui se succédaient sur les murs et les bâtiments portaient toutes le sigle du grand chantier naval, un V sur fond bleu à l'intérieur d'un double cercle. Lorsque le fleuve paraissait, ses rives semblaient avoir été englouties sous une nappe de béton hérissée de bras, de jambes et de tentacules d'acier, tel le tissu sans cesse croissant d'un Léviathan marin en train d'avaler la terre ferme. Stark eut un petit pincement au cœur à l'idée qu'il allait se jeter dans sa gueule.

— Vous n'êtes pas le premier que j'emmène au Quai 27, annonça le chauffeur. J'ai même mes clients réguliers. Depuis des mois, ça n'arrête pas. On y a livré des tonnes de matériel scientifique. Et puis ils ont refait le voilier au complet. Le plus gros voilier que vous ayez jamais vu, je parie. Un trois-mâts, à voile et à moteur, avec une coque en acier de soixante-quinze mètres de long. Authentique produit allemand ! Mais acheté par un Canadien et que nous perdons pour toujours. Comme son grand frère.

— Avez-vous dit « frère » ? demanda Stark, qui commençait à se familiariser avec l'accent du bonhomme.

— Eh bien, oui ! Cette merveille se nommait autrefois le *Petit Kruzenshtern*, parce qu'elle est une version réduite du grand quatre-mâts barque que nous avons donné aux Russes en 1946 comme dommages de guerre. Ils le tiennent toujours dans leurs pattes, ces communistes !

L'homme montra la direction du courant qui passait en silence dans le bleu de la nuit éclairée par des centaines de projecteurs.

— C'est là-bas, à Bremerhaven, que les deux ont été construits. À l'époque, les Thyssen, banquiers de Hitler et magnats de l'acier, étaient propriétaires du chantier. Tout ça leur appartenait et tournait comme une horloge, ajouta-t-il en ouvrant les bras pour bien mesurer l'étendue du paysage qui se déroulait devant le taxi. Mais ça ne servira à rien, je vous le dis. Voilà, nous y sommes, conclut le chauffeur en s'arrêtant devant une grille.

Un contrôleur s'approcha du passager à l'arrière et fit signe de descendre la glace.

— Vous devez montrer une autorisation, expliqua-t-il à Stark.

Stark obtempéra et tendit ses papiers d'engagement ainsi que son brevet de pilote.

— Quai 27, par la porte 27-31B, lança le contrôleur à l'intention du chauffeur de taxi.

La voiture s'élança aussitôt, et Stark crut qu'il venait de pénétrer dans la banlieue de l'enfer, là où étaient fabriqués les engins de torture pour les damnés. Il devait y avoir eu un arrivage récent, parce que l'activité était étourdissante. Des douzaines de chargeurs mécaniques passaient dans un vacarme ahurissant, apportant des squelettes d'acier que d'immenses grues soulevaient pour les déposer hors de la vue derrière des murs aveugles. Partout fusaient les éclairs bleutés des becs de soudure à l'acétylène, projetant des gerbes de particules en fusion comme les feux d'artifice d'une fête de famille. Le chemin balisé zigzaguait entre des zones de noirceur compacte et des plages où la chaussée souillée brillait sous la lumière d'immenses projecteurs. À tout moment, la voiture devait faire un virage sec ou s'arrêter brusquement pour laisser le passage à quelque machine robot qui avançait en émettant des avertissements stridents. Chaque fois, le taxi repartait comme mû par un ressort. Stark songea que cette expérience était ce qui se rapprochait le plus de celle de la boule dans une machine à flipper. Par chance, le chauffeur du taxi n'en était pas à sa première partie et il trouva la porte qu'il cherchait. Stark paya et regarda la voiture s'éloigner jusqu'à ce que ses feux arrière ne soient pas plus gros que l'œil de braise au bout d'une cigarette. Ici, se dit-il, commençait sa nouvelle vie.

Un gardien laissa pénétrer Erich Stark au-delà de la porte 27-31B. Il constata que seuls deux navires logeaient à cette adresse. Le premier était au sec et n'aurait pas pu prendre la mer dans l'état où il se trouvait. Sa coque, qui commençait seulement à prendre forme, faisait penser au projet de construction d'un œuf gigantesque. Un écriteau disait « Yacht *Le Grand Bleu* ». L'autre se nommait *L'Arche*, comme le Canadien Monier l'avait rebaptisé, et il flottait en halant sur ses amarres comme un étalon sauvage qui veut reprendre sa liberté. Stark reconnut immédiatement le voilier qu'il avait vu en photo au BfV. Il venait d'être remis à neuf : voiles à déploiement mécanique, climatisation, appareils de dessalement de l'eau de mer, mini-centrale électrique. À la différence de son grand frère, le *Petit Kruzenshtern* remodelé n'avait nul besoin d'une armée de moussaillons qui se faisaient les muscles en ahanant sur des filins et en astiquant les parures de laiton. Il y avait à bord tant de systèmes électroniques de contrôle et d'opération pour toutes les fonctions imaginables que le navire aurait presque pu naviguer sans équipage, uniquement sous l'impulsion d'un opérateur installé dans un bunker à cent mètres sous terre.

Stark avisa tout là-haut, vers l'arrière, et bien en évidence sur l'un des petits ponts supérieurs, la machine pour laquelle ses services avaient été requis : un Colibri, du type qu'il avait piloté des douzaines de fois. « Pilote d'hélico sur un bateau, songea-t-il, *echt kool*! » Fébrile, il s'engagea sur la passerelle. À l'autre bout, un marin le prit en charge et le conduisit à la timonerie. Stark sentait à travers ses chaussures le ronronnement de la machine qui veillait quelque part dans le ventre d'acier. La vibration cessa lorsqu'il entra dans le poste de commande et que le marin referma la porte derrière lui. Un épais silence s'abattit dans cet espace à peine éclairé par les écrans en veille et les diodes colorées d'une batterie d'appareils suspendus au plafond ou vissés sur des supports disposés en arc de cercle. Il se la représenta comme une version agrandie de la cabine de pilotage d'un hélico ou d'un avion. Ou comme le tombeau d'un héros gardé par des veilleuses.

Lorsque ses yeux furent habitués à la pénombre, Stark aperçut au fond de la pièce une porte donnant sur un couloir qui baignait dans une lueur jaune. Sur la droite, au fond d'une petite salle, deux hommes étaient debout, penchés au-dessus d'une table. Une lampe projetant son faisceau directement sur la surface de cuir vert éclairait une carte marine. Il passa la tête dans l'embrasure et s'écria joyeusement :

— *Hello !*

— Ah ! Vous êtes Erich Stark, je présume, s'exclama l'homme sur la gauche en tendant la main. Je suis le commandant Hofman. Bienvenue à bord.

De taille moyenne, bien mis et les cheveux apparemment bruns, Hofman était l'incarnation d'un Allemand de bonne famille. Ce qui étonna Stark cependant était son âge. Il s'était fait à l'idée d'être sous les ordres d'un capitaine au long cours à barbe blanche et à casquette d'officier, légèrement bedonnant. Au contraire, celui-ci semblait à peine plus âgé que Stark et avait le physique d'un coureur de marathon.

— Bonsoir, monsieur, répondit-il en prenant la main tendue vers lui.

— Et voici le propriétaire, Thomas Monier, poursuivit le commandant.

— Bonsoir, monsieur Stark, dit Monier en se relevant.

Stark constata que Monier était le plus grand des trois hommes réunis dans cette pièce.

— Je vous suis très reconnaissant de nous dépanner ainsi à la dernière minute, poursuivit Monier. Votre prédécesseur a eu un empêchement fâcheux, mais voilà une autre chose de réglée, ajouta-t-il pour le commandant.

Stark ne commenta pas, sachant parfaitement que le BfV s'était arrangé pour que le jeune pilote engagé avant lui reçoive une autre offre, beaucoup trop alléchante pour qu'il la refusât. Il observa Monier. Le nouveau proprio avait probablement eu dans sa jeunesse les cheveux châtains ou bruns, mais sous la lumière ambrée de la pièce, un grisonnement dû à l'âge ou aux soucis donnait à sa tête une teinte plutôt blonde.

— Vous êtes bien conscient que vos journées seront longues et ennuyeuses, l'avertit Monier. Nous ne prévoyons utiliser l'hélicoptère qu'en cas d'urgence, ou presque. Cela ne vous ennuie pas?

— J'étais au courant des conditions lorsque j'ai accepté ce travail, acquiesça Stark.

En fait, ne pas avoir à travailler lui convenait parfaitement.

— Heureux pour nous que vous ayez été libre, monsieur Stark, reprit Monier. Où étiez-vous auparavant?

Le BfV avait pourvu l'agent Stark d'un pedigree complet, dans lequel ce dernier pouvait puiser selon les circonstances pour faire face à toute éventualité. Il y avait bien sûr un fond de vérité : Stark était réellement pilote d'hélicoptère. Il choisit de répondre sur un thème approprié :

— J'ai travaillé au gouvernement fédéral, mais récemment, je faisais du transport de luxe sur la côte d'Azur. Pour emmener ces messieurs-dames de yacht à yacht, ou au casino, ou même en Corse, des trucs du genre.

— Vous aimez la mer ? intervint Hofman.

Stark ne connaissait rien au métier de marin, ni aux engins diesel, ni à la navigation, ni au déploiement des voiles. À part deux ou trois passages sur le traversier vers la Suède pour des vacances, sa seule expérience pertinente remontait à des cours de maniement de petit dériveur sur le lac Wannsee à Berlin alors qu'il était élève au *Gymnasium*.

— Un peu, oui. Enfin, je n'ai pas beaucoup d'expérience, mais je suis enchanté de faire cette croisière.

Cette dernière affirmation était vraie. La plus vraie de toutes.

— Vous ne craignez pas d'être emprisonné sur ce navire pendant des mois, sans possibilité de mettre pied à terre ? s'inquiéta Hofman.

— Cela ne m'effraie pas. Et j'aime les nouveaux défis, conclut Stark.

C'était dans la bonne direction, mais loin de la vérité. Pour tout dire, Stark en avait marre de piloter des machines capricieuses et avait sauté sur cette occasion pour revenir à la vie.

Les premiers jours en mer se passèrent encore mieux qu'Erich Stark ne l'avait espéré. Son estomac confirma que le mal de mer n'était pas dans ses gènes. Comme prévu, le pilote n'avait rien à faire et beaucoup de temps libre. Il en profitait pour fouiner dans tout le navire, apprendre la navigation et ce qu'il fallait pour se préparer à participer aux nombreuses tâches du métier de marin. Il découvrit qu'il adorait la vie sur un navire.

Ce qui le tarabustait, par contre, était son devoir d'agent secret. Il avait découvert que le navire était un hôpital en miniature. Il y avait deux salles d'opération, au moins trois chambres avec cinq lits chacune, et plusieurs laboratoires. Tout était neuf, étincelant. Le BfV voulait qu'il ouvre l'œil afin de déceler deux activités prohibées : les cultures d'embryons et le clonage d'êtres humains. Mais les labos étaient pour ainsi dire vierges. Même si Erich n'était pas un scientifique, il comprenait quand même que, pour fabriquer des clones, il fallait à tout le moins des ovules et des incubateurs. Et de préférence vivants. Des ventres de femmes, quoi. Or, à bord, à part le commandant, l'équipage et un médecin, il n'y avait que trois passagères : deux infirmières techniciennes et leur patronne, Colette Haineault. Celle-ci était une femme plutôt sympathique, mais qui avait constamment la nausée. De toute façon, celles qu'il appelait affectueusement ses petits rats de cale ne se montraient qu'aux repas et passaient le reste du temps à vider des caisses et à calibrer des instruments, loin des regards, sur les ponts inférieurs.

Bonn s'attendait à ce que leur taupe rapporte les activités à bord, les mouvements du bateau une fois qu'il aurait appareillé, les ports visités, les nouveaux arrivants. C'était facile à dire quand on était assis à son bureau dans l'ancienne capitale et qu'il suffisait d'envoyer un courriel ou de saisir le téléphone pour transmettre une information. Stark ne voyait toujours pas comment il ferait dans sa situation pour rester dans la clandestinité tout en allant au rapport. Il avait son propre moyen de communication, puisqu'il ne pouvait évidemment pas utiliser ceux du bord, où tous les appels étaient notés. Mais le signal ne passait pas depuis sa cabine et il devait être sur un pont extérieur pour transmettre ses messages. Il essayait d'imaginer quelle explication il offrirait si on le surprenait en train d'activer son téléphone satellite.

Néanmoins, cette mission lui plaisait. Peut-être parce qu'elle était vraiment impossible. Ainsi, dès le premier soir, un pan entier du plan était tombé à l'eau. Le suspect numéro un sous surveillance était Thomas Monier. Au départ de Brême, alors que les amarres venaient d'être larguées, Erich était sur l'héliport à vérifier la machine et les sangles de retenues. Enfin, les dés étaient jetés, il était trop tard pour débarquer ! Fébrile, il avait porté un dernier regard sur la terre ferme. C'est alors qu'il avait constaté que quelque chose n'allait pas. Avec ses gants souillés de cambouis, le moment n'était pas bien choisi pour descendre en vitesse à sa cabine chercher sa mallette, remonter tout en haut et déployer l'antenne du téléphone pour avertir Bonn.

Monier, tout sourire, était resté sur le quai et agitait la main comme un papa qui vient d'asseoir ses enfants sur les petits chevaux d'un carrousel de foire avant de se tourner vers la buvette pour s'envoyer une bière derrière la cravate.

Hélène Ashokan ajusta son anorak et s'enfonça la tuque jusqu'aux oreilles. «Allons-y», dit-elle en saisissant la poignée de la porte qui menait sur le pont avant du *Bonavista*. S'approchant tout contre le bastingage, elle laissa son regard se perdre à l'horizon. Chaque fois qu'elle revenait au Labrador, elle avait l'impression que l'on pouvait saisir le temps, l'arrêter et le retourner comme une manche. Encore plus lorsque l'on avait choisi d'arriver par mer sur ce vieux caboteur aussi ancien que les caps et les écueils qui parsemaient le chemin vers le Nord. Trois jours de navigation dans l'air glacial donnaient au charme tout le temps qu'il lui fallait pour opérer. Ce jour-là, par surcroît, et par un de ces hasards dont la vie est remplie, le navire et sa passagère en étaient tous deux à leur dernier voyage sur la côte.

Le village était maintenant très près, et Hélène s'adonna à l'un des jeux favoris de son enfance, lorsqu'elle rentrait à la maison avec son père dans la barque chargée d'ombles, d'oiseaux ou de phoques du Groenland. Elle fouilla le paysage dans l'espoir d'être la première à apercevoir le clocher de la mission de Hopedale. Le père d'Hélène était un Inuit de la côte, né sous terre comme un macareux, dans un terrier fait de troncs d'arbres et de tourbe compacte. Sa mère était une Naskapi qui, l'hiver venu, emmenait sa famille en forêt avec les membres de sa propre tribu pour fuir les vents et la disette de la côte. À cette époque, les Naskapis vivaient encore en petites bandes fluides qui chassaient le caribou dans l'immensité de l'arrière-pays. La mère répétait toujours à sa jeune enfant que tout dépendait des femmes, qu'elles étaient les ancrages de la survivance et les gardiennes des traditions. « Rappelle-toi que tu es du clan de la Loutre », disait-elle. Avec les années, le couple dépareillé s'était établi près de la mission de l'Église moravienne de Hopedale, où la petite avait grandi jusqu'à ce que les frères constatent ses talents et l'envoient étudier sur la grande île de Terre-Neuve.

Hélène avait réussi formidablement et acquis une certaine notoriété. Aussi souvent que ses missions autour du monde le lui permettaient, elle se rendait dans son patelin pour aider les jeunes filles de Hopedale et les inciter à suivre ses traces. Et aussi pour se remémorer ses jeunes années, passées à marcher sur les tapis de mousse, à rêver au bord des lacs, à descendre en canot les rivières. Cette vie en harmonie avec la nature l'avait imprégnée d'un respect et d'un amour inconditionnels pour les animaux sauvages, pour ces êtres qui vibrent, aiment et souffrent comme l'homme, bien qu'ils soient privés de parole. Hélène leur avait consacré sa vie, et le geste qu'elle s'apprêtait maintenant à faire pour eux en était la preuve ultime. À moins d'une demi-journée derrière le *Bonavista*, un voilier trois-mâts se dirigeait aussi vers Hopedale. Il embarquerait Hélène pour l'emmener loin de son village natal, loin du Labrador, loin du Canada, qu'elle ne reverrait jamais.

Au cours de la nuit, le *Bonavista* avait laissé la mer libre loin sur tribord et s'était engagé dans un dédale d'îlots qui servaient de rempart au continent contre les assauts de la mer du Labrador. Leurs dos gris, usés par le vent et les glaces, se fondaient dans le léger brouillard qui collait à la surface de l'eau sombre. Parfois, au passage, une tache verte témoignait d'un défaut dans la cuirasse de granit qui servait de refuge à quelques herbes arctiques. En milieu d'avant-midi, un vent du nord avait fait fondre le brouillard et ramené le soleil. Dans son sillage avaient surgi des volées frénétiques d'alcidés en migration vers le sud. Hélène entendait le sifflement de leurs ailes courtes et rigides comme celles des pingouins lorsqu'ils passaient au-dessus du navire. Le froid commençait à avoir raison de la passagère quand le bateau, contournant un dernier rocher, ralentit. Aussitôt, droit devant parurent quelques petites maisons dispersées sur le roc autour d'un grand bâtiment au toit rouge dont la rotonde centrale servait de clocher : la mission de Hopedale.

Lorsque Hélène était enfant et que le premier navire de la saison arrivait, les gens se pressaient par douzaines sur le quai. Une fête était organisée pour souligner ce moment qui marquait vraiment le début de l'été, mais aussi pour célébrer l'arrivée d'un notable

– le nouveau pasteur de la mission, un officier de la Gendarmerie royale ou un inspecteur des pêches – que le navire amenait immanquablement. Si le personnage était suffisamment important, une banderole lui souhaitait la bienvenue. Et voilà qu'aujourd'hui, à la grande surprise d'Hélène, le quai était bondé et un groupe de jeunes femmes tenait à bout de bras une longue bande de tissu sur laquelle elles avaient inscrit : « Bienvenue Hélène Ashokan ! »

Aussitôt s'éleva un chant, dérivé d'un hymne chrétien mais transformé en une lente mélopée rythmée par le battement de tambourins frappés du plat de la main. Sur l'eau, deux hommes en kayak traditionnel approchèrent du navire. Ils semblaient littéralement assis sur l'onde tant leur embarcation, étroite et pointue aux deux extrémités, était basse et frêle, à peine un rempart contre la moindre vague. Ils se propulsaient à grande vitesse en agitant de part et d'autre leur pagaie double. Une tunique en peau de phoque recouvrait entièrement leur tête et leur buste, descendant jusqu'à la taille pour former corps avec l'embarcation. Les pagayeurs étaient comme des baleines pointant le rostre hors de l'eau et n'avaient d'humain que l'ovale du visage, enduit d'une graisse qui luisait au soleil. Dès qu'ils furent près du navire, simultanément, les deux hommes se lancèrent brusquement sur le côté. Poussant d'un seul coup de pagaie sur la surface de l'eau, ils chavirèrent.

Ils restèrent ainsi immergés pendant des minutes qui parurent une éternité. Le dessous des kayaks luisait sous le soleil, la mer était devenue muette, et chacun, du quai ou du navire, regardait en silence, marquant le passage des secondes. Les minutes s'allongèrent bien au-delà du temps pendant lequel un homme normal pouvait survivre sous l'eau. Un goéland vint se poser sur l'un des esquifs. Et soudain, comme s'il s'agissait du signal attendu, le kayak se retourna, et son occupant, dégoulinant et soufflant comme une baleine, fit surface. L'instant d'après, l'autre apparut, et les deux hommes se regardèrent, poussant des cris et des glapissements de plaisir, tout en se massant le visage et les mains nues rougies par le froid. À peine une minute s'écoula, et ils se défièrent de nouveau, retournant sous l'eau, revenant à la surface, chacun s'efforçant ainsi d'affirmer son endurance et sa force, jusqu'à ce que leurs souffles rugissants se fondent dans les appels des matelots assurant les amarres du navire aux bollards du quai.

Au lieu de réjouir Hélène, cette manifestation la remplit d'anxiété. Elle avait effectivement rendez-vous avec ces jeunes femmes qui brandissaient son nom. Elle les aimait toutes comme si elles avaient été ses propres filles. Kitura Pinusiat, la plus âgée, rebelle, mais toujours la meneuse parmi les autres filles ; Rachel Uisuk, Katia Agvituk, sa sœur Norma, de Hopedale ; et celles venues de Nain et des autres villages de la côte. Une génération de filles qu'Hélène avait aidées à dépasser les horizons limités de leur petit village, obtenant une bourse d'études pour l'une, un métier à l'extérieur pour l'autre. Chacune à son tour, les jeunes filles avaient été initiées au travail de conservation en accompagnant Hélène dans l'un de ses voyages autour du monde.

La plupart n'habitaient plus leur village du Labrador, mais toutes étaient venues au rendez-vous de Hopedale, précisément aujourd'hui, pour voir Hélène. Et dans son cœur et son ventre, chacune était prête à repartir avec elle.

Hélène était inquiète parce qu'elle craignait que l'une des jeunes femmes n'eût divulgué leur secret. Et aussi parce que, instantanément, elle avait vu sur le quai – comment aurait-elle pu ne pas le reconnaître ? – un homme un peu plus jeune qu'elle, souriant, exultant même, jouant des coudes pour être le premier à lui serrer la main, à lui montrer sa joie de la revoir. Un homme qu'elle croyait loin de Hopedale, loin du Labrador, loin de sa vie, un homme qu'elle aurait préféré ne jamais croiser à nouveau mais que, en cet endroit justement, elle ne pourrait absolument pas éviter. Sans hésiter, Hélène prit la décision de l'affronter au plus tôt, dès la fin de cette petite cérémonie d'accueil inattendue.

— Hélène, tu n'as pas changé d'un poil !

— Merci, mais je ne te crois pas.

Ils étaient assis sur un banc de bois, le dos appuyé contre le mur extérieur d'une petite maison du village. Devant eux, le soleil jouait sur le dos de la mer.

— Tu es toujours aussi belle, Hélène. Mince, gracieuse comme la loutre, l'idéal féminin des Naskapis !

— Samuel, je t'en prie !

— Et moi, j'ai changé ?

— Oui, comme tout le monde.

— Et je suis comment ?

— Je ne sais pas. Différent, simplement.

Hélène aurait préféré que Samuel Winter soit demeuré ce jeune garçon heureux et enthousiaste avec qui elle avait joué, pêché, chassé et fréquenté les bancs de l'école de la mission. Ils étaient tellement toujours ensemble que le village les voyait un jour mari et femme. Le père de Samuel surtout. Hélène aussi y avait cru. Pendant longtemps.

— Je te croyais à Montréal, Samuel.

— Ouais, j'y passe pas mal de temps, mais je viens ici régulièrement.

— Et tu fais quoi ?

— Divers trucs, de la traduction…

— Non, je veux dire quand tu es à Hopedale.

— Travail à temps partiel. Gardien à la mission.

— Tu veux dire au Lieu historique national.

Hélène avait ajouté cette précision à dessein, pour mettre Samuel à l'épreuve. Lors de leurs rencontres précédentes, elle avait trouvé son ami d'enfance de plus en plus tendu, fuyant.

Ce dernier ne répondit pas. Le sujet était épineux et l'irritait. Plusieurs années auparavant, la mission était devenue un Lieu historique national, propriété du gouvernement du Canada. Samuel s'y était opposé farouchement, sans succès. Par la suite, le gouvernement de la province de Terre-Neuve avait proposé d'abolir l'Église moravienne et de reprendre toutes ses terres au Labrador, y compris celles qui avaient été acquises des Inuits à Hopedale en 1777. Samuel avait déclenché un mouvement d'opposition, et l'affaire irait probablement devant les tribunaux.

Le silence de Samuel démontrait qu'il était toujours en guerre. Avec lui-même autant qu'avec le reste de la planète. Hélène décida de le piquer davantage :

— Et cette fois-ci, ce ne serait pas avant tout pour me revoir que tu serais venu, Samuel ?

— Si tu veux la vérité, oui. Je suis venu pour toi, Hélène, avoua-t-il.

— Comment tu as su que je venais ?

— Par ma mère, qui l'a su de Kitura. C'est Kitura qui a organisé cette petite réception. Tout le village a participé. C'était bien, non ?

Hélène cherchait à savoir s'il connaissait la véritable raison de sa venue. Avec Samuel, c'était facile. Il ne savait pas mentir.

— Elle a organisé cette fête comme ça, spontanément, sans raison ?

— Parce que c'est toi. Voilà tout. Ces filles savent bien ce qu'elles te doivent. Et puis, tu es la personne la plus célèbre de Hopedale !

Il avait parlé sans aucune hésitation. Il ne savait rien. Hélène observa Samuel. Leurs chemins avaient divergé quand elle était partie étudier à l'université à St-John's. Samuel s'était exilé aux États-Unis pour rejoindre la communauté moravienne de Pennsylvanie et devenir pasteur comme son père. Leurs rencontres subséquentes n'avaient servi qu'à démontrer à quel point leurs conceptions de la vie étaient devenues incompatibles.

— Tu es toujours avec le BRNO ? s'informa Hélène.

Samuel s'efforça de demeurer indifférent, mais ses épaules le trahirent par un léger soubresaut. Il fit la moue.

— Nous nous sommes séparés, marmonna-t-il.

— Ça veut dire quoi, « séparés » ? Tu n'en étais pas le fondateur ?

— Si. Mais nos vues ne correspondent plus.

— Comment ? Tu as évolué, Samuel ?

Samuel sursauta comme s'il venait de recevoir une petite décharge électrique. En réalité, c'étaient les autres qui l'avaient abandonné parce qu'il avait prôné le recours à la violence.

— Et toi, Hélène, tu n'as pas besoin de changer, n'est-ce pas ? s'exclama-t-il brusquement, d'un ton plein de hargne.

— Pardonne-moi. C'était une mauvaise blague. Que s'est-il passé, Samuel ? demanda Hélène calmement.

— Un incident.

— C'est vague. Tu disais que vous ne partagez plus les mêmes vues. Est-ce à dire que tu ne crois plus à la cause ?

— Si. Nous sommes toujours d'accord sur le fond, mais pas sur les moyens pour y arriver.

— Et tu les as laissés tomber, en déduisit Hélène.

— C'est eux qui sont partis. J'ai gardé le nom, voilà tout.

— Donc tu es seul au BRNO si je comprends bien.

— Pour le moment, nous sommes deux.

— Ton vieux copain Jack Minnie et toi, c'est ça ?

— C'est ça. Mais parlons d'autre chose, tu veux ?

— De quoi par exemple ?

— De nous.

— Samuel, Samuel, c'est du passé tout ça, tu le sais bien.

— Je ne parle pas des sentiments. C'est oublié, j'ai compris. J'ai compris. Je veux dire, parlons des autres choses que nous avons en commun.

— Comme quoi?

— Les animaux, par exemple. Toi, tu parcours les parcs et les réserves sauvages, moi, je veux préserver ce que Dieu a créé. N'est-ce pas la même chose?

— Sauf que moi je suis dans la réalité, qui n'est pas nécessairement toujours noire ou blanche, corrigea Hélène. Toi, Samuel, tu es un idéaliste, et c'est bien, crois-moi, je comprends. Mais tu te mets dans des situations impossibles!

Hélène retint le fond de sa pensée. Elle jugea inutile d'ajouter qu'on ne pouvait pas vivre comme il le faisait en suivant des préceptes qui avaient été édictés des milliers d'années auparavant. Comme son père et les autres fidèles de l'Église moravienne, Samuel s'en remettait entièrement à la Bible pour arrêter ses règles de vie. La confrérie possédait une expertise incomparable sur ce livre ancien, parce que ses penseurs se vouaient entièrement à l'étude d'un des volumes qui composaient l'ouvrage sacré. D'aucuns passaient même une vie entière à scruter un passage en particulier. Pour leur part, les Winter père et fils étaient versés dans tout ce que la Bible disait au sujet des animaux. Rien de ce qui avait été écrit dans les études bibliques sur le sujet de l'apparition des animaux et de l'homme, sur le paradis terrestre et sur l'arche de Noé, ne leur était étranger. Samuel avait même exploré des territoires interdits par l'orthodoxie religieuse, abordant les connaissances scientifiques actuelles, la paléontologie, l'évolution darwinienne, la nouvelle génétique. Malheureusement pour son équilibre mental, la science moderne contredisait la Bible de façon flagrante.

Samuel se pencha vers Hélène et lui prit la main.

— Je ne suis plus comme ça, Hélène ! affirma-t-il.

Elle aurait dû retirer sa main aussitôt mais ne le fit pas.

— Je suis venu pour te voir, Hélène, et je suis venu aussi récupérer une chose qui m'appartient, précisa-t-il.

— Laquelle ?

— Suis-moi.

Winter entra dans la maison et revint avec un gros sac à dos vide. Puis il entraîna Hélène vers l'ancienne mission. À l'arrière, une palissade restreignait l'accès au site où se trouvaient, outre l'église, l'ancienne résidence du pasteur, un immense entrepôt et des ateliers. Samuel déverrouilla une porte de service dans la muraille de bois blanc. Ils contournèrent ensuite l'entrepôt et parvinrent à une petite porte dans le mur de la chapelle. Winter frappa puis, sans attendre, ouvrit avec sa clé. Une femme âgée arriva aussitôt, et Samuel s'adressa à elle si gentiment qu'Hélène regretta de l'avoir brusqué plus tôt.

— Bonjour, Frances, tu peux partir. Je prends la relève, l'assura-t-il.

— Tu as tes clés ou je te laisse les miennes ? demanda la femme.

— J'ai les miennes. Ça va, merci.

— Ferme bien tout de suite derrière toi, Samuel. Parfois, les touristes essaient d'entrer par cette porte après les heures.

C'est alors que la vieille Inuite reconnut Hélène.

— La petite Ashokan! C'est bien que tu sois là. Bienvenue chez toi, fit-elle en caressant le bras d'Hélène au passage.

Samuel et Hélène se retrouvèrent dans une sorte d'antichambre derrière la salle principale où se tenaient autrefois les offices et les prières. Une ouverture sur la gauche donnait sur un escalier étroit, qu'ils gravirent dans le noir. En haut, Samuel alluma, et un grand espace sous les combles apparut, jonché de caisses numérotées et disposées en îlots. Au centre de la pièce, les derniers rayons du soleil pénétrant par le puits de lumière de la rotonde formaient un disque lumineux sur le plancher de bois. Hélène ressentit une crainte instinctive. Elle se souvint d'y être venue avec son ami Samuel une fois, une seule fois, du temps de la mission. Ils avaient été surpris par Winter père, qui les en avait chassés sévèrement.

Samuel entraîna Hélène exactement au centre du cercle. Pendant qu'il s'affairait près du mur dans la pénombre, Hélène leva la tête. Elle aperçut à contrejour une masse sombre tout là-haut, un ovale suspendu à la coupole, qu'elle ne se rappelait pas avoir vu lors de sa précédente visite avortée. Par contre, elle se mit à chercher sur les murs soutenant la rotonde les images gravées dont elle avait gardé un vif souvenir. Chacune avait la forme d'une nef, d'un navire ancien dont les ponts étaient entièrement recouverts d'un toit en forme de dôme pour abriter les passagers des embruns et de la pluie. Les bateaux étaient reliés les uns aux autres par des traits simulant des câbles, l'ensemble formant une ribambelle de navires voguant sans fin autour de la rotonde.

Soudain, la forme suspendue au centre se mit à bouger. Elle descendit lentement, toucha presque Hélène. Celle-ci fit un pas pour s'éloigner, pendant que Samuel laissait filer une chaînette jusqu'à ce que l'objet demeure suspendu à la hauteur de leurs yeux. Il était d'une taille plus grande qu'il ne paraissait quand il était là-haut. Près de un mètre de long. C'était un modèle de navire à la coque bombée, dodue, reproduisant exactement les dessins sur les murs. Une nef semblable à celle que l'on retrouve dans les livres pour enfants. Une arche de Noé.

Winter la fit pivoter. Sur le flanc apparut la forme d'un rectangle, au-dessus duquel étaient inscrits quatre mots dans une langue étrangère et usés par le temps : *Buh Racy Nečistý Odsúdit'*. Dessous, au centre du rectangle, la surface de bois avait été gravée de quelques caractères espacés, mal préservés. Hélène distingua un M, suivi d'une lettre non identifiable, puis CX, et enfin peut-être une autre lettre, totalement illisible. C'était indubitablement une date en chiffres romains. Samuel lui glissa à voix basse :

— C'est le frère Peter Hansen qui l'a apportée lorsqu'il est venu par bateau de l'Allemagne pour diriger la mission. C'était en 1886, mais père disait que l'arche avait été sculptée bien avant. Selon lui, la première lettre manquante ne pouvait être que C ou D, ce qui correspondrait au xiiie ou au xviie siècle. Père disait qu'on ne pouvait pas en être certain, mais la date était probablement entre 1611 et 1640.

Winter fils avait dit cela sur le ton d'un éminent professeur, mais soudain il se mit à parler fort, de façon très agitée :

DANIELLE SIMARD

LE MAUVAIS COUP DU SAMEDI

COLLECTION
MA PETITE VACHE A MAL
AUX PATTES

SOULIÈRES ÉDITEUR

Danièle Simard

— Maintenant elle est à moi ! Père me l'a donnée avant de mourir. Aujourd'hui, je suis venu la prendre. Ils n'ont pas le droit de la garder ! Elle est à moi !

Hélène se demanda si elle avait bien fait de suivre Winter jusque-là. Soudain, il lui faisait peur. Elle fut prise d'un léger vertige qu'accentuait le mouvement de ce modèle en bois, venu de si loin, qui tournoyait au bout de son filin. Elle ferma les yeux un instant et fit un mouvement vers la sortie. Samuel la saisit par l'épaule et, d'une voix calme et rassurante, il la retint.

— Attends, Hélène, ce n'est pas tout.

Sa main ouverte tenait une petite clé de bronze. Dans un souffle, il confia :

— Personne ne sait qu'elle existe.

Samuel demanda à Hélène d'immobiliser l'arche pendant qu'il appuyait à deux endroits sur la quille du navire. Une petite cheville de bois surgit à gauche du rectangle portant l'inscription. Samuel la retira doucement, libérant ainsi une cavité dans laquelle il inséra la clé et la fit jouer. Sur le flanc de la nef apparut un battant qui s'entrouvrit. Winter le fit pivoter entièrement, plongea la main à l'intérieur et en retira deux liasses de papier enroulé. Il posa le plus volumineux sur une caisse, déroula le second et le montra à Hélène. La texture et la couleur du parchemin trahissaient son grand âge et il était rédigé dans une langue étrangère.

— C'est une lettre en latin datée de 1640 et écrite par un philosophe français réfugié à Brno. Attends, dit-il dans un murmure, je te la lis.

S amuel se plaça sur la gauche d'Hélène, légèrement derrière elle. Il la touchait presque, elle sentait son souffle sur sa peau. Elle se souvint qu'il aimait se tenir ainsi autrefois pour sentir son odeur, observer sa nuque et le petit creux dans le cou, là où le cœur bat. Hélène attendit, souhaitant qu'il en finisse, se demandant si elle ne devrait pas plutôt se mettre à courir, traverser la salle, dévaler l'escalier et sortir par la porte que Winter n'avait pas verrouillée.

Lorsque enfin Samuel se mit à lire, sa voix était aussi fluide que si le texte avait été écrit dans sa propre langue. En réalité, il l'avait lu si souvent qu'il le connaissait presque par cœur. Il parla à voix basse, comme s'il livrait un secret. Ce n'est que plus tard, lorsqu'elle y songea, qu'Hélène réalisa l'absurdité de ce moment où, craintive et transie par le froid qui la gagnait dans ce grenier, elle avait écouté un homme qu'elle avait aimé lui lire un texte ancien dont la teneur, à bien y penser, était anodine, mais mettait Samuel dans un état second.

De l'origine de la pensée

par
Erasmus Du Bellay
Brno, Moravie
MDCXL
Lettre adressée à mon maître,
René Descartes

Maître,

Pour la première fois depuis mon départ, je vis dans une certaine quiétude chez les Frères moraves, auprès desquels je retrouve la liberté d'exprimer toute pensée. Je me permets en conséquence de vous faire parvenir ma récente réflexion sur la pensée humaine et son origine. Je confierai cette lettre à une personne sûre, et vous aurez tout loisir de la détruire après en avoir pris connaissance.

La nuit dernière, étendu dans le noir sur ma couche, et suivant votre enseignement, j'essayai de vider mon esprit entièrement, jusqu'à ce que demeure en moi uniquement cette proposition de votre ouvrage anonyme, ô maître: «Je pense, donc je suis.»

Et j'entrepris d'examiner la pensée elle-même, particulièrement en ce qui concerne son origine, n'oubliant pas qu'en vidant ainsi mon esprit j'avais été contraint de rejeter également, jusqu'à preuve du contraire, toute idée reçue. Et que j'avais donc nié jusqu'à l'existence même de Dieu, aussi longtemps qu'elle ne devienne nécessaire pour la suite de mon raisonnement.

Ayant donc admis que le seul élément certain était votre «Je pense, donc, moi, je suis», il me sembla qu'il fallait y ajouter immédiatement une seconde proposition, à savoir que tout autre humain semblable à moi existait également, puisqu'il pouvait lui aussi se faire exactement la même réflexion.

Puisque chaque homme ne procède que des humeurs vitales de son père et de sa mère, nécessairement y étaient contenus tous les éléments utiles à son développement ultérieur, soit ses membres et organes, dont le cœur et le cerveau, l'un ou l'autre étant, selon les auteurs, le siège de la pensée. Et j'en déduirai, jusqu'à preuve du contraire, qu'il n'y a pas lieu de faire une distinction ni entre ces divers organes dans leur essence, ni entre le contenant et le contenu, ni par conséquent entre ce que l'on appelle le corps et l'esprit. Et qu'il en découle que la pensée était incluse dans ces humeurs dont nous procédons et que la pensée est aussi matière vivante.

Je constate ainsi en être arrivé à une conclusion qui est diamétralement opposée à la conception courante, aux enseignements de l'Église et aussi à celle que vous, maître, écriviez dans la « Quatrième partie » de votre tout récent Discours de la méthode, soit que « l'âme par laquelle je suis est entièrement distincte du corps ». Vous me pardonnerez, mais ma propre conclusion, quelque difficile à admettre qu'elle soit, doit être acceptée jusqu'à preuve du contraire.

Par ailleurs, si la pensée existe aujourd'hui chez l'homme, elle existe de longue date. Assurément, les Grecs et avant eux les Égyptiens pensaient, et la pensée a fait partie de l'homme de toute antiquité. En vérité, la pensée existe aussi chez les peuplades les plus primitives sur ces nouveaux continents que les navigateurs des royaumes de Lisbonne et de Castille ont découverts.

En réalité, il nous faut chercher l'origine de la pensée plus loin encore, avant même l'usage de l'écriture, de la philosophie et de l'histoire. Plus loin que ceux qui ont façonné les premiers outils de pierre, et même chez leurs ancêtres à eux. Et ainsi de suite, jusqu'à ces animaux qui comme nous ont des bras et des jambes, et un faciès quelque peu humain: les singes. J'avancerai donc que l'origine de la pensée humaine remonte aux singes, et chez eux, à leurs propres ancêtres, quels qu'ils soient, puisque à ce stade-ci de ma réflexion je ne peux admettre, à moins que ce ne soit nécessaire à mon raisonnement, qu'il y eût un moment soudain et précis où une force externe donna la pensée à la matière que nous sommes et que sont également les autres animaux. Ainsi en fut-il de toute l'Antiquité et toujours, sans invoquer la nécessité de Dieu. Il y a donc parmi les innombrables animaux de la Terre des êtres qui, comme nous, pensent, quoiqu'ils le fassent à un degré moindre et qu'ils n'arrivent pas à le faire savoir de façon claire.

Erasmus

Hélène entendit Samuel enrouler le manuscrit. Elle se retourna. Il était en nage. Et surtout, il semblait terriblement triste. Pour Hélène, que Samuel accordât une telle importance à des textes dissimulés dans un jouet en forme d'arche était une chose absolument incompréhensible.

— Samuel, pourquoi te mets-tu dans tous tes états pour un simple texte? compatit-elle.

— Mais cet homme renie Dieu! s'indigna-t-il.

— Et alors? Il n'est pas le premier à l'avoir fait. Qu'est-ce que cela peut bien te faire, à toi?

— Ce don unique que Dieu a fait à l'homme, le don de la pensée, de la conscience, de l'âme. Cet Erasmus est sacrilège. Il croit que les animaux pensent.

— Mais moi aussi. Absolument! Je l'ai toujours su.

— Ne dis pas cela, Hélène. Pas ici, pas dans le temple! protesta-t-il agressivement.

Hélène prit son bras doucement, replaça les mèches de cheveux qui descendaient devant les yeux de Samuel.

— Samuel, dis-le-moi, qu'y a-t-il?

— Ce papier me brûle les doigts, avoua-t-il à voix basse.

— Pourquoi?

Samuel ne bougeait plus. Il se mit à trembler. Hélène comprit.

— C'est ton père qui te l'a donné.

— Oui. L'autre aussi.

— Et ils représentaient quoi pour lui?

— Il les avait lus cent fois. Sa raison lui disait que ce pouvait être vrai, mais son âme s'y rebellait, et il sentait parfois les flammes de l'enfer lui lécher les pieds.

C'était ahurissant. Tout cela était d'un autre âge. Était-il possible que quelqu'un pense ainsi encore aujourd'hui? Quelqu'un qui n'était pas comme cela autrefois et pour qui Hélène avait eu tant de tendresse?

— C'est lui qui te les a confiés, n'est-ce pas?

Samuel ne répondit pas.

— Il te les a confiés pour que tu les conserves et que tu les transmettes à ton tour ? Et toi, tu préférerais qu'ils n'aient jamais existé. Tu préférerais les détruire.

Il ne répondit pas. Il était désespérément malheureux. Elle constata combien, énervé ainsi, Winter fils ressemblait à son père. Mais Winter père, quoique sévère et rigoureux, était un homme bon. Jamais en sa présence Hélène n'avait ressenti la frayeur qui la gagnait de plus en plus auprès du fils. Elle réalisa que Samuel, lui, avait été terrifié par son père.

— C'est lui qui t'a demandé d'aller en religion, de devenir pasteur comme lui ?

Samuel était devenu muet.

— Parce qu'il a été le tout premier Inuit à devenir pasteur moravien ? C'est cela, n'est-ce pas, il t'a demandé de suivre sa trace ?

— Non.

— Mais tu l'as fait pour lui. Uniquement pour lui.

Il ne répondit pas.

— Il n'est pas trop tard, Samuel, tu n'es pas forcé de vivre cette vie.

Samuel saisit le second document qu'il avait retiré de l'arche et le tendit à Hélène. Il s'agissait d'un cahier relié dans une peau de chevreau. Samuel lui fit comprendre que la lettre d'Erasmus avait été trouvée insérée sous la reliure. Hélène l'ouvrit au hasard. Les pages étaient couvertes de texte écrit à la main. Certains passages avaient été longuement et minutieusement composés. D'autres n'étaient qu'un fouillis de notes griffonnées sous l'inspiration du moment.

Ce n'est que lorsqu'elle retourna à la toute première page qu'Hélène constata qu'il s'agissait d'une véritable merveille. Qu'elle avait entre les mains un trésor qui aurait fait le bonheur de plus d'un musée. Un journal d'une valeur inestimable et dont l'existence était tout à fait inconnue.

— Il est authentique, Samuel ?

Il fit signe que oui.

Le cahier avait été écrit et signé de la main de Gregor Mendel, le père de la génétique. Hormis quelques articles que Mendel avait publiés dans des annales scientifiques, ces pages étaient tout ce qui restait des travaux de cet homme célèbre, abbé chez les Augustins et homme de science. Le reste avait été brûlé par l'abbé qui avait succédé à Mendel comme supérieur du monastère des Augustins de Brno – un fait historique qu'Hélène avait retenu de ses cours de biologie.

Hélène découvrait dans ce cahier que Mendel, connu seulement pour ses travaux sur le croisement des pois, avait consigné ici le résultat de douzaines d'expériences sur des souris. L'auteur sautait d'un sujet à un autre, couchait sur le papier ses pensées les plus folles et se présentait sous un tout autre jour. Lui qui, dans sa vie officielle, se rangeait du côté des théologiens qui pourfendaient Darwin faisait état dans ses notes personnelles de son admiration pour le chercheur britannique. Il avançait toutes sortes de théories, s'interrogeant sur les fossiles, sur les animaux disparus, se demandant où dans l'arche de Noé, si cette légende était vraie, auraient donc été cachés les mammouths et les dinosaures ? Mendel remettait en question les origines de l'Homme, et tel un malade aux prises avec une obsession, il retournait sans cesse à la lettre d'Erasmus à Descartes.

« Je ne connais pas le mécanisme de la transmission des caractères, écrivait Mendel, mais si je pouvais l'isoler, je changerais peut-être le pois en souris. Tel l'alchimiste cherchant la pierre philosophale dont les pouvoirs transforment en or les matières les plus viles, il faut traquer les substances immortelles qui se transmettent de génération en génération. Si l'on pouvait un jour extraire ces substances de différentes espèces et ensuite les mélanger habilement, l'on pourrait en créer de nouvelles. »

Plus loin il écrivait : « Je dois comme Erasmus confier ce journal et mes autres travaux à quelqu'un de fiable. Quelqu'un chez les frères peut-être ? Je dois les soustraire au regard de ceux qui croient que *Buh Racy Nečistý Odsúdit'*, ceux qui refusent toute connaissance nouvelle, tout ce qui conteste l'ordre établi par la sainte Église catholique, apostolique et universelle. Ils ne seront satisfaits que lorsqu'ils auront tout détruit de mon œuvre et m'auront fait passer pour fou. »

Hélène n'eut pas le loisir d'en lire davantage. Samuel lui arracha le journal des mains.

— Mettons-nous à genoux et prions, Hélène, ordonna-t-il. Demandons pardon pour avoir lu ces mensonges.

— Je préfère partir, Samuel. Il est tard, protesta Hélène, prise d'une frayeur grandissante.

— Reste encore un peu, supplia-t-il. Prie avec moi.

— S'il te plaît, Samuel. Arrête. C'est insensé. Et tu sais que je ne suis pas croyante.

Winter avait saisi le bras d'Hélène. S'agenouillant, il tentait de la forcer à le suivre.

— Tu me fais mal, Samuel. Laisse-moi! cria Hélène.

— Tu veux toujours partir. Partir. Si tu n'étais pas partie étudier autrefois, nous serions ensemble aujourd'hui.

— Samuel! Ne dis pas cela!

— Je ne peux rien transmettre, comme père le souhaitait. Je n'ai ni épouse ni enfants. Avec toi, nous aurions pu. C'est encore possible!

— Arrête!

Hélène avait crié d'exaspération autant que d'effroi. Samuel avait les yeux fous. Il l'attira à lui.

— Toi aussi, Hélène, tu es à moi. Tu l'oublies, tu le nies, mais tu es à moi. C'était écrit. Père me l'avait dit.

Tout en parlant, il la pressait contre son corps. Elle tenta de se dégager, mais il était fort, déchaîné. Il l'entraîna vers le mur sous la rotonde, la colla à la paroi, pressa son bassin sur elle. Il poussait, poussait. Elle sentit son sexe dur, sa main libre qui fouillait sa poitrine. Se tortillant pour se dégager, Hélène hurla:

— Samuel, arrête! Non! Tu es fou.

Ces mots ne firent que décupler la violence de Winter. Il la fit descendre vers le sol, sauvagement. Il ne disait rien, son regard était loin, loin, il n'avait plus sa raison, sa main folle courait, lui triturant la bouche, le cou, les côtes. Hélène avait le cou écrasé contre la paroi, sa trachée était comprimée. Winter était lourd, elle avait peine à respirer. Elle se mit à gémir «Samuel! Non, non!» mais les mots s'étouffaient dans sa gorge.

Les assauts de Winter étaient si brusques contre le mur que les vibrations se rendaient jusqu'au faîte de la rotonde. L'arche se mit à tourbillonner, Hélène sentit qu'elle allait perdre conscience, déjà la noirceur descendait sur elle. Elle commença à céder, se laissa aller pour en finir, pour sauver sa vie.

À cet instant, un appel retentit dans la pénombre, venant de l'escalier :

— Hélène ? Tu es là ? Hélène !

Des pas montaient rapidement. Elle voulut répondre, mais Winter lui plaqua la main sur la bouche. Les pas se rapprochèrent, ils étaient là. Hélène ne voyait rien, mais elle entendit :

— Salaud !

Et cette fois, elle distingua nettement la voix.

Thomas avait saisi Winter, le tirant vers l'arrière, le frappant. Mais l'autre se laissa tomber tel un pantin, acceptant les coups sans le moindre son. Hélène se releva à demi, appuyée au mur.

— Thomas, non, laisse-le !

Thomas arrêta, soufflant. C'est à ce moment seulement qu'il reconnut l'agresseur qu'il avait apostrophé lors de la manifestation chez Genelog. Ce soir, l'homme avait soudain perdu toute agressivité. Winter était couché sur le plancher de bois, replié sur lui-même comme un enfant battu. Il sanglotait en répétant : «Tu ne désireras pas la femme d'autrui, tu ne désireras pas, tu ne toucheras pas…»

Tard dans la soirée, Ron Hovington était arrivé à St-John's, dans la province de Terre-Neuve, pour un rendez-vous le matin suivant avec son collègue Hank Dahler. Ce dernier était aussi sur l'affaire Thomas Monier, et il en avait beaucoup plus à se mettre sous la dent que Hovington, qui se consacrait au volet strictement scientifique. En fait, l'enquête de Ron s'était terminée en queue de poisson et il avait besoin de changer d'air. Lorsque Hank l'avait appelé de Halifax pour lui dire qu'après une longue éclipse Thomas Monier était réapparu à Terre-Neuve, Hovington avait sauté dans le premier avion.

Comme si le hasard s'était aussi mis de la partie pour ennuyer Hovington, le mauvais temps avait contraint son vol arrivant de Montréal à se poser à Gander, au milieu de la province. Le car avait mis près de cinq heures pour atteindre la capitale à l'extrémité est de l'île. Sur la route, Ron n'avait vu qu'un seul et même paysage, identique des deux côtés : un cordon d'épinettes, un lac, un cordon d'épinettes, le ruban d'une rivière ou d'un chemin de traverse, encore des épinettes, un autre lac. Tiens! Un village et une station-service, trois maisons en tout, dans un décor semblable à la côte nord du Saint-Laurent où Hovington était né. Comment retrouver quelqu'un sur quatre cent mille kilomètres carrés de forêts et de marécages?

Ce matin, assis dans la salle à manger du Fairmount au-dessus des quais, Hovington comprenait pourquoi le havre de St-John's avait si bonne réputation auprès des Portugais, des Espagnols et des Basques qui venaient autrefois pêcher sur les Grands Bancs. Le cirque naturel creusé dans le roc où la ville était construite s'étalait en amphithéâtre autour de la rade. Du côté est, sur l'océan, deux contreforts rocheux se rapprochaient comme les mâchoires d'une pince géante pour former un étroit goulet. L'ensemble formait indiscutablement le meilleur refuge naturel où s'abriter des sautes d'humeur de l'Atlantique nord.

Depuis quelques jours, en fait, pas une ride ne troublait le port, et la province de Terre-Neuve au grand complet ne parlait que de ce phénomène. Il était dû à un grand iceberg venu s'échouer à quelques encablures de l'entrée du goulet, achevant ainsi de façon spectaculaire son long périple depuis le Groenland. Ron se sentait exactement comme cette montagne de glace. Perdu, figé, échoué. Il n'avait obtenu que des poussières de sa taupe chez Genelog, et voilà qu'elle ne répondait plus. Colette Haineault avait disparu, elle s'était évaporée.

Ron regarda sa montre. Il était déjà huit heures, heure de l'Atlantique. N'avait-il pas pris rendez-vous pour sept heures trente? À ce moment précis, il aperçut son collègue agent du SCRS qui venait de pénétrer dans la salle à manger. Ron lui fit un signe de la main.

— Dahler! Par ici!

Ron aimait bien Hank Dahler. Probablement la meilleure recrue de la boîte depuis des années. En fait, Hank avait exactement la même gueule, le même cran, et il se livrait au même genre de frasques que Ron à ses débuts dans le métier, en cette année pas si lointaine où il avait mené un commando sur la côte nord du Saint-Laurent[1]. Comment Ron aurait-il pu oublier ces journées qui avaient eu pour effet de couper le cordon ombilical qui le retenait à son patelin natal?

— Bonjour, Ron. Alors, cette route? s'informa Dahler.

— Ne m'en parle pas. Je crois que c'est une de ces choses qu'on souhaite n'avoir à faire qu'une seule fois dans sa vie, lâcha Ron.

— Ou pas du tout, ce qui est préférable! compatit son collègue.

— Oui, bon, dit Ron, venons-en aux faits. Où il est, ce Monier?

— Aux dernières nouvelles, avant de montrer son nez ici à St-John's, il était en Allemagne. C'est le dernier endroit où son passeport a été présenté.

— Il a donc vogué de Brême jusqu'ici.

— Non. J'ai reçu une communication de Bonn cette nuit. Lorsque le navire est parti de Brême, Monier n'était pas à bord.

---

1. Voir du même auteur, sous le pseudonyme de Steven Gambier, *Trois jours en juin*, Libre Expression, 1998.

— Et comment est-il parvenu jusqu'à St-John's?

— Pas par la mer, en tout cas. Cet iceberg dans l'entrée du goulet, on dit que seuls les tout petits navires, avec un faible tirant d'eau, peuvent le contourner.

— Oui, la ville est en émoi. Il paraît qu'on songe à le dynamiter, puisque le touage n'a pas fonctionné, ajouta Ron.

— Effectivement, c'est ce que veut la rumeur. L'iceberg est là depuis cinq jours. Par conséquent, Monier n'est pas arrivé par bateau. J'ai fait vérifier toutes les listes de passagers sur les traversiers et les vols réguliers depuis dix jours. Pas de Monier. Donc, il a pris des avions privés, et il est passé en douce par de petits aéroports. L'Islande, le Groenland, Baffin? Je ne sais pas.

— OK. Peu importe, où est-il en ce moment? s'impatienta Ron.

— Ici, à Terre-Neuve. J'ai contrôlé tous les plans de vol privés qui sont allés d'un point à un autre. Il y en avait six qui semblaient prometteurs, dont trois venaient du Labrador. C'est un de ces trois qui nous intéresse, Ron.

— Je te suis toujours, vieux, souffla Hovington.

— L'un venait de Cartwright, les deux autres, de Goose Bay. C'est celui de Cartwright qui est le bon.

— Qu'y a-t-il dans ce patelin?

— Rien, justement. Mais ce vol a pris à bord une personne qui descendait d'un petit hydravion de brousse arrivant en droite ligne du Nord. D'un petit port bien tranquille sur la côte qui se nomme Hopedale.

— Hopedale? Val d'espoir! Quel nom prédestiné! Hank, si tu n'aboutis pas bientôt, je vais prendre racine! s'énerva Ron.

Dahler, fier de son coup, venait de plonger la tête dans sa tasse de café. Il était toujours comme ça, il aimait bien ménager ses petits effets et laisser mijoter ses interlocuteurs. Mais Ron savait que, dans tout le Service, peu de jeunes agents étaient plus efficaces que lui.

— Donc, tu vas me dire que Monier y est retourné aussitôt, fit Ron.

— Exact.

— Et c'est là que nous allons ce matin, ajouta l'autre.

— Voilà.

— Bien ! Mangeons, proposa Ron, en laissant sciemment Hank sur son appétit.

— Tu ne veux pas savoir pourquoi notre homme est venu ici, dans cette ville ? insista Dahler.

— Tu me le dis maintenant ou plus tard ?

— Je te le dis tout de suite. Il est allé à l'Université Memorial. Dans un laboratoire de chimie, voir un certain professeur…

Hank sortit un bout de papier de sa poche et lut :

— … Davis.

— Pourquoi ? marmonna Ron, en poussant un morceau de jambon dans sa bouche.

— Monier avait besoin d'albumine humaine. J'ai vérifié : c'est un produit extrait du plasma sanguin. Il aurait pu en trouver à la Croix-Rouge ou ailleurs, mais je pense qu'il est allé voir ce type à Memorial parce qu'il le connaissait et n'avait pas le temps ou ne voulait pas remplir les formulaires de demande.

— Et il l'a trouvé ? s'enquit Ron en levant les yeux de son assiette.

— Absolument. Le Dr Davis lui en a donné. Je peux le faire interroger, si tu veux. Sait-on au juste à quoi peut servir ce produit ? On m'a dit que c'était un médicament. J'imagine qu'il va servir aux expériences de Monier ?

Hovington savait, lui, grâce aux cours privés de Colette, à quoi Monier destinait l'albumine humaine. Elle était un ingrédient essentiel au milieu de culture dans lequel doivent baigner des ovules que l'on veut féconder.

— Merci, Hank, se contenta-t-il d'ajouter. Nous partons à quelle heure ?

— Dans une heure, environ.

— J'imagine que tu as trouvé également ce qui attire Thomas Monier dans ce bled au point qu'il risque de se faire, comment dirais-je, poser des questions sur ses plans d'avenir ?

— Eh bien, c'est un joli petit village qui a connu des hauts et des bas. En ce moment, il est sur la vague montante depuis que les gouvernements y ont beaucoup investi. On a transformé une ancienne mission en musée historique. Les pères, les frères, je ne sais trop comment les appeler, l'avaient fait construire en Allemagne et apporter par navire en pièces détachées. Pour les indigènes de l'époque, ce devait sembler être un véritable château.

— Hank ! l'interrompit Ron, agacé.

— Excuse-moi. Donc, à Hopedale vivent des Blancs et des Autochtones. Et dans la taïga de l'arrière-pays vivent d'autres Autochtones. Sur la côte, ce sont des Inuits, et à l'intérieur, des Naskapis…

D'un coup sec, Ron frappa sa tasse avec sa cuiller à café.

— Tu m'as eu ! J'aurais dû y penser : Hélène Ashokan est à moitié inuite, à moitié naskapi !

— Voilà !

— Et sa famille vient de Hopedale !

— ... est toujours à Hopedale.

Hank affichait son plus beau sourire.

— Mon petit Hank, excuse-moi, tu es un génie !

— Je le sais ! roucoula Dahler.

— Dis-moi, à Hopedale, il y a une rade, un port ? demanda Hovington.

— Bien sûr, c'est ainsi qu'on ravitaille le bled. Il y a bien un aéroport, mais il ne peut recevoir que de petits avions.

— Et dans le port, en ce moment ? glissa Hovington.

— Dans son message à Bonn, Stark disait que le trois-mâts parti de Brême venait d'arriver à Hopedale. C'était hier en soirée, à notre heure à nous. De mémoire d'homme on n'a jamais vu si beau navire sur toute la côte du Labrador !

Moins d'une heure plus tard, Ron et Hank étaient assis côte à côte dans la soute d'un avion militaire en route vers la base militaire de Goose Bay. De là, un hélicoptère les prendrait en charge sur les quelque deux cents kilomètres qui séparaient cette base de l'OTAN du petit village côtier de Hopedale. Hank Dahler avait tout prévu. Derrière les deux agents du SCRS, et de part et d'autre d'un simulacre d'allée, somnolaient deux autres officiels, un inspecteur des douanes et de l'immigration et un officier de la garde côtière. Ceux-ci pouvaient toujours prétexter une atteinte aux mesures de sécurité pour inspecter un navire étranger. En outre, si ledit navire était entré dans un port canadien sans se signaler et sans faire une déclaration en bonne et due forme, il pouvait être fouillé et sa cargaison saisie immédiatement sans autre formalité.

— Encore faut-il, avait dit le garde-côte, que le navire que vous cherchez soit vraiment sur les lieux. Nous n'avons absolument aucun signalement dans ce secteur.

Et l'homme avait ajouté :

— Au fait, il n'est pas essentiel qu'il soit dans un port. Même en eaux territoriales, nous pouvons l'arraisonner si nous avons un doute.

— Comment ? s'était enquis Ron.

— Tout simplement avec une vedette ou, puisqu'on me dit que ce navire a un héliport, par les airs. On ne peut nous interdire d'atterrir. Nous le faisons couramment, surtout sur des bateaux hauturiers espagnols et portugais qui font de la pêche illégale.

Ron avait conclu, pour lui-même : « À condition qu'une vedette soit disponible ! » Il avait en tête cet iceberg qui bloquait le port de St-John's. Ce n'était qu'un des écueils possibles dans ce pays qui n'était que distance. Si le trois-mâts avait quitté Hopedale plusieurs heures avant leur arrivée, tout était fichu. Il serait loin au large, hors des eaux territoriales. Ron agrippa le bras de Hank.

— Nous arrivons à quelle heure ?

— Nous serons à Hopedale avant midi, à moins que le brouillard ne soit trop épais pour l'hélico qui nous attend à Goose Bay, jeta Hank.

Dans le flot du vacarme assourdissant, Ron ne saisit pas la fin. Il leva les sourcils et plissa le front.

— Le quoi ?

— FOG, précisa Hank, le BROU-ILLARD !

— Oui, bien sûr.

Ron avait déjà mal au dos, enfoncé plutôt qu'assis dans un siège de toile improvisé au milieu des ballots et de l'équipement militaire qui encombraient l'avion-cargo. Et il restait encore plus de huit cents kilomètres de vol avant Goose Bay ! Pas moyen de faire autrement dans ce pays. «Tout est toujours loin», pensa-t-il. Il s'agenouilla devant un hublot, histoire de tromper la fatigue. Sous lui, le paysage était beau, quoique répétitif. À cette latitude, vers les cinquante degrés nord, les passagers, éveillés ou non, auraient pu se trouver à peu près n'importe où sur les cinq mille kilomètres et plus qui séparaient Terre-Neuve des montagnes Rocheuses, à l'autre bout du Canada, ils auraient vu le même paysage se dérouler sous leurs yeux. La plus grande forêt au monde, noire, plane, entrecoupée de taches jaune-vert, de miroirs et de rubans blancs, là où l'eau sous-jacente nourrissait des myriades de marécages à sphaigne, de lacs et de rivières. La plus grande réserve d'eau douce non gelée de la planète, un royaume grandiose habité par des orignaux, des loups, des carcajous, des ours et des douzaines d'autres animaux qui y survivaient avec une ingéniosité dont les citadins n'avaient aucune idée.

Ron ne voulut pas retourner à son siège de torture et s'assit sur un carton posé à même le sol. Tout comme il l'avait fait pour se garder éveillé sur la longue route du jour précédent, il se remit à ruminer le dossier Thomas Monier, tentant de le repasser intégralement dans sa mémoire. Il était certain qu'il y avait une autre clé au mystère. Ron devait la trouver parmi les données dont il disposait. Pourquoi Monier avait-il conservé seulement DNAtura et deux laboratoires, trois entités qui au dernier exercice avaient perdu de l'argent? Soit les nouveaux propriétaires de Genelog ne voulaient pas lui en payer la valeur, soit c'était Monier qui voulait les garder pour lui. Et qu'avaient en commun ces deux boîtes en Asie? Dahler avait commandé une recherche sur DNAtura et avait appris qu'elle était essentiellement une banque de gènes où l'on maintenait dans des éprouvettes ou des bocaux des centaines de cultures de cellules animales, souvent dans le but de les mettre en hypercongélation. Des lignées, comme on les appelait dans le jargon scientifique.

— Monier a un navire, une banque de gènes et des lignées animales, soliloqua Ron à voix haute, au milieu du vrombissement qui commençait à lui donner la migraine.

De sa poche, il sortit une feuille pliée en quatre, dont la bordure gauche était effilochée. Ron avait progressé dans son examen obsessionnel du rébus que Colette lui avait légué en guise d'adieu. Il avait développé deux solutions possibles. La première apparaissait lorsqu'on lisait le rébus de gauche à droite: Monier sectionnait un chromosome humain, choisissait certaines parties, leur donnait une forme circulaire et les introduisait enfin dans une mitochondrie. À l'inverse, si l'on faisait pivoter la feuille sur cent quatre-vingts degrés, le rébus révélait que Monier retirait d'une mitochondrie des gènes circulaires, les redressait, puis les insérait dans un chromosome. Hovington avait longtemps tergiversé avant de décider laquelle des deux versions était la bonne. Son choix s'était arrêté sur la première, qui consistait à donner à un chromosome ou à des parties de chromosome linéaires une forme circulaire afin de pouvoir les introduire dans la mitochondrie et que celle-ci les reproduise. D'une façon ou d'une autre, il était bien embêté : il ne voyait pas l'utilité de ces manipulations.

— Qu'en pensez-vous, là-dedans ? lança-t-il aux boîtes de crevettes congelées qui vibraient devant ses yeux.

L'avion arriva au-dessus du détroit de Belle-Isle entre l'île de Terre-Neuve et le Labrador. Dans cet étroit passage, les eaux sombres et froides de l'Atlantique nord s'engouffraient dans le golfe du Saint-Laurent, portant sur leur dos un chapelet d'icebergs. Le pilote fit incliner les ailes pour un changement de cap, et Ron se sentit soulevé comme sur le dessus d'une vague. Suspendu en plein ciel, tel un oiseau marin affamé, il observa la houle se lover au pied des icebergs, véritables montagnes de glace, et les colorer d'une frange bleu azur. Il tenta de s'imaginer la taille de ces géants au moment où ils avaient glissé dans l'océan Arctique, bien des années avant d'arriver là, usés et polis par des années de dérive qui les condamnaient à une mort lente.

Quelques heures plus tard, à bord de l'hélicoptère, le mot « Hopedale ! » crépita dans les écouteurs que

Hovington gardait plaqués sur ses oreilles pour amortir le tonnerre du rotor. Le ciel était dégagé, le regard portait très loin, mais Ron eut beau écarquiller les yeux, il ne vit que des collines de granit se prolongeant dans la mer, nues et courbées comme des dos de baleines qui sondent. L'appareil descendit, franchit une dernière colline, survola le village et se posa sur un îlot rocheux relié à la terre ferme par une passerelle.

Hovington et Dahler mirent pied à terre et, pliés en deux, se rendirent sur la passerelle pour faire un tour d'horizon. Le petit pont menait au parterre d'une ancienne chapelle entourée de grands bâtiments blancs. Par-delà s'étalait le village sur une étroite péninsule rocheuse hérissée de toits et d'antennes, qui se terminait tout près sur la gauche. Dans la baie en face, une grosse chaloupe approchait, sautant allègrement sur les paquets de mer comme un rocher qui dévale une pente. Dans la rade, une demi-douzaine d'embarcations oscillaient. Sur la droite, à une centaine de mètres, un quai avait été construit en eau profonde. Plus près, un alignement de grosses pierres témoignait d'une ancienne jetée. C'était sauvage et c'était beau. Mais combien déprimant : il n'y avait pas le moindre navire en vue.

Des badauds envahirent la passerelle, et Ron et Dahler leur cédèrent les lieux. Hovington avisa deux hommes qui étaient demeurés calmement assis sur les ruines de la jetée. Traînant Hank dans son sillage, il s'élança dans cette direction en sautillant sur les cailloux que la mer avait polis avant de les maquiller de varech. Les pieds mouillés, les deux agents parvinrent aux premiers degrés de pierre. Une fois en haut, Ron constata que des sacs à dos et des étuis pour carabine étaient appuyés aux énormes blocs de granit devant les deux hommes. Hovington reconnut aussitôt l'un d'eux.

— Bonjour, Winter, lui lança-t-il.

L'autre porta la main à son front pour parer à l'éblouissement du soleil.

— On se connaît ? fit l'homme.

— Ron Hovington. En mars dernier, chez Genelog.

— Ouais ! admit Winter, je me souviens vaguement de vous. Mais j'ai payé pour ça, foutez-moi la paix.

— Vous avez raison, c'est une vieille histoire, approuva Hovington. Que faites-vous dans ce bled perdu ?

— Je croyais que dans votre métier, vous saviez tout…

— En effet, je sais quelques petites choses sur vous. Que vous êtes né ici, par exemple,

— Eh oui ! Et j'ai le droit de venir ici quand j'en ai envie, cracha Winter.

Winter crânait, mais il désirait plutôt sortir du village, s'en éloigner le plus possible. Surtout depuis les événements de la veille. Sa vie était dans un vrai cul-de-sac. Il avait cru qu'il se plairait en revenant vivre à Hopedale, mais c'était comme vivre prisonnier entre quatre murs. L'on ne réalise pas vraiment combien le monde est grand tant que l'on n'est pas retourné s'exiler dans son propre pays.

Hovington s'assit à ses côtés et lui tendit la main.

— Winter, mon collègue Hank Dahler et moi avons les mêmes intérêts que vous. Nos méthodes diffèrent, voilà tout.

— Je ne m'occupe plus de ces choses, répliqua-t-il.

— Je sais, Winter, à propos du BRNO. Tant mieux, ça signifie que vous avez tout votre temps maintenant.

— Je ne comprends pas ce que vous voulez dire.

Hovington retira sa main et se leva. Le client était coriace.

— C'est très simple. Un navire était amarré à ce quai hier soir.

— Pour ça, vous êtes plutôt en retard. Il est parti peu après minuit. Il doit être à au moins cent milles marins à l'heure qu'il est.

— Je m'intéresse à ceux qui sont à bord.

— Et alors?

— Je veux savoir qui était sur le navire à son arrivée, qui d'autre est monté à Hopedale.

— Comment le saurais-je? rétorqua Winter.

— Dans un port, les marins parlent, et dans un tout petit village tout le monde sait tout.

— Même si j'étais au courant, pourquoi vous aiderais-je?

Hovington commençait à sentir la fatigue. La journée avait été longue.

— Parce que si ces gens ont l'intention de faire des choses illégales, répondit-il, je pourrais peut-être les en empêcher. Et quelque chose me dit que ça vous plairait que je le fasse, Winter.

Samuel Winter dévisagea longuement Dahler puis se tourna de nouveau vers Hovington.

— Et si c'était le cas? insinua-t-il.

— Nous pourrions travailler un tout petit peu ensemble, suggéra Hovington.

Il monta sur un bloc et, feignant de s'inté-resser à la barque qui approchait sur l'eau, il ajouta négligemment :

— Mais je n'oblige personne à travailler et à gagner un peu d'argent.

Ce fut comme s'il avait déclenché la corne de brume. Winter s'était levé comme mû par un ressort, la main tendue.

— Lui, dit-il en montrant l'autre homme qui était demeuré assis, c'est mon copain Jack Minnie.

— Salut, Jack, lança Ron.

Minnie s'était levé. Il semblait d'une taille normale en position assise mais se révélait maintenant tout petit. Hovington serra la main des deux hommes puis s'informa :

— Y a-t-il un bar ou un café dans le coin pour bavarder un peu ?

— Il y a toujours le Labradorite, proposa Winter, mais avec votre arrivée spectaculaire, ce ne sera pas facile d'y avoir une conversation privée.

— Tu suggères quoi, alors ? s'enquit Dahler.

— Jack et moi allions partir pour mon camp de chasse. Ça vous intéresse ?

— Ça dépend. C'est loin ? demanda Dahler.

— Par voie de terre, plutôt loin. Mais avec cette chaloupe qui vient nous chercher, moins d'une heure. Vous êtes pressés ?

— Si tu peux nous ramener ici avant la nuit, ça ira, conclut Ron.

« Vraiment, songeait Erich Stark, la chance me sourit. » Les yeux rivés sur le ruban phosphorescent de la Voie lactée, il n'avait que cette joyeuse pensée en tête. Le navire quittait le Canada et tout allait enfin se mettre en place. Il se remémora les deux premières semaines de sa vie en mer. De Brême, *L'Arche* avait suivi la route la plus directe pour l'Islande. Stark, habitué aux courtes distances en hélicoptère, avait presque oublié que la Terre n'était pas plate. Un bateau qui suivrait une ligne droite reliant sur une carte géographique l'Allemagne et l'Islande irait inévitablement s'échouer quelque part en Écosse. Mais les pilotes, qu'ils soient sur un navire ou dans un aéronef, tracent un grand cercle qui épouse la courbure de la Terre. Sur cette route, il n'y a que de l'eau, des baleines, des oiseaux de mer par milliers et des couchers de soleil grandioses.

Un matin, le commandant annonça que l'Islande était en vue. Stark monta aussitôt dans la timonerie. Il s'attendait à voir des volcans assagis sous des glaciers, des geysers peut-être, des plaines de cendre noire et des vallons d'herbes vertes broutées par des poneys aux naseaux larges et au poil laineux. Le navire avançait sur une grosse mer et l'on aurait dit que quelqu'un s'amusait à lancer des seaux d'eau sur la baie vitrée de la timonerie. Appuyé au rebord de la fenêtre, le nez sur la glace froide, Stark ne vit qu'une ligne noire à l'horizon, et le seul cheval qui parut fut un tout petit bateau crachant l'écume dans sa cavale à la rencontre du grand voilier. L'embarcation à moteur ne faisait pas dix mètres, et chaque vague s'efforçait de l'entraîner dans sa gorge jusqu'au fond du bleu sombre de l'océan. Erich n'aurait jamais cru qu'il existât un marin assez inconscient pour s'aventurer sur une mer glaciale si loin des côtes dans une pareille coquille de noix. Le commandant Hofman s'était écrié : « Un Somi ! Erich, regarde-moi ces descendants de Vikings ! Ils pourraient se rendre jusqu'au Groenland si l'envie les en prenait ! » Les deux pêcheurs sur le Somi avaient transbordé trois caisses sur *L'Arche*, mais Erich ne sut jamais ce qu'elles contenaient.

Une semaine plus tard en fin de journée, et pour la première fois depuis le début du voyage, le soleil n'avait pas plongé dans la mer. Comme un ballon rouge crevé qui perd lentement son air, l'astre s'était abîmé sur la côte du Labrador. Étrangement, ce soir-là, le vent venait du sud, laissant sur la peau une odeur de plantes dont l'air chaud s'était chargé pendant son voyage contre le courant froid. Ensemble, ils semblaient porter la vie et l'espoir, comme un être en dormance sur le point de s'éveiller. Soudain, des souffles avaient crevé la surface et trois formes noires étaient apparues sur la nappe d'argent qui glissait sous le navire. Bientôt, tout autour, et aussi loin que son regard pouvait porter, Stark avait vu d'autres baleines montrer brièvement leur grosse tête bulbeuse et leur nageoire dorsale. L'immense troupeau de globicéphales était en route vers le nord à la poursuite d'un banc de calmars. Il en passa jusqu'au moment où le navire atteignit les premières îles et que les bâtiments et le quai de Hopedale parurent. Le brouhaha et les bagages amoncelés au bout de la jetée avaient convaincu Stark que la rumeur qui courait parmi l'équipage allait bientôt se vérifier.

Dès que les amarres eurent été tendues et la passerelle assurée à la coupée, Erich descendit sur le quai. Le commandant Hofman lui avait accordé quelques heures à terre, et il cherchait un téléphone pour appeler Bonn. Stark se retrouva au milieu d'une montagne de caisses et d'une foule de curieux. Quelqu'un le dirigea vers le DJ Gift Shop. Gravissant la route mal éclairée sur ses jambes qui lui semblaient trop molles pour la terre ferme, il trouva l'établissement. « Friandises, épicerie, cadeaux, vêtements, articles ménagers », proclamait l'affiche. À l'intérieur, on offrait aussi une sélection de films vidéo aux sujets vraisemblablement adaptés aux longues nuits de l'hiver nordique. Le seul téléphone était à côté de la caisse enregistreuse. L'Allemand n'avait pas de dollars canadiens, seulement des américains. Ce n'était pas cela le problème. Le propriétaire ne savait pas combien coûtait un appel outremer. Il ne voulait ni escroquer le visiteur en demandant trop, ni avoir à payer en ne demandant pas assez. Stark avait vite trouvé la solution :

— Je vous donne un billet de cent dollars, et je reviendrai chercher la différence lorsque vous aurez reçu votre facture.

— D'accord! avait approuvé le marchand sans hésiter.

Après avoir transmis à ses supérieurs le peu qu'il avait appris au cours de la traversée, Stark flâna un moment dans les rues de Hopedale. Il constata que le village ne comptait que quelques douzaines de maisons posées sur une avancée de roc. Une sorte de monument était érigé sur un tertre, un empilement de roches plates dessinant vaguement une forme humaine. Une plaque de bronze portait les mots «Inukshuk, repère inuit». Les lieux étaient déserts et il en fit le tour en moins d'une heure. Retournant au quai, il constata que des curieux étaient toujours agglutinés le long du parapet et autour de la passerelle. Les caisses et les bagages avaient disparu. Du navire, Stark entendit la voix du commandant Hofman :

— Vous voilà, Stark! Montez vite à bord, nous appareillons immédiatement !

Levant les yeux, Erich aperçut sur le pont principal un groupe de jeunes femmes appuyées contre le parapet. Il réalisa qu'il n'avait jamais vraiment vu de femme inuite autrement que dans des reportages à la télé. Celles-ci se tenaient si près les unes des autres qu'elles paraissaient jointes comme des siamoises, leurs bras s'agitant pour lancer des adieux et des baisers à la volée. Stark ressentit le petit pincement qui saisit le ventre au moment de sauter dans l'inconnu et il enjamba le premier degré de la passerelle.

À l'autre extrémité, il arriva nez à nez avec une jeune femme debout dans l'embrasure de la coupée. Immobile, elle bloquait le passage, insensible à sa présence et à l'agitation en bas, le regard perdu au loin, par-dessus les gens sur le quai, par-delà les lumières des maisons du village qui tremblotaient comme des étoiles dans la nuit. Ses doigts étaient enroulés autour des mains courantes et elle avait posé son pied sur la dernière marche comme si elle s'apprêtait à redescendre. Son visage était du même marbre poli qu'une statue, un masque habité par une vie qui fuyait doucement par les ovales de ses yeux luisants comme des boutons de porcelaine noire. Stark songea que les femmes qu'il avait connues auparavant, comparées à celle-ci, n'étaient pas plus intéressantes que des navets cuits à la vapeur.

— Bonsoir, je m'appelle Erich, prononça-t-il enfin.

La jeune femme le regarda, et un léger frisson marqua la commissure de ses lèvres lorsqu'elle répondit :

— Bonsoir. Moi, c'est Kitura.

Après quoi, elle se retourna et pénétra dans le navire.

Stark referma la mallette et déposa son appareil photo bien en évidence sur le dessus. Les pieds allongés sur un barreau du garde-fou devant son siège, il observa les premiers rayons du jour barbouiller de rose la traînée blanche que le voilier laissait dans son sillage. Il constata que la lumière se levait plutôt sur sa droite, et non presque derrière lui comme les jours précédents à la même heure. Il en conclut que, pendant la nuit, le voilier avait viré plein sud. De son poste de vigie de poupe, Erich Stark ressentit un léger vertige en réalisant que devant lui, par-delà des milliers de kilomètres d'océan, le pôle Nord gisait au milieu des glaces.

Il se remémora que la nuit de son embarquement à Brême, le commandant Hofman et Monier avaient utilisé les mots «prisonnier» et «ennui» pour qualifier la vie qui l'attendait sur un navire qui ne touchait jamais terre. Jusqu'à maintenant, Stark avait éprouvé exactement le contraire. Un sentiment de liberté, ou plutôt de libération, et un vif intérêt pour toutes les nouvelles choses à apprendre. En tant que pilote d'hélicoptère, il connaissait déjà la navigation et s'était vite familiarisé avec la panoplie d'instruments sur la passerelle. Le commandant, qui sur un navire privé écrivait à sa guise le livre des règlements, avait intégré Stark aux équipes de quarts.

Erich avait une préférence pour les quarts de nuit, qu'il passait soit à la timonerie, soit, comme cette nuit qui s'achevait, au poste de vigie de poupe. Il n'avait pas les qualifications – ni le moindre désir – pour jouer le troisième homme, celui qui veillait dans la salle des machines enfouie quelque part sous les ponts. C'est là que sous une lumière aveuglante battait sans cesse le tonnerre de l'engin et des génératrices qui propulsaient le navire et alimentaient tous les circuits électriques, tel le cœur qui bat dans la poitrine uniquement pour acheminer le sang dans tout le corps. Selon la même analogie, la timonerie était le cerveau. Un lieu de recueillement habité par le silence éthéré et la lueur métallique des écrans radar et des voyants numériques. L'on pouvait y passer toute une nuit sans rien entendre d'autre que le cliquetis du pilote automatique lorsqu'il ramenait le navire sur sa course après le passage d'une lame. Sur la terre ferme, avait dit Stark au commandant, les distractions ne manquaient pas et le plancher était toujours droit, mais il n'y avait pas ce petit être qui veillait dans le noir pour vous ramener toujours sur le droit chemin.

Le poste idéal selon Stark était dehors, à la poupe, la nuit. C'est de là qu'il aimait épier la mer qui ne dormait jamais et ne cessait d'intriguer contre les humains dans leur sommeil. Les jours de calme, la surface de l'eau jouait avec la lumière de la lune et des étoiles, qu'elle étalait en rayons ou concentrait en grandes flaques toujours changeantes. Si un mince souffle de vent la ridait, elle se couvrait d'écailles étincelantes sur des ailes qui s'étendaient à l'infini. Et, quand le ciel se nappait d'un fin rideau de nuages, on aurait dit que c'était du fond de l'eau et non des cieux que la lueur émanait. Si le vent forçait et que tout se mettait à monter et à descendre, Erich regardait venir à lui les masses sombres ourlées d'argent terni qui surgissaient de nulle part, comme si elles arrivaient des profondeurs et que le navire lui-même les formait en heurtant l'eau. Une fois, Erich avait vu l'éclat des déferlantes se refléter sur des nuages bas et lourds. Même dans la nuit la plus sombre, l'eau conservait toujours un soupçon de flamme, comme si l'océan avait gardé en son sein la lumière qu'il avait prise au soleil pendant le jour et qu'il la rendait à petit feu jusqu'au matin.

Lorsque le soleil sortit enfin de la mer, Erich estima que la journée de travail en Europe était déjà entamée. Sous peu, quelqu'un aurait trouvé et transcrit le message téléphonique qu'il venait d'envoyer à Bonn au système d'enregistrement automatique. C'était un premier avantage de ce poste nocturne : Stark pouvait aller au rapport sans risquer de se faire remarquer. Quoique, à franchement parler, l'information qu'il avait transmise à ce jour par satellite ne risquait pas de provoquer une guerre atomique. Surtout pas en Allemagne. Simplement, l'agent de Bonn à bord de *L'Arche* avait consigné sur la bande magnétique du BfV que Thomas Monier, sa conjointe Hélène et douze jeunes femmes avaient embarqué à Hopedale. À tout le moins, avait-il conclu, il y avait maintenant à bord une provision suffisante de « ventres et d'ovules », selon l'expression qu'il avait utilisée.

L'autre avantage de la vigie de poupe tenait à sa position derrière et légèrement au-dessus de la passerelle. Du point le plus haut de la superstructure, l'on avait une vue imprenable sur les ponts inférieurs. C'était l'endroit idéal pour assister à la séance de jogging à laquelle les douze jeunes femmes s'adonnaient chaque matin. Stark avait estimé que le circuit tout autour du pont principal du navire faisait environ cent cinquante mètres. Les filles devaient donc faire six tours pour parcourir un kilomètre. Pendant le même temps, le navire en franchissait trois dans sa course rectiligne à la surface de l'eau, au rythme du ronron de la machine et du tapotement des petits pieds. Le spectacle était étourdissant.

Erich Stark regarda sa montre. Elles étaient en retard. Bien entendu, il attendait la plus grande des douze, Kitura Pinusiat, celle qui courait toujours devant. Le genre de fille qui se lance sur la glace à grandes enjambées, balançant les bras bien haut, une fête en soi, une montagne de plaisir.

Erich entendit un pas dans l'échelle qui menait à la passerelle. Du coin de l'œil, il vit Kitura déboucher sur la plate-forme plus avant. Son vêtement de sport orange, comme un second soleil, dessinait une tache lumineuse contre le gris métallique de la mer.

— Holà, Kitura, je suis ici ! lança-t-il. C'est moi que tu cherches ?

En quelques enjambées souples, la jeune femme le rejoignit.

— Je voulais surtout changer d'air, prétendit-elle.

Il la trouva étrange. Normalement insouciante, la jeune femme semblait préoccupée. « Solennelle », se corrigea-t-il.

— Ça va, Kitura ? Toi et les autres, vous ne courez pas ce matin ? s'étonna-t-il.

— Non.

— Hé là ! Ça ne va pas. Assieds-toi à ma place, dit-il en se levant.

— Non, non, ça va, lui assura-t-elle. C'est le mouvement du bateau qui m'amortit lorsque je suis trop longtemps à l'intérieur.

— Il fait trop chaud là-dedans, concéda Erich. On manque d'air. Pas comme ici ! Regarde-moi cette splendeur, fit-il en montrant l'horizon où le jour lançait des courants de lumière à travers la grisaille.

— Oui, c'est beau, acquiesça Kitura.

— Jamais deux fois le même paysage.

— Pourtant, la mer a une mémoire…

— Eh! Mademoiselle, vous êtes philosophe, ce matin! Que se passe-t-il?

— Je ne blague pas, Erich. Lorsque le vent s'arrête, la mer continue à s'agiter pendant des heures, même un jour ou deux. Et soudain elle se fige, comme si elle cherchait son chemin.

— C'est qu'elle nous prévient de ce qui nous attend par-delà l'horizon. En fin de journée, nous serons là-bas. Sous la pluie, probablement, ajouta Erich.

— La mer est plus grande que tout ce que j'aurais pu imaginer, murmura Kitura, songeuse.

Stark observa la jeune femme. Elle était méconnaissable.

— Tu te plais sur ce bateau, n'est-ce pas? demanda-t-elle.

— Je me sens chez moi, avoua Erich. On dirait que l'on vit dans un monde élastique, qui monte et qui descend. Une balle qui ne finit jamais de rebondir.

— Tu es heureux, ça se voit. Tu nous fais rire sans arrêt. Tout le monde t'aime bien, tu sais.

— Moi aussi, je vous aime bien. Toi surtout, comme tu sais, Kitura.

— Il fait chaud ce matin, esquiva-t-elle.

Il n'insista pas.

— Nous allons vers le sud, précisa-t-il. Hier, nous avons traversé le *Gulf Stream*. Et juste avant que tu arrives, j'ai vu une tortue marine, la première de ma vie. C'était saisissant. Je regardais en bas vers les profondeurs, imaginant les milliers de mètres d'eau qui plongent en droite ligne sous la coque. La mer est si bleue qu'on oublie qu'elle est transparente. Soudain, très loin, j'ai vu des marbrures de lumière qui montaient en ondulant. Puis un ovale brun. Avec la lenteur et la grâce d'un oiseau qui plane, la chose a fait surface, insouciante, et j'ai aperçu un court instant ses nageoires allongées, son gros œil et son bec cornu, la tête nue d'un oiseau préhistorique. Le moment d'après, le navire était passé et la tortue avait disparu.

— J'aimerais continuer toujours, que nous n'arrêtions jamais, soupira Kitura.

— Le commandant dit que nous avons assez de fioul pour faire le tour de la planète, et assez de nourriture pour nous tenir en vie pendant tout le trajet.

— Parfait!

— Toi et tes amies, vous resterez à bord tout ce temps?

— Aussi longtemps qu'il faudra.

— Qu'il faudra pour quoi?

— Pour rien, mentit-elle.

— Kitura, il se passe quelque chose, n'est-ce pas?

Elle continua de regarder droit devant, la tête appuyée dans ses mains posées sur la balustrade, comme une enfant qui détient un secret et qui a peur de le voir s'échapper.

— Dis-moi, pourquoi êtes-vous montées à bord, toi et tes copines de Hopedale? Hélène, elle est de Hopedale aussi, non?

— Oui, nous sommes toutes des filles de la côte du Labrador.

— Amérindiennes?

— Innues et inuites. Hélène nous a aidées. Elle a payé une partie de mes études en biologie à l'université. Ensuite, j'ai travaillé avec elle en Afrique.

Elle s'interrompit, laissant passer une boule qui montait dans sa gorge, avant de reprendre :

— J'ai étudié les chimpanzés.

Elle se releva et fit un pas vers Erich.

— Tu sais qu'ils sont de moins en moins nombreux, qu'ils risquent de disparaître un jour ?

— J'en ai entendu parler, mais je ne suis pas très « faune sauvage ». Je connais plutôt la ville, les entreprises.

Il aurait pu ajouter le mot « intrigues ». Elle était si belle ainsi, il y avait des étoiles qui flottaient sur l'eau dans ses yeux. Mais au fond, il voyait aussi une tempête qu'elle tentait de calmer. Kitura dit simplement :

— Je suis enceinte, Erich.

Erich tint Kitura longtemps dans ses bras avant de briser le silence :

— Je mettrais ma main au feu que tu n'es pas la seule à être enceinte.

— Tu as raison, Erich. Nous, les douze filles de la côte, qui ne prétendons à rien du tout, nous portons chacune un petit bébé.

— Je joue de malchance, plaisanta Stark. Plein de jeunes et jolies femmes à bord, mais elles sont toutes enceintes ! Il ne me reste que Colette…

— Erich, est-ce que tu ne pourrais pas être sérieux, pour une fois ?

— Bon, d'accord, c'était une mauvaise blague.

— D'autant plus que Colette est enceinte elle aussi. Mais pas de la même façon.

— C'est-à-dire ?

— Dans quelques minutes, ce ne sera plus un secret pour personne. Thomas l'annoncera à tous. Je suis venue te chercher pour que tu assistes à sa présentation.

— Tu sais, Kitura, avec ce laboratoire, les rumeurs à bord, vous, les douze jeunes femmes, j'avais déjà des doutes.

— Vraiment ? Thomas dit que c'est un moment historique, une première mondiale. Mais je veux que tu saches que cet aspect ne m'intéresse pas.

Elle se dégagea et prit les deux mains de Stark dans les siennes.

— Erich, écoute-moi. Un tout petit embryon a été placé dans mon ventre et il deviendra un humain. J'ai accepté de le porter et j'avais mes raisons de le faire. Et mes amies aussi. Tu te souviens du soir où nous avons embarqué à Hopedale ? À la dernière minute, j'hésitais, je n'étais pas certaine. Lorsque je t'ai vu, je me suis sentie rassurée. Comme ça, d'un coup.

Erich l'attira à lui et ils échangèrent un long baiser.

— Allons-y, dit-elle, Thomas va nous attendre. Mais avant, je voudrais que tu saches une chose. Cet enfant que je porte, j'aurais aimé qu'il soit le tien.

Dans le grand salon où il avait convié tout le monde, Thomas Monier affichait un grand sourire.

— Le clonage est en soi une opération si simple que n'importe quel bon technicien pourrait la réaliser. Nous avons prélevé des ovules chez ma conjointe, Hélène, et en avons retiré le noyau, que nous avons remplacé par une cellule de la peau d'Hélène. Ensuite, avec une très petite décharge électrique, un petit millivolt pendant une milliseconde, le processus de division a débuté, exactement comme cela se fait de façon naturelle lorsqu'un ovule est pénétré par un spermatozoïde. Cela s'est passé il y a cinq jours. En douze à vingt-quatre heures, les ovules ont commencé à se diviser pour donner deux, puis quatre, huit, seize cellules et ainsi de suite, jusqu'à former une sphère qui comptait quelques centaines de cellules et qu'on appelle blastocyste.

Monier projeta une photographie prise au microscope.

— C'est ce petit ballon que vous voyez là. Son enveloppe est faite de deux cents à deux cent cinquante cellules qui formeront le placenta. À l'intérieur, accolées à la membrane, il y a une centaine de cellules regroupées en une sorte de bouton. Ce sont les cellules souches, qui vont donner l'embryon, tous ses tissus et tous ses organes. Voilà, c'est aussi simple que cela.

Le scientifique haussa les épaules et ajouta :

— C'est le même principe pour les humains que pour les moutons ou les chevaux. Ensuite, dans notre petit hôpital, chacune des douze jeunes femmes a reçu une de ces petites sphères qui dans neuf mois deviendront autant d'êtres humains.

Stark était tout oreilles. Mais dans son état d'excitation, il s'empêtrait dans un calcul mental. Les quarts étaient de quatre heures, pour trois équipes qui se remplaçaient. Comme son groupe venait de terminer une séquence, il n'arrivait pas à déterminer dans combien de jours il pourrait communiquer de nouveau avec Bonn.

— Je puis vous assurer que nous avons pris toutes les précautions nécessaires, poursuivit Monier. Il y a deux médecins spécialisés à bord et une clinique des plus modernes. Personne dans l'équipe, aucune des mères porteuses ni moi-même ne voulons risquer notre vie et notre liberté pour rien. Jusqu'à tout récemment, les manipulations ne fonctionnaient pas chez l'humain ni chez les primates. Les ovules mouraient. Il y a près de deux ans, mes laboratoires sud-coréens ont trouvé la solution. Ensemble, nous avons peaufiné et répété l'opération des douzaines de fois. Le taux de survie est aussi élevé qu'il pourrait l'être lors d'une fécondation naturelle. Mes amis, après cinq jours, tout marche à merveille, et nous avons à bord douze futurs bébés bien vivants. Voilà pour la présentation technique.

Thomas Monier avait sciemment omis de parler de transgenèse. Cet aspect était important pour les membres de son équipe et pour les jeunes mères porteuses. Primordial, même. C'était l'aspect du projet qui avait convaincu les jeunes femmes d'en faire partie. Par contre, pour l'équipage, ces manipulations n'avaient pas de conséquences légales.

— Maintenant, je dois vous parler des suites de notre projet et des risques pour nous tous. Presque partout dans le monde, la recherche sur les cellules souches fait l'objet d'un moratoire et le clonage humain est interdit. En fait, la liste des pays où nous pourrions accoster sans risque est courte. Très courte. En réalité, il n'y en a qu'un. Nous sommes occupés à régler les derniers points d'une entente avec ce pays, dont je vous annoncerai le nom plus tard. À l'exception du commandant Hofman, aucun membre de l'équipage n'était au courant de ces détails, que j'avais gardés secrets jusqu'à aujourd'hui pour que personne ne soit compromis. Dans l'ignorance, nul ne peut être tenu pour responsable. Mais s'il y en a parmi vous qui préféreraient néanmoins ne pas être associés à la suite, je comprendrais très bien. Nous prendrons les dispositions pour vous faire évacuer par hélicoptère avec Erich à la première occasion en vous donnant tous les moyens nécessaires pour assurer votre rapatriement. Je vous donne quelques jours pour y réfléchir. Venez me voir quand vous le voulez. Voilà, c'est tout. Continuez votre petit-déjeuner, je suis là si vous avez quelque question.

Stark regardait Colette à la dérobée. Elle ne disait mot, et rien ne laissait soupçonner qu'elle aussi était enceinte. À moins d'interpréter ainsi les nausées qu'elle avait manifestées après le départ de Brême. Il était persuadé que cette femme qui s'affairait dans le labo depuis le jour de l'appareillage fuyait quelque chose. Ou quelqu'un, puisqu'il était probable que le père n'était pas à bord. Son bébé serait le premier à naître, plusieurs semaines avant les autres. Douze plus un, se dit Stark, il ne fallait pas être superstitieux, et les naissances feraient presque doubler d'un coup le nombre de personnes à bord. C'était ahurissant!

Kitura Pinusiat se laissa tomber sur le dos et sentit l'eau glisser comme de la soie sur sa peau. Elle se laissa porter sur le dos de la mer, observant la petite mare qui se formait en clapotant au creux de son nombril. Les mains posées sur son ventre doré, elle ferma les yeux pour mieux songer à son enfant encore tout petit, baignant comme elle dans l'eau chaude et bonne.

Jamais Kitura n'avait été aussi heureuse. Madagascar! Elle avait peine à croire que cette nouvelle vie était la même que celle dont elle suivait le fil depuis son enfance. Que ce soit la même mer qui se poursuive depuis le Labrador jusqu'ici. Là-bas, couverte de glaçons, avec un visage dur et sombre, refoulant son village contre les rochers. Y mettre le pied faisait aussi mal que recevoir des coups de bâton. Ici, l'eau aigue-marine n'était que calme et douceur, et son rivage, une frange verte et somnolente sous un soleil cuisant.

Au léger clapotis qui berçait sa tête se mêlaient les cris des marins qui jouaient au ballon sur la plage. Vers le large, Kitura voyait les silhouettes de ses amies, les autres mères, cherchant des coquillages le long du récif. Elles semblaient marcher sur l'eau. Kitura se releva et rejoignit Erich. Ils barbotèrent un long moment, main dans la main, dans l'eau du lagon où leurs pieds faisaient surgir des poissons bleus et jaunes qui fuyaient aussitôt se réfugier sous des blocs de corail. L'après-midi s'écoula ainsi sans qu'aucune ombre ne vienne jamais marquer les heures. Le temps s'était enfin arrêté sur l'équipage du grand voilier après deux mois de mer. Et chacun profitait au mieux de cette journée au mouillage près d'une île perdue sur la côte de Madagascar. Car nul ne savait quand un tel moment de bonheur reviendrait.

Au coucher du soleil, Kitura sur le pont du voilier vit le ciel se peindre d'orangé et de rouge, puis passer de rose à violet. Elle vit alors des formes noires paraître à la pointe de l'île, qu'elle prit d'abord pour de grands requins ou des baleines montrant leur nageoire sur l'eau sombre grêlée des rides du vent et des cicatrices de la lumière mourante. Lorsqu'elles furent plus près, les nageoires dorsales se révélèrent être de courts mâts dotés de voiles, sur des pirogues menées par des petits groupes d'enfants à demi nus qui avançaient rapidement vers *L'Arche*.

Les pirogues abordèrent et, sans crainte aucune, quelques enfants montèrent par l'échelle de corde laissée en place pour les derniers membres d'équipage qui flânaient encore sur le rivage. Ils étaient beaux et fiers, âgés de cinq à douze ans peut-être, cuivrés par le soleil et déjà marins. Kitura joua avec eux et provoqua rires et éclats de voix quand elle essaya en vain sur eux des mots en inuktitut. Elle en tenait un dans ses bras lorsque le Dr Tissot, intriguée par ces bruits inhabituels, vint voir la petite troupe. La praticienne ordonna aussitôt à Kitura de poser l'enfant et de s'éloigner. Elle fit venir deux marins pour qu'ils évacuent les enfants indigènes.

— Simple précaution de routine, dit le Dr Tissot pour rassurer Kitura. Il vaut mieux, pour eux comme pour nous, prévenir la transmission possible de maladies. Et vous êtes enceinte, Kitura, ne l'oubliez pas.

Deux semaines plus tard, Kitura eut une petite fièvre. On la mit en quarantaine. Le matin suivant, la jeune femme assista impuissante à sa propre métamorphose. D'abord ses joues, son front, son cou, puis le haut de son corps se couvrirent de petites taches rougeâtres. Elle appela aussitôt le médecin qui se précipita, vêtue de blanc, gantée et masquée. Son diagnostic fut immédiat.

— Tu as la rubéole, Kitura. Tu sais ce que c'est? interrogea-t-elle.

Les mots du médecin formaient dans la toile du masque des petits ballons qui flottaient en se déformant. C'était rigolo, et Kitura, soulagée, esquissa un sourire.

— C'est une maladie d'enfant, je crois, suggéra Kitura.

— Exact. Il s'agit d'une infection virale qui frappe surtout les enfants entre cinq et neuf ans. La rubéole est bénigne : une fièvre modérée, des éruptions, parfois des douleurs dans les muscles et les articulations. Par contre, elle se transmet facilement.

— Comment ?

— Par voie respiratoire.

— Et ma rubéole à moi, elle vient d'où ? s'étonna Kitura.

— Sûrement de l'un des petits garçons enjoués qui sont montés à bord il y a quinze jours, affirma le Dr Tissot.

— Mais aucun d'eux n'avait ces boutons…

— La rubéole est le plus souvent latente, mais le porteur du virus peut le transmettre jusqu'à quinze jours après avoir lui-même servi d'hôte à son insu.

— Et elles dureront combien de temps, ces taches ?

— Quelques jours. Mais tu seras contagieuse plus longtemps, prévint le Dr Tissot. Il faudra te garder ici. Ensuite, par contre, tu seras immunisée. Je m'étonne d'ailleurs que tu aies contracté la maladie. Ton dossier médical ne dit-il pas que tu as eu la rubéole lorsque tu étais enfant ?

— Je croyais que oui, comme tout le monde, fit Kitura.

— Tes compagnes n'ont aucun symptôme. Elles aussi ont déclaré l'avoir déjà eue. Souhaitons que ce soit vrai dans leur cas !

La thérapeute vérifia le pouls et la température de sa patiente. Une pensée la poursuivait. Sur un navire où vivaient douze femmes enceintes, le virus de la rubéole était une bombe à retardement.

Kitura, voyant son air soucieux, porta instinctivement la main à son ventre.

— C'est grave ?

— Pour toi ? Non. Mais pour ton bébé, oui, avoua-t-elle. Je préfère être franche avec toi, Kitura. Chez une femme enceinte, la rubéole peut être lourde de conséquences. Avant la neuvième semaine de grossesse, comme au stade où vous en êtes toutes en ce moment, la probabilité que la mère transmette le virus à l'enfant qu'elle porte est de neuf sur dix. Dans ce cas, il peut causer des malformations au fœtus. Et même un avortement spontané.

Kitura était atterrée. Elle ne put retenir ses larmes. Le médecin caressa son front pour la réconforter.

— Repose-toi, Kitura. Ne t'inquiète pas. Laissons le temps faire son œuvre. Il n'y a rien que nous puissions faire d'ici là. Je viendrai te voir demain matin, promit-elle.

Le médecin referma la porte de la cabine d'isolement et se rendit aussitôt vérifier les dossiers médicaux de tout l'équipage.

Kitura se remit rapidement et aucune des autres mères ne fut atteinte. Mais quelques mois plus tard, Kitura fit une fausse couche. Le fœtus s'était développé anormalement. Ses bras étaient démesurément longs, ses jambes très courtes. L'examen minutieux du Dr Tissot et de Thomas Monier permit de constater que, à part les effets du virus, les cellules des tissus du fœtus étaient exactement telles que Monier s'y attendait. Sans un examen approfondi, personne n'aurait pu détecter que cet embryon portait des gènes étrangers.

É tendu sur le lit, Ron Hovington écoutait la rumeur matinale qui accueillait son réveil depuis qu'il habitait à Pyongyang. Le premier jour, il s'était levé en sursaut, le cœur dans la gorge, se croyant épié par une bête sauvage qui soufflait à sa porte. Maintenant, ce son était devenu familier. « Déjà sept heures trente », se dit-il en se rendant à la fenêtre du salon. De part et d'autre de la chaussée déserte, des milliers de piétons se rendaient au travail. Hommes et femmes, vêtus des mêmes habits noirs, bruns ou gris sombre, marchaient du même pas, le regard droit devant eux et sans échanger le moindre mot. Le frottement de milliers de chaussures glissant simultanément sur le sol produisait ce souffle qui, telle une brise artificielle et programmée, pénétrait dans les maisons comme une vague qui roulait jusqu'au bas de l'avenue.

Ron s'étira et se dirigea vers la salle de bain. Cette tâche apparemment toute simple se révélait être en Corée du Nord un processus désagréable et plein d'imprévus. Dans le logement délabré qu'on lui avait offert en attendant que le sien soit prêt, Hovington avait aménagé, à l'aide de barrières chimiques, un sentier qu'il suivait rigoureusement. Du lit à la salle de bain, de la salle de bain à la cuisine, de la cuisine au salon, puis retour à la chambre à coucher, ce sentier bien battu lui permettait d'éviter les milliers de cafards qui étaient les véritables résidents permanents du lieu. Une fois à la salle d'eau, deux autres inconnues défiaient l'équilibre de Ron pour commencer la journée : le commutateur et le robinet. Le premier fonctionna, mais le second ne produisit qu'un gargouillis qui fit fuir quelques insectes.

Ron était persuadé que les autorités le mettaient à l'épreuve avant de lui permettre de faire son travail. D'abord, cet appartement situé à l'écart, au lieu de celui qui lui était destiné dans le complexe abritant les diplomates et qui était prétendument en rénovation. « Patience, patience, nous sommes tous passés par là, lui avait dit sa collègue suédoise Asa Svensson. Dès que le branchement des micros sera terminé, votre logis sera miraculeusement prêt. » Ce qui manquait le plus à Ron lorsqu'il rentrait le soir dans son logement sordide, c'était sa musique. Louis Armstrong, Duke Ellington, Miles Davis. On lui avait suggéré de nettoyer son ordinateur avant de passer en Corée du Nord, où tout ce qui était américain n'avait pas la cote. Il y avait aussi les épuisantes visites officielles qu'on lui faisait faire presque chaque jour, le matin dans des bureaux du gouvernement, où il devait remplir des formulaires et rencontrer une armée d'adjoints, et l'après-midi dans des lieux de rituels auxquels tout étranger devait être initié.

Ces monuments, plus que tout autre aspect du pays, flanquaient vraiment la trouille à Hovington. Il s'en dégageait une atmosphère d'hôpital psychiatrique. À ce jour, il avait été encouragé poliment à se prosterner devant une statue géante du père de la nation, l'ex-président Kim Il-Sung ; on lui avait fait visiter à Mangyongdae la modeste maison de chaume où naquit le père ; on lui avait fait gravir la tour du Juche célébrant l'idéologie autonomiste dont le fils, le nouveau président Kim Jong-Il, avait fait le sujet de sa thèse de doctorat. Partout, Ron avait dû simuler une attitude respectueuse, pendant que ses accompagnateurs coréens gardaient plusieurs minutes de silence devant un nombre incalculable de statues, stèles, plaques, bustes, citations, empreintes de pieds et autres reliques perpétuant la mémoire du père. En d'autres circonstances, Hovington se serait tapé sur les cuisses de pouvoir assister de son vivant à une farce aussi monumentale, « sans jeu de mots », précisa-t-il pour lui-même pendant qu'il se rasait. Mais comme il se trouvait à Pyongyang sous de fausses représentations, tout ce cérémonial et les lieux sacrés qui semblaient donner des flashs de plaisir aux Nord-Coréens balançaient au contraire Hovington dans un flip.

Par la fenêtre de la cuisine, Ron vit la Toyota qui venait le chercher chaque matin. Réglé comme une horloge, le 4 x 4 marqué d'un gros écusson des Nations Unies se garait toujours devant sa porte trente minutes plus tôt que l'heure prévue pour le départ. Pendant que le chauffeur fumait dehors, les deux « homologues nationaux » qui suivaient Hovington pas à pas, et qu'il soupçonnait d'être aussi imposteurs que lui, attendaient sagement à l'intérieur.

Officiellement, ils travaillaient tous pour le Programme alimentaire mondial, mieux connu sous l'acronyme PAM. Le curriculum vitæ récemment remodelé de Hovington vantait des séjours fictifs mais efficaces en Guinée, au Soudan et en Afghanistan, où il aurait contribué à corriger « une sécurité alimentaire critique ». Après plus d'un an d'intrigues, le SCRS, avec l'appui des services secrets de l'Allemagne, avait obtenu pour Hovington un poste de remplacement à Pyongyang avec le PAM. C'était pratiquement la seule façon pour un Canadien d'obtenir un droit d'entrée en Corée du Nord. Outre les représentants des ambassades de rares pays, les seuls étrangers admis à séjourner dans ce pays travaillaient pour des organismes humanitaires comme la Croix-Rouge internationale, l'Office humanitaire de la Communauté européenne ou le PAM. Pour les fins de Hovington, ce dernier était le meilleur choix, puisqu'il était le seul à avoir accès à toutes les régions du pays.

Si Hovington s'était réellement dévoué à son nouveau métier, il aurait eu pas mal de pain sur la planche. Depuis 1995, des désastres naturels avaient aggravé la situation économique déjà critique dans le dernier bastion communiste pur et dur de la planète. Selon la version officielle, le PAM coordonnait les dons en nourriture venus du monde entier pour aider le pays à se remettre de cette période éprouvante. Dans les faits, la Corée du Nord était depuis longtemps en ruine chronique et les terres arables s'amenuisaient d'année en année à cause du lessivage des sols résultant d'une déforestation à outrance. Le PAM l'empêchait de sombrer totalement dans la famine et le chaos qui s'ensuivrait. Hovington était responsable de l'évaluation du rendement de la distribution des vivres, particulièrement auprès des enfants.

En réalité, l'horizon de Ron était bien plus restreint. Il ne s'intéressait qu'à une douzaine de bambins qui auraient environ un an et demi. Quant à ses homologues coréens, Ron ne doutait pas qu'ils travaillaient pour les services de surveillance et de renseignement de leur propre gouvernement. Dans un premier temps, leur tâche était de vérifier si Hovington était bien la personne qu'il prétendait être. Et, en tout temps, de s'assurer que sa conduite demeurait irréprochable, en lui indiquant même le genre de paysages qu'il était autorisé à photographier lors de ses déplacements. Devant l'édifice où Ron habitait, un gardien dans une guérite ne laissait entrer aucun visiteur sans une invitation dûment inscrite sur une liste de contrôle.

Ron acheva son petit-déjeuner et ouvrit la porte du frigo. D'une pichenette, il envoya voler contre le mur deux bestioles qui tentaient de s'y introduire et rangea la bouteille de babeurre. Il rinça ensuite le verre, le bol et la cuiller dont il se servait chaque matin et les mit également au froid. À l'abri des insectes. Ce rituel exécuté, pour la première fois depuis son arrivée, il se sentit plein d'espoir au moment d'entamer cette journée. La veille, un carton d'invitation lui était parvenu d'un collègue allemand pour l'inauguration de « L'exposition florale célébrant l'anniversaire du président Kim Jong-Il ». Une note manuscrite sur le carton disait « Pas de tenue vestimentaire spéciale ». Ron avait aussitôt reconnu les mots codés. Cela voulait dire exactement l'inverse. Notamment, il devait agrafer un certain stylo-bille bien à la vue dans la pochette de son veston. Hovington devait s'attendre à recevoir une information confidentielle. « Après trois semaines, il est temps qu'il se passe quelque chose », se dit-il, en franchissant le seuil de son logement.

— Bonjour, monsieur Hovington! fit une agréable voix féminine.

Ron adorait la voix de Kim Na-Jae. Elle était profonde et étonnamment roulante pour quelqu'un qui, comme lui, croyait que le coréen ressemblait au chinois. En plus, Na-Jae était magnifique. C'était douloureux, parce que Hovington ne pouvait se laisser aller à la tentation. Si, fait extrêmement rare, on lui avait collé une femme, et séduisante en plus, cela voulait dire que l'on se méfiait vraiment de lui.

— Bonjour, mademoiselle Kim. Bonjour, monsieur Pak, répondit-il.

En tant que comparse senior, Pak Il-Kwon jouait son rôle à la perfection. Très réservé, il s'adressait toujours à Hovington en coréen et par l'intermédiaire de la jolie Mlle Kim. Pourtant, Pak parlait sûrement l'anglais, puisque l'on disait au PAM qu'il avait à quelques reprises représenté son pays dans des rencontres officielles à l'étranger. Ce qui voulait dire en outre que Pak avait de très bons contacts en haut lieu. Na-Jae aussi était une excellente comédienne. Plutôt exubérante pour une Nord-Coréenne, elle allait de temps à autre à la pêche à l'espion en suggérant très subtilement qu'elle entretenait une certaine dissidence à l'égard de la politique économique de son pays.

— Vous êtes prêt à voir l'exposition? s'informa-t-elle.

— Absolument! Allons-y! répondit Ron en s'installant dans la voiture.

C'était l'heure de pointe dans la capitale de plus de deux millions d'habitants, mais un embouteillage n'était pas à craindre, puisque la marche à pied était le principal mode de déplacement au «DPRK», comme les collègues anglophones de Ron nommaient la Corée du Nord. Ron vit quelques bus et des trams électriques, pendant que sous terre rampait le métro qu'il n'avait jamais pris, craignant d'y rester coincé lors de l'une des fréquentes pannes de courant. Hors de la ville, la seule autoroute du pays servait surtout aux piétons, qui formaient sur l'accotement deux longues files apparemment immobiles, telles des courroies sans fin. Quelques rares camions, pas de motos, ni même de bicyclettes. Seule passait de temps à autre, et toujours à tombeau ouvert, la Mercedes d'une grosse légume du parti ou une Toyota 4 x 4 blanche d'un organisme humanitaire étranger, comme celle où se trouvait Ron en ce moment.

Le hall de l'exposition florale était au milieu d'un parc aménagé sur une île dans le fleuve Taedong. Il était déjà bondé. Des douzaines de groupes d'écoliers et de collégiens s'y pressaient comme si des friandises gratuites y avaient été offertes. À la suite de ses guides, Hovington parcourut le rez-de-chaussée, puis les deux étages jusqu'au point du rendez-vous pour l'inauguration. Des centaines de stands d'exposition avaient été montés par l'un ou l'autre des villages, communes, cercles de fermières, syndicats, entreprises, écoles ou groupuscules dispersés dans la nation entière. Mais l'ensemble était si irréel qu'il fit oublier à Ron le désir urgent qu'il avait de rencontrer son collègue allemand. L'exposition était le genre d'événement qui lui tordait les boyaux depuis son arrivée dans le pays.

Tous les stands étaient presque rigoureusement identiques. L'arrière-plan montrait une représentation géante soit du père le bras tendu vers l'infini, soit du fils avec les poings sur les hanches, ou même papa et fiston ensemble, visages radieux, têtes auréolées de rayons comme ceux que dessinent les enfants autour du soleil. Et devant eux, dans des centaines et des centaines de pots disposés en rangées, en carrés, en ovales ou en dégradés, seulement deux variétés de fleurs s'épanouissaient, toujours les mêmes. Tous les trois pas, après s'être respectueusement recueillie, Mlle Kim se faisait un devoir de préciser, comme si les affichettes sur les pots ne le proclamaient pas déjà suffisamment :

— À gauche, en violet, vous avez l'orchidée kimilsungia ; à droite, le bégonia rouge, c'est le kimjongilia.

Ron devait marquer un temps d'arrêt pendant que des haut-parleurs dissimulés dans les colonnes diffusaient en douceur l'air de musique lancinant que le père préférait de son vivant, *Nostalgie coréenne*. C'était ce même air qu'on entendait à la radio, à la télé et au restaurant, comme derrière les buissons dans les parcs. « Un mélange de marche militaire et de *ballroom* », avait suggéré Ron à Mlle Kim.

La petite cérémonie fut longue et terne. Le principal intéressé, le fils, n'y était pas. Il ne se montrait jamais, ni en personne, ni en statue. Il se contentait de tirer les ficelles dans l'ombre. Le directeur du PAM,

Werner Glaser, prononça quelques mots, puis, accompagné d'un inconnu, se dirigea vers Hovington.

— Bonjour, Ron! Monsieur Pak, mademoiselle Kim.

— Eh! Werner, content de te voir, répondit Hovington.

— Je vous présente Andreas Grass, de notre ambassade à Beijing.

L'air affable, Grass serra les mains à la ronde avant de s'adresser à Ron:

— Werner me dit que vous êtes canadien, de Montréal?

— En effet, confirma Hovington.

— J'y vais justement dans un mois, il faudra que vous me donniez le nom d'un petit hôtel charmant et des meilleures tables, glissa Grass, un sourire fendu jusqu'aux oreilles.

— Avec plaisir! Quand vous voudrez, offrit Ron.

— Malheureusement, je repars cet après-midi. Je peux vous donner mon adresse de courriel, et vous m'enverrez ça? proposa Grass.

— D'accord!

— Prêtez-moi votre stylo, je vous écris mon adresse, fit Grass en tendant la main.

Grass saisit le stylo, sortit un bout de papier de sa poche et se retourna vers le mur pour y griffonner l'information. Il remit prestement le papier et le stylo à Ron.

— Alors, ne m'oubliez pas, je compte sur vous! ajouta-t-il en lui broyant la main.

Personne n'avait rien remarqué, mais Ron savait très bien que le stylo que Grass venait de lui remettre, quoique identique, n'était pas le sien.

En fin de journée, dans sa baraque, Ron enleva le capuchon et dévissa le stylo. Il retira la recharge métallique et inséra l'extrémité supérieure dans la prise pour écouteurs de son ordinateur portable. L'écran ne réagit pas, mais un air se fit entendre : « *Oh what a beautiful morning, Oh what a beautiful day…* » de Louis Armstrong. Hovington esquissa un sourire. Celui qui se faisait prendre avec cette musique recevait tout au plus une mauvaise note à son dossier. Ron aurait aimé écouter la chanson jusqu'à la fin, mais il n'avait que quelques secondes pour taper un code sur le clavier. Sinon, un programme sur son portable aurait effacé automatiquement tout le contenu de la petite mémoire.

Il tapa la séquence requise, la musique s'interrompit, et l'information apparut à l'écran. Un fichier photo. Ron avait déjà vu la première série avant de quitter le Canada. Elle comprenait entre autres une photo satellite du port de Wonsan dans la province de Kangwon. Un grand trois-mâts y était accosté. À quelques centaines de mètres de la rive s'élevait un édifice tout neuf. Des prises de vue de l'intérieur présentaient des bureaux, des laboratoires, une clinique moderne. Certains clichés montraient trois hommes, identifiés en légende : Thomas Monier, Kim Jong-Il et l'un de ses proches, le général Kon Zhang-San, la poitrine couverte de médailles. Ils semblaient vivre le parfait bonheur.

Les photos de la seconde série avaient été prises plus récemment. Une note précisait qu'elles venaient également d'Erich Stark, dont c'était la première transmission depuis des mois. La dernière peut-être, puisqu'il n'avait donné aucun signe de vie depuis ce jour. Les clichés, dans leur interprétation la plus plausible, racontaient une histoire très différente de la première : les médailles du général Kon semblaient s'être ternies. On le voyait dans une automobile, habillé en simple soldat, emmuré entre deux militaires. Visiblement, il avait été mis aux arrêts.

La fin du fichier fit bondir Hovington. En d'autres circonstances, et dans un autre pays, les scènes croquées auraient pu paraître banales, joyeuses même : un minibus dans lequel étaient installées des femmes et de tout petits enfants. Comme au départ d'une excursion, d'un pique-nique ou d'une visite au zoo. Une belle journée en perspective, s'il n'y avait pas eu tant de soldats armés autour du véhicule. À fort grossissement, il était évident que le visage des jeunes femmes était anxieux. Certaines pleuraient, serrant contre elle une bambine. Pour Hovington, il n'y avait pas le moindre doute. Stark avait transmis les photos parce que ces bébés étaient ceux qu'il cherchait. Un autre fait était également évident : le général Kon avait perdu, et ce déménagement était une sorte de vengeance.

Hovington mit les fichiers à la poubelle, effaça toutes les données dans la recharge de stylo et la retira de son portable. Dans la salle de bain, agenouillé sur le sol, il laissa tomber l'objet dans la grille du renvoi d'eau. Ron demeura ainsi quelques instants, le regard fixé sur le trou noir qui venait d'avaler les éléments de l'histoire qu'avaient reconstituée les services allemands. Dans un premier temps, Kim Jong-Il avait accueilli *L'Arche* et les projets de Monier, sous l'influence du général Kon. Hovington acceptait leur conclusion, à savoir que le général avait vu dans la génétique un moyen plus subtil que l'arme atomique pour terroriser le monde. Et pour damer le pion à l'ennemie jurée, la Corée du Sud, à l'avant-garde dans le domaine. Les Allemands estimaient cependant que le général avait obtenu l'aval du Leader, mais ne l'avait pas entièrement convaincu d'y mettre tous ses œufs. Kon n'était que l'un des généraux les plus influents qui jouaient du coude dans la lutte pour le second rang, et pour succéder éventuellement à Kim. Qui tirait les ficelles dans cette affaire ? Le Cher Leader ou une coterie de généraux ? Il était impossible de le dire. Et Hovington ne cherchait pas vraiment la réponse à ces deux questions. Ce qu'il voulait savoir, c'était l'endroit où les petites avaient été emmenées.

Encore une semaine passa en visites et palabres inutiles, retardant toujours les vérifications que Ron devait faire au nom du PAM dans les zones les plus touchées par la famine. Un soir, à la fin d'un repas au restaurant du complexe diplomatique, M. Pak prétexta une obligation familiale et laissa Ron seul avec Mlle Kim. Hovington saisit l'occasion. Il paya la note et invita Na-Jae à faire quelques pas à l'abri des micros clandestins.

— Mademoiselle Kim, allons marcher un peu dehors et vous m'expliquerez certaines choses, proposa-t-il.

— Lesquelles ? s'informa-t-elle.

Il choisit une première question anodine, naïve même, afin de la mettre en confiance.

— Eh bien, par exemple, comment la vie se déroule dans la famille du président.

— Comment le saurais-je ? rétorqua-t-elle.

— Ah ! Je croyais que le fait que vous ayez obtenu un poste au PAM et, surtout, que votre nom soit Kim suggéraient une certaine parenté, lança-t-il innocemment.

— Pas du tout, dit-elle en riant. Ici, la moitié des gens se nomment Kim.

— Désolé. C'était une question idiote.

— Mais pas du tout, je vous en prie, fit Na-Jae poliment.

Elle était vraiment jolie, certainement la plus jolie fille que Ron ait vue dans le pays. Et même au-delà. Elle enduisait toujours sa peau, déjà blanche, de poudre de soie. Lorsqu'elle écoutait, immobile, Na-Jae ressemblait à une poupée de porcelaine. Ce soir, elle avançait dans la pénombre de la rue comme un masque flottant dans l'air.

— Que faisiez-vous avant de travailler au PAM ? demanda Ron.

— Je ne sais pas si je peux vous dire cela, hésita Na-Jae.

— Il n'y a personne, Na-Jae, et vous pouvez me faire confiance, insinua-t-il.

— J'étais – comment dites-vous ? – agent de la circulation.

Ron avait remarqué, évidemment, que le trafic aux carrefours, où il y avait vraiment peu à faire, était dirigé par de jeunes et jolies femmes au visage maquillé, impeccables et d'un sérieux imperturbable dans leur costume bleu sombre, les jambes pudiquement cachées sous des bas beiges, la tête coiffée d'une sévère casquette blanche comme celle des officiers de la marine. À la main, elles tenaient un bâton à rayures qui se trans-formait la nuit en une sorte de lampe de poche ser-vant aussi de feu de circulation. Ron trouvait que l'ensemble, avec souliers et petites chaussettes blanches, leur donnait un air de couventine.

— Pourquoi avez-vous changé de métier, Na-Jae?

— Pyongyang est célèbre pour ses agentes. J'étais celle que tous les étrangers voulaient photographier. Ma photo a été publiée partout, on m'invitait. Ce n'était pas correct pour quelqu'un de mon rang. L'on a cru que j'en retirais des avantages. Et puis... c'est tout.

— Et puis?

— Rien. Disons que le directeur général m'a remar-quée. Il a réalisé que je désirais aller plus haut dans la vie. J'ai reçu une formation, et j'ai été engagée au PAM.

— Quel genre de formation?

— Employée de l'État.

C'était un euphémisme. Ron fit quelques tentatives, mais Na-Jae ne voulut révéler rien d'autre. Il obliqua:

— Pourquoi m'emmenez-vous faire toutes ces visites?

Ce jour-là, pendant des heures, Ron avait arpenté avec Mlle Kim et Pak les vastes corridors souterrains du musée construit en pleine montagne au nord du pays. Y étaient exposés des dizaines de milliers de présents envoyés par les nations du monde pour manifester leur amitié ou leur admiration envers le père ou le fils. La plupart étaient somptueux, bien que Ron eût noté avec satisfaction que le Canada s'était contenté de donner un très petit ours blanc en cristal. Dans le musée, on lui avait autorisé deux photos. Sa préférée était une carte du monde avec des voyants lumineux qui identifiaient les pays donateurs. En bas, à gauche, deux compteurs numériques témoignaient du décompte instantané des donateurs et des présents reçus. Sur le cliché de Ron, la postérité pourrait lire les nombres 161 et 51 237.

— Parce que nous sommes fiers de notre histoire et de ce que nous sommes devenus, affirma Na-Jae.

— Vraiment ? fit Ron.

— Vous en doutez ?

— Expliquez-moi pourquoi vous êtes toujours deux, trois si j'inclus le chauffeur, dans tous ces déplacements où je n'ai aucun contact avec personne et ne représente donc aucun risque. Croyez-vous que j'aie quelque chose à cacher, que vous devez essayer de me tirer les vers du nez, Na-Jae ?

— Les vers du nez ? Pardon, je ne connais pas cette expression…

— Cela veut dire essayer d'obtenir de l'information de quelqu'un.

— Comme vous faites avec moi ce soir ? demanda-t-elle en se tournant vers lui.

— Si vous voulez, acquiesça Ron.

Il était évident que ses accompagnateurs étaient chargés de se surveiller l'un l'autre et qu'ils devaient éviter le genre de conversation que Ron avait engagée ce soir. Au risque de voir Na-Jae se refermer comme une huître, il lui tendit une perche :

— Je me demande ce qui vous motive, Na-Jae. Vous et les autres. Il n'y a rien à faire à Pyongyang. Pas de boutiques, pas de restaurants. Le chauffeur, par exemple, il sent l'alcool. Il boit. M. Pak aussi.

— Vraiment ? fit-elle d'une façon admirablement innocente.

— Excusez-moi de le dire aussi franchement, mais je crois que ce n'est pas un secret d'État. C'est normal aussi que je m'interroge sur la raison qui les pousse à consommer ainsi. Et vous, Na-Jae, qu'est-ce qui vous motive dans ce pays ?

— Moi, comme bien d'autres, j'essaie de gagner des points.

Elle avait répondu sans hésiter. Ron était satisfait de sa manœuvre. C'était la première fois qu'il réussissait à pénétrer une carapace nord-coréenne.

— Quels points ?

Na-Jae se recueillit un moment avant de répondre à voix basse :

— Tous nos gestes ici sont notés. À la fin de l'année, nos supérieurs compilent notre bulletin. Pas devant nous, bien sûr. Vous ne savez jamais combien vous avez obtenu par rapport à vos amis ou à vos voisins. Mais ceux qui ont progressé sont récompensés.

— Comment ?

— Il y a plusieurs façons. Par exemple, si vous habitiez au douzième étage de la tour là-bas et qu'on vous offre un logement au troisième, vous savez que vous avez bien fait.

— Pourquoi ? rétorqua Ron.

— Parce que, avec les pannes de courant, plus vous habitez haut, plus vous perdez de temps dans les escaliers.

C'était logique. Et elle était vraiment séduisante.

— Allons à l'hôtel Koryo, enchaîna Ron, je vous offre un verre. Nous pourrons continuer cette conversation.

Vous m'avez fait visiter tous ces sites officiels, mais je ne sais rien de votre pays. Je veux dire, sur la vie qu'on y mène.

— Ce ne serait pas correct que je sois vue là-bas, monsieur Hovington, esquiva Na-Jae.

— Même avec un collègue du PAM ?

— Non.

— Pourquoi ?

— Cet hôtel est pour les étrangers.

— Mais j'y ai vu des Coréens.

— C'est qu'ils y ont été autorisés, affirma-t-elle.

— Allons ! Une fois n'est pas coutume.

— Monsieur Hovington, dans ce pays, on ne peut se permettre le moindre écart. Comme à l'usine, sur une chaîne de production. Les pièces qui ont un défaut sont jetées à la poubelle. Et lorsque vous tombez, c'est votre famille qui en souffre.

Ron la regardait. Il ne comprenait pas comment Na-Jae et des millions de ses semblables pouvaient accepter ce qui leur était imposé.

— Cela s'applique à vous aussi, tant que vous êtes parmi nous. Vous avez une famille, monsieur Hovington ?

— Non.

— Une fiancée, une petite amie peut-être ?

Pourquoi avait-il fallu que Na-Jae pose cette question ? Depuis son arrivée à Pyongyang, Ron s'efforçait de ne pas y penser. D'oublier que Colette se trouvait aussi quelque part en Corée du Nord.

Le matin suivant, alors que Ron Hovington achevait son petit-déjeuner en solitaire, deux voitures se garèrent dans la cour. La seconde était un autre 4 x 4 aux couleurs du PAM. Asa était assise à l'intérieur, radieuse. Ron sortit aussitôt et s'informa auprès de Mlle Kim :

— Il y a du nouveau aujourd'hui ?

M. Pak afficha un air visiblement attristé et répondit dans un anglais très correct :

— J'ai le regret de vous informer que je ne pourrai plus vous accompagner pendant votre séjour dans notre pays.

Les traits de Pak exprimaient un désarroi théâtral. La mimique de Pak et son langage ampoulé faisaient partie de la comédie courante. Dans le cas présent, cela voulait simplement dire que la période de probation de Ron était terminée. Les autorités jugeaient qu'il était sûr et pouvait désormais vaquer à ses occupations. Ron resplendissait et il adressa un sourire à Mlle Kim, en guise de remerciement. Elle avait certainement soumis un rapport très positif après leur conversation de la veille.

— Désormais, ma collègue Mlle Kim et le chauffeur vous accompagneront. Elle est une grande spécialiste des questions alimentaires, comme vous le savez. Pour ma part, j'ai été affecté à d'autres tâches.

Il se tourna vers Na-Jae avant d'ajouter :

— Je crois que vous êtes attendus aujourd'hui à Kaechon, n'est-ce pas ?

— Exactement, répondit-elle. Et comme nous avons plus d'une heure de route, il vaudrait mieux partir maintenant.

C'est ainsi que le nouvel officier du PAM commença ses visites de contrôle. Bien sûr, des enfants, il en vit chaque jour, mais jamais d'assez jeunes à son goût. On lui présenta des ribambelles d'écoliers en uniformes, bien nourris, main dans la main et se détournant à s'en tordre le cou pour dévisager l'étranger. Ron assista un soir à un spectacle donné par des prodiges qui, dès l'âge de sept ans, auraient pu triompher sur n'importe quelle scène du monde. Un après-midi, en pleine campagne, il fut charmé par le tableau d'une troupe de jeunes pionniers de la jeunesse communiste cordés comme des sardines dans la benne d'un vieux camion russe datant de la guerre de Corée. L'équipage dévalait une route sous la pluie, et les chemises bleu marine, les foulards rouges, les casquettes mao et les sourires éclatants ajoutaient des notes de couleur vibrantes sur le fond des semaines en noir et blanc. Plus Ron visitait la campagne, plus il avait l'impression d'être lui-même au cœur d'un film documentaire tourné peu après la fin de la Seconde Guerre mondiale.

La semaine qui suivit, il se produisit un événement qui précipita les choses. Depuis que Hovington avait reçu les renseignements d'Andreas Grass, il allait aussi souvent que possible sur la côte est dans un périmètre centré sur la baie de Wonsan. Pour s'y rendre, il fallait emprunter une sorte de corridor entre deux zones interdites qui coupaient presque le pays en deux. Ces zones, fermées à tous, étrangers comme Nord-Coréens, formaient de grands trous sur la carte, comme les taches noires sur le dos d'une vache blanche. Mises toutes ensemble, elles représentaient près du tiers du pays. Ron n'arrivait pas à déterminer si l'accès en était interdit parce que le gouvernement y menait des activités secrètes ou parce que le dénuement y était pire que ce qu'il avait pu voir ailleurs.

Ce matin-là, Hovington avait profité d'une rencontre avec des dignitaires locaux pour arpenter le port de Wonsan. Il se doutait bien que le voilier avait été déplacé ou camouflé, mais il espérait tout de même trouver quelque indice. En vain. « Déjà près de deux ans que les petites sont nées ! » se répéta-t-il pour la millième fois. Le port n'était pas reluisant. Quelques cargos anonymes et d'archaïques embarcations de pêche en bois délavé flottaient mollement dans la baie. Des hangars en rangée donnaient sur un chemin de fer où un train de charbon venait d'arriver. « Probablement de la Chine qui, elle aussi, fait son petit effort pour maintenir le pays en vie », estima Ron. Il observa un moment des hommes et des femmes perchés sur les monticules coiffant les wagons pour décharger la houille à la pelle dans des brouettes que d'autres fourmis faisaient rouler jusque dans un hangar. Sur une voie libre, des femmes en haillons grattaient le sol de leurs mains nues pour récupérer la poussière noire échappée des brouettes lors du transbordement précédent. Elles enfournaient en silence leur maigre récolte personnelle dans des sacs usés en fibre synthétique portant le sigle du PAM.

Dans l'après-midi, la Toyota roulait sur une mauvaise route au sud de la petite ville de Sepo. Les occupants savaient que bientôt, devant eux, la route serait barrée puisqu'ils n'étaient plus qu'à une vingtaine de kilomètres de la zone démilitarisée, où des fossés et des murailles de béton marquaient la frontière avec la Corée du Sud. D'un moment à l'autre surgiraient les écriteaux et les barbelés annonçant la zone interdite. Soudain, le chauffeur ralentit puis s'arrêta net. À moins de cent mètres devant, deux véhicules militaires bloquaient la route. Aussitôt, sortant des fourrés, dévalant les collines, des douzaines de soldats armés jusqu'aux dents entourèrent la Toyota.

— Ne vous inquiétez pas, ce n'est qu'une formalité, lança Mlle Kim en se tournant vers Hovington, assis seul à l'arrière.

La jeune femme se voulait rassurante, mais sa voix n'était pas vraiment convaincante. Ron, dans les circonstances, trouva que le mot « formalité » était quelque peu incongru. Les soldats avaient aussitôt pris position sur deux ou trois rangs, leurs fusils-mitrailleurs pointés vers le 4 x 4, immobiles comme des statues. Na-Jae et le chauffeur, penchés vers l'avant, avaient plaqué les paumes de leurs mains contre le pare-brise et les vitres des portières. Un court instant, Ron perçut le visage du chauffeur dans le rétroviseur. Habituellement rieur et le teint plutôt basané, l'homme était soudain devenu sobre et livide. Un masque de plâtre. Longtemps après, Ron se souvint de la réflexion complètement absurde que la frousse lui avait inspirée à cet instant précis : où donc étaient passées les lèvres du chauffeur ?

Du camion, deux officiers sortirent et se dirigèrent vers la Toyota.

— Laissez-moi faire, souffla Mlle Kim, sans quitter sa position plutôt inconfortable. Quoi qu'il arrive, ne bougez pas, ne prononcez pas un seul mot.

Elle était terrifiée, et Ron ne pensait qu'à lui répondre : «Même si je le voulais, que pourrais-je bien leur dire, Na-Jae?» Les seuls mots coréens qu'il connaissait se rapportaient à deux choses sans aucune utilité dans une telle situation. Du riz et du chou mariné.

Le premier officier fit signe au chauffeur de couper le contact. Il s'adressa ensuite à Mlle Kim en quelques mots secs. Longuement, elle parla, expliqua, montrant Hovington du doigt à plusieurs reprises. À la fin, les officiers retournèrent à leur véhicule. Les soldats, sans abaisser leur arme, se rangèrent sur le côté de la route. Mlle Kim s'essuya le front et s'adressa à Ron :

— Nous devons les accompagner jusqu'au poste militaire. Une simple formalité, assura-t-elle.

Mais elle était loin de paraître rassurée.

— Que se passe-t-il, Na-Jae? glissa Ron à voix basse.

— Ce n'est rien, ce n'est rien. Ne vous inquiétez pas. Tout va bien.

Le chauffeur hochait la tête. Il avait retrouvé ses lèvres et les essayait à sourire. Ron s'avança sur le bout de la banquette.

— Que se passe-t-il, Na-Jae ? répéta-t-il.

— Cela ne nous concerne pas. Je vous assure.

— Quelle est cette chose qui ne nous concerne pas ? insista Ron.

Mlle Kim et le chauffeur échangèrent un regard, puis celle-ci dit, sur un ton évasif, sa main évoquant des pirouettes :

— Ils ont arrêté quelqu'un qui n'avait pas d'autorisation pour circuler ici.

— Quelqu'un qui voulait entrer dans la zone interdite ?

— Non, quelqu'un qui voulait en sortir, corrigea Na-Jae.

Ron eut un vague pressentiment.

— Et pourquoi nous avoir interpellés, nous ?

— Ils fouillent les environs depuis un moment. Ils soupçonnent qu'un complice attendait cette personne pour la prendre en charge et l'aider à fuir.

— Un prisonnier, alors ?

— Disons une personne qui n'est pas autorisée à quitter la zone là-bas.

Sa main montrait vaguement les bosquets en bordure, du côté de la mer. Devant, au bout de la route, l'on apercevait la barrière et les barbelés de la zone interdite. À une guérite, on les fit descendre du véhicule pour les mener dans un grand édifice en béton qui ressemblait à un petit hôpital désaffecté. Des douzaines de militaires y entraient et en sortaient. On les fit pénétrer dans une grande salle autour de laquelle des chaises étaient disposées contre les murs. La plupart étaient libres. En avançant, Ron aperçut au fond, assise entre deux militaires, une femme. Ses cheveux étaient noirs, mais elle paraissait trop grande et trop svelte pour une Coréenne. «Une Occidentale», songea-t-il. Et il eut encore un étrange pressentiment. La tête de la femme était posée dans ses mains, ses coudes sur les genoux, et ses cheveux défaits tombaient de chaque côté. Du sang séché formait des lignes sombres sur ses avant-bras, et ses vêtements et ses chaussures étaient zébrés d'égratignures et de déchirures. «Les barbelés», en conclut Ron. Son cœur se mit à battre plus vite parce qu'il crut reconnaître ces mains, ces bras.

On les pria d'attendre juste en face de la prisonnière, à côté de la porte d'un petit bureau. L'instant d'après, la femme leva la tête et repoussa ses cheveux. Ron ressentit un choc à la poitrine. Il retint le réflexe qui le poussait à aller vers elle et demeura figé sur place. Non pas que la terreur qu'il avait vue dans les yeux du chauffeur fût encore bien vivante en lui. Ce fut plutôt un réflexe de son métier. Le vrai. En aucun cas un agent ne devait risquer d'exposer sa couverture.

La femme aussi l'avait reconnu, mais elle ne bougea pas d'un centimètre. Elle vrillait ses yeux sur ceux de Ron. Dans son regard, la tristesse se mêlait au désespoir. Hovington se laissa tomber nonchalamment dans la chaise la plus proche, sans quitter la femme des yeux. Il n'y avait pas le moindre doute dans son esprit. Il ne l'avait pas revue depuis cette nuit à l'hôtel Le St-James à Montréal, quelque deux ans auparavant. La femme que les militaires venaient d'intercepter au moment où elle quittait la zone interdite était Colette Haineault. Et elle était défaite.

Hovington demeura cloué sur sa chaise pendant de longues minutes tandis que Mlle Kim allait parlementer avec un homme assis dans le bureau sur la droite. Puis Ron commença à s'agiter. Il ne pouvait tolérer de rester ainsi entre les mêmes quatre murs sans rien faire pour aider Colette. Il se taraudait le cerveau pour trouver une façon sûre d'intervenir. De prendre contact peut-être, sans éveiller les soupçons. « De l'eau, pensa-t-il, je vais lui apporter de l'eau. » Il chercha en vain une fontaine. « Je vais demander à Na-Jae », imagina-t-il. Il regarda dans le bureau. Mlle Kim et son interlocuteur avaient disparu. Désespéré, il porta de nouveau son regard sur Colette.

Tout ce temps, sans fléchir, Colette n'avait cessé de dévisager Ron. À son regard, ce dernier eut l'impression qu'elle comprenait bien son dilemme mais ne voulait pas qu'il fasse le moindre geste. Colette était tout simplement terrifiée. De ce qu'elle avait vu et de ce qu'elle savait. Puis, lentement, de la tête, Colette fit un signe sans équivoque : « N'approche pas, n'approche pas. » Avec une lenteur contrôlée, elle porta sa main à sa joue, puis de la joue jusqu'au cou. Elle ouvrit les yeux sur Ron pendant que son index, comme cherchant à essuyer une larme égarée, se déplaçait doucement de gauche à droite sur sa gorge.

« Si je bouge, je suis mort, comprit Hovington, et elle aussi ! » Il reporta son attention sur les surveillants de Colette, deux jeunes soldats inexpressifs, assis de part et d'autre. L'un paraissait avoir de la difficulté à se tenir éveillé. Ron retourna à Colette. Elle gardait toujours son regard vrillé sur lui. Il la vit ouvrir ses yeux très grands. «Elle veut me parler», se dit-il. Il s'enfonça dans sa chaise et ne la quitta plus des yeux. Et, lentement, Colette croisa ses poignets l'un sur l'autre. «Inutile de tenter quoi que ce soit, en déduisit Ron, au risque de partager le même sort.»

L'un des surveillants s'était levé pour faire quelques pas. L'autre dormait maintenant franchement. Ron s'assura que personne d'autre que Colette ne le regardait et il en profita pour articuler sans les prononcer : «Thomas ? Hélène ?» Il vit des larmes couler sur les joues de Colette. Elle les essuya du revers de la main, puis, comme précédemment, croisa les poignets. «Eux aussi ! conclut Hovington, prisonniers ou confinés à l'intérieur de la zone.» Une autre pensée lui vint aussitôt, impérative. Il remua les lèvres, sans laisser passer le moindre souffle. «Les enfants ?» Cette fois, Colette signala clairement : «Non.» Ron forma le mot «Vivants ?» À ce moment, le soldat revint vers Colette et reprit son siège, regardant droit devant. Croyant que l'homme le dévisageait, Hovington baissa aussitôt les yeux, feignant de s'intéresser à l'état de ses ongles. Dans sa tête, mille questions se bousculaient : «Où sont-elles toutes, exactement ? Et les jeunes femmes de Hopedale, sont-elles encore… ?» Il lui fallait trouver une façon de gagner du temps. Le temps de poursuivre sa communication avec Colette. Le temps aussi de trouver une excuse qui lui permettrait de faire quelque chose pour lui venir en aide.

Ron laissa un long moment s'écouler avant de relever la tête. Il vit que Colette regardait de côté mais nota qu'elle avait placé ses jambes dans une position étrange.

De même que ses bras! La main droite de Colette était posée sur sa cuisse et pointait vers le sol. Ron constata que, sous le siège, le pied de Colette bougeait, à peine, mais perceptiblement. En avant, en arrière, à gauche, à droite. « Elle trace quelque chose! » comprit-il. Dans la poussière du plancher, à l'abri du regard de ses geôliers, Colette traçait des lettres.

Quelques minutes s'écoulèrent, et Mlle Kim revint avec un militaire. Ron n'eut d'autre choix que de les suivre dans le petit bureau. Comme l'avait prévu la jeune femme, ce ne fut qu'une formalité. Il sembla à Ron que tout se passait vite et bien. On leur fit des excuses, on les invita à dîner. Mais Ron enjoignit Mlle Kim de décliner. Il ne pensait qu'à retourner au plus vite dans la salle. En même temps, il s'affolait. Il n'avait pu trouver de plan pour agir. Pas la moindre petite idée n'avait germé dans son cerveau, comme si le vide du pays s'en prenait insidieusement à lui aussi.

Lorsque Mlle Kim et Ron sortirent enfin du bureau, il n'y avait plus personne dans la salle. Colette avait disparu. Totalement désemparé, Ron balaya plusieurs fois la pièce du regard. Rien, ni personne. Puis il se souvint du manège de Colette sous la chaise. Il fit un détour pour se diriger juste devant l'endroit où elle se trouvait quelques minutes plus tôt. Il s'y arrêta et se pencha, sous prétexte de rattacher son lacet. Il vit sous la chaise les traits que la pointe du soulier avait gravés dans la saleté du plancher. L'endroit était sombre. Ron ne voyait pas clairement. Il délia la boucle qu'il venait de faire et la refit à nouveau. Ensuite, il passa à l'autre chaussure et recommença le même manège. Maintenant, ses pupilles s'étaient ajustées, et il pouvait distinguer les lettres que Colette avait tracées sur le plancher. Sept en tout. Un mot dont les lettres n'étaient pas claires. Ron déchiffra NOMIRAS. Puis il se releva et sortit derrière Na-Jae.

Dans la Toyota, deux images luttaient pour occuper l'avant-plan de la conscience de Ron Hovington. Le visage d'une femme qu'il avait aimée. Et le mot NOMIRAS. Ce nom ne lui disait rien du tout. Et ne sonnait pas plus coréen que le prénom Colette.

Sur le chemin du retour de cette lugubre caserne en bordure de Kosong, Hovington était torturé. Il ne comprenait pas ce que Colette avait voulu dire avec ce mot écrit dans la poussière. Et lui-même, n'aurait-il pas dû essayer de faire un tout petit quelque chose pour elle ? Y penser lui mettait le cœur en miettes. Comme il aurait souhaité être seul, pouvoir s'arrêter au bord de la route et faire le point. Retourner là-bas à la nuit tombée, peut-être. Mais le chauffeur roulait à tombeau ouvert comme s'il venait d'échapper au diable, et Mlle Kim le dévisageait comme si elle tentait de lire en lui. Il s'efforça de paraître impassible, regardant le paysage désolant, les champs desséchés, les collines dénudées, et ne desserra pas les dents jusqu'à Pyongyang.

Dès l'arrivée au PAM, il se précipita dans le bureau d'Asa.

— Le nom NOMIRAS, ça te dit quelque chose ?

— Comment ? fit Asa.

— NO-MI-RAS ! articula Ron.

— Ça ne me dit rien du tout.

— Tu es sûre ? insista-t-il.

— Ça s'écrit comment ?

— Comme ça se prononce. Attends, je te l'écris.

Il traça le nom sur un bout de papier et le tourna vers elle.

— Voilà ! fit-il.

Asa avança la tête pour mieux voir.

— Non, je ne vois pas, dit-elle, c'est un nom de lieu ?

Et soudain, Ron comprit. Sur le plancher, à la base militaire, il avait lu les lettres dans son sens à lui. Colette les avait probablement écrites dans l'autre sens. Telles qu'il les déchiffrait en ce moment, sur le bureau d'Asa. Il fallait plutôt lire SARIWON.

— Et Sariwon, Asa ? annonça-t-il, triomphant.

— Ça, oui, je connais, admit Asa. C'est une ville au sud de Pyongyang, en direction de Kaesong.

— C'est loin ?

— Non, pas vraiment. Mais vous y êtes sûrement déjà passé, Ron ! affirma Asa.

— Peut-être, je ne me souviens pas, hésita Ron.

— On vous a certainement emmené visiter la zone démilitarisée, voyons. Ainsi que Panmunjom, où l'armistice de 1953 a été signé et où la Corée a été divisée en deux ?

— Bien sûr, bien sûr, Asa. Ces sites aussi, je me les suis tapés ! reconnut-il.

— Eh bien, vous êtes passé par Sariwon ! Ce n'est pas tout à fait à mi-chemin. Disons environ soixante kilomètres d'ici. Moins d'une heure de route.

— Qu'y a-t-il là-bas ? interrogea Ron.

— Une ville, des gens. Le PAM y a un entrepôt de vivres et un point de distribution.

Asa soupira et fit la moue.

— Je ne sais pas s'il y a quoi que ce soit d'autre qui mérite d'être mentionné. C'est vraiment un petit bled, vous savez.

— L'entrepôt, voilà déjà quelque chose. Bien. Et… il y a des enfants ? demanda-t-il.

— À Sariwon ? Bien sûr. Je ne comprends pas.

— Je veux dire un institut, une école spéciale.

— Ah ! Je vois ce que vous voulez dire. Oui, un peu plus loin, sur une route secondaire en périphérie, il y a un orphelinat.

Un orphelinat ! Hovington tenta de dissimuler son excitation. Il se remémorait une des photos de Stark, où les bambines étaient dans un minibus.

— C'est parfait, répondit-il, un entrepôt et un orphelinat. L'orphelinat, tiens, pourquoi pas ? ajouta-t-il en essayant de camoufler son état d'excitation.

— Ça vous intéresse, Ron ?

— Tout ce qui se rapporte à l'enfance m'intéresse, déclara-t-il. Quand y allons-nous ?

— Il faudra vérifier avec nos homologues. Je ne vois pas de problème, mais ça prendra évidemment quelques jours pour faire inscrire ça au programme ! Vous les connaissez…

Trois jours plus tard, la Toyota s'arrêtait dans la cour d'une construction en béton de deux étages, en périphérie de Sariwon. Les murs plus très neufs avaient un air triste, les rideaux étaient tirés aux fenêtres, et la grande porte fermée semblait aussi accueillante qu'une dalle de pierre posée devant l'entrée d'une caverne. Le chauffeur ne parvint pas à l'ouvrir. Il frappa plusieurs fois du plat de la main sur le battant. La porte en acier résonna et vibra mais résista. Elle semblait bien verrouillée, enchaînée et cadenassée de l'intérieur.

Après une longue attente, le lourd battant se mit à grincer sur ses gonds mais s'entrouvrit à peine. Un vieillard apparut. Il porta son regard sur la voiture, puis sur les visiteurs et disparut. L'instant d'après, l'entrée s'ouvrit résolument, et deux femmes sortirent. La plus âgée se présenta au chauffeur, puis à Mlle Kim.

— C'est la directrice, traduisit Na-Jae, Mme Choi Hye-Sun.

Ils la suivirent dans son bureau. Elle leur apprit que l'établissement ne gardait que les enfants âgés de quatre ans et moins et les emmena dans une première pièce. S'y trouvait une douzaine de nourrissons.

— Dans cette salle, nous gardons les moins d'un an, annonça Mme Choi.

Hovington ne connaissait rien aux orphelinats et se demanda si les enfants y étaient toujours calibrés ainsi, comme des œufs. Il vit deux lits à barreaux où quatre petits se tenaient debout. Sur de grands coussins matelassés à même le sol, des nourrissons allongés sur le ventre levaient la tête et se déplaçaient en se tortillant comme des chenilles. D'autres dormaient, sereins, les joues bien rondes, enserrés dans des couvertures. Ron s'agenouilla sur le sol pour voir de plus près celui qui était à ses pieds, dont il ne percevait qu'une touffe de cheveux noirs et fins comme de la soie. Au fond de la pièce, appuyée contre une commode, une nurse au regard bon, comme tous les regards de femmes dans ce pays, cachait sous une couverture un poupon qu'elle ne voulait pas montrer. Se pouvait-il qu'il soit encore plus pénible à voir que celui qui était devant Ron, emmailloté jusqu'au cou ? Il retira un peu la flanelle et vit un petit être au visage émacié, à la peau tendue comme du parchemin, et il eut le sentiment étrange d'avoir profané un site archéologique où reposait une momie.

Hovington se releva. Il devait rayer ceux-ci de sa pensée. Ils étaient trop jeunes. Plus loin, devant une porte le long du même corridor, Mme Choi demanda aux visiteurs de retirer leurs chaussures et les introduisit dans une pièce moins grande que la précédente. Deux ampoules nues donnaient un éclairage si faible qu'il y faisait plus sombre que dans le couloir. Il y avait apparemment des fenêtres au mur devant eux, mais un lourd rideau gris les recouvrait presque entièrement, comme un écran de studio tendu pour couper la lumière du jour. Ou les regards des curieux. Hovington fit un ou deux pas timides, laissant ses yeux s'habituer à la pénombre, sentant ses chaussettes glisser sur un plancher légèrement bosselé. Baissant le regard, il distingua un linoléum dont le motif lui rappela un tartan écossais. Jaune et blanc. Soudain, il les aperçut, sur le sol, un peu plus loin devant, si petits qu'ils semblaient en contrebas d'où il se tenait.

Figés, immobiles, deux ou trois douzaines de bambins étaient debout au milieu de la pièce, serrés les uns contre les autres. Aussitôt, Ron eut la vision d'un terrier de renard que les parents avaient quitté un moment pour aller se nourrir. Les enfants lui parurent tous semblables, de la même taille, comme nés d'une même portée. Ils semblaient paralysés, humains en apparence seulement, tels de minuscules mannequins dans un magasin de vêtements. Des pyjamas habités qui le regardaient fixement, sans frayeur, sans joie, sans l'expression du moindre sentiment.

L'instant d'après, plusieurs petits personnages se tournèrent simultanément vers leur gauche. Suivant leur mouvement, Ron distingua deux nurses agenouillées par terre. La douceur même, elles réconfortaient les bambins d'un mouvement de tête, d'un sourire. Ron avança encore et se sentit pénétré d'une gêne, d'un respect intense qui retenait ses pas. En réponse, toujours en groupe serré, les petits se déplaçaient lentement de côté vers le fond de la pièce, puis vers la nurse, en un grand cercle, gardant toujours une même distance par rapport à lui et sans le quitter un instant des yeux. Il eut l'impression étrange d'être en plongée sur un récif où il venait de surprendre un banc de petits poissons craintifs qui ne savaient pas si le gros qui venait d'arriver était hostile ou non.

Un seau de plastique rouge était posé devant les nurses. Ron évalua que les tout-petits étaient à peine deux fois plus hauts. Cinquante centimètres, cinquante-cinq, peut-être? Quel âge avaient-ils? À leur démarche, un peu gauche, étriquée, comme dans les bandes dessinées, il estima qu'ils n'avaient appris que récemment à se déplacer ainsi. Auraient-ils un an à peine? Comment l'affirmer dans ce pays où la malnutrition était chronique! En plus, ces orphelins ne débutaient pas dans la vie en privilégiés. Peut-être avaient-ils déjà deux ans? Ou même plus?

« Concentre-toi un peu, mon vieux », se dit-il. Comme en plongée sur le récif. Au premier coup d'œil, on ne voit que des poissons colorés qui tournoient. Ce n'est qu'ensuite qu'on apprend à distinguer les espèces. Par leurs pyjamas. Ici, il n'y avait qu'un modèle, plutôt simple, fait de deux pièces, mais il venait en trois couleurs. Bleu, rouge et un motif à losanges gris-bleu et beiges sur fond blanc. Touche de fantaisie peut-être, quelques bambins avaient un haut rouge et une culotte bleue. Tiens, voilà un petit gris au fond, ainsi que sur la droite un spécimen à motif de losanges roses.

Mais Ron, justement, cherchait des enfants qui se ressemblaient. Des enfants que l'on ne pouvait distinguer l'un de l'autre. Des enfants qui étaient indiscutablement des jumeaux identiques. Il en voulait une douzaine, tout au plus ! On lui en donnait vingt, trente ! C'était trop pour quelqu'un qui n'avait aucune expérience avec les bébés... Il se concentra encore dans la mi-obscurité, comparant les cheveux, les yeux, les traits du visage. Il en perdait la boule. De toute sa vie, avant de venir dans ce pays, il n'avait jamais regardé un enfant. Il n'avait pas le flair de la chienne, l'instinct de la maman qui reconnaîtrait son petit parmi cent nourrissons dans une pouponnière. Il ne voyait que des yeux en amande, de petits crânes arrondis à la chevelure lisse et noire comme le jais, coupée net comme à l'emporte-pièce du seul modèle disponible. Et leurs visages étaient si doux, leurs traits si fins. Ron n'avait jamais réalisé que les bébés n'avaient pour ainsi dire pas de menton, à peine un nez, dans un visage tout neuf comme s'il avait été poli, poncé, usé par l'eau du ventre dans lequel il avait baigné pendant neuf mois.

« Il faut que je les voie de plus près », se dit-il en s'abaissant pour s'accroupir et s'asseoir sur le sol. Au même moment, il entendit une nurse prononcer quelques mots, doucement, à voix basse. C'est alors que ces minuscules êtres firent un mouvement qui acheva de le bouleverser. Immédiatement, les petits s'immobilisèrent à l'unisson. Puis, en un mouvement gracieux à souhait, ils courbèrent légèrement le dos et abaissèrent la tête, réalisant ainsi un parfait salut oriental.

Dans sa nouvelle position, Ron était à peine plus grand qu'eux, et il poursuivit son examen avec les bambins du premier rang. Il les intimidait, visiblement, et les petits poissons s'éloignèrent. Néanmoins, Ron eut le temps de constater que ceux qu'il voyait clairement se ressemblaient effectivement, mais ils n'étaient pas identiques. Ron respira un peu. C'était mieux ainsi. Il chercha au deuxième rang, au troisième. Il crut distinguer quelques garçons, dont l'un semblait plus grand que les autres. C'étaient des filles qu'il cherchait. Puis, à peu près au centre du groupe, il vit deux enfants qui se ressemblaient, se tenant par la main. Cette fois, il en était presque certain. Identiques. Deux filles. « Oui, c'est bien ça », se dit-il. Puis il en vit une troisième, juste à côté. Elles portaient toutes trois le modèle de pyjama à losanges sur fond blanc. Derrière elles, encore une, puis une autre. Il les scruta de nouveau, passant de l'une à l'autre, comptant mentalement. Oui, elles étaient bien cinq jumelles. Les battements de son cœur s'accélérèrent. Il tentait de se faire discret, mais il devait s'étirer et se contorsionner pour voir s'il y en avait d'autres. À la dérobée, il jeta un regard sur la directrice. Mme Choi l'observait attentivement. Continuant comme si de rien n'était, il s'assit sur ses talons, en s'efforçant de sourire.

Asa, qui était venue s'installer par terre à côté de Ron, tendit les bras vers les enfants. Visiblement très émue, elle voulait les toucher, les caresser, les prendre. Mais ils étaient toujours aussi craintifs ou ne semblaient pas comprendre. Trente enfants et plus pour deux nurses. Combien de fois dans leur courte vie avaient-ils été câlinés ? Les enfants hésitaient toujours, quelques-uns se rapprochant d'Asa, puis battant en retraite à nouveau. Une nurse intervint et les encouragea de la voix et de la main. Il s'en trouva un qui se décida à faire quelques petits pas vers Asa. Elle le saisit dans ses bras et lui, comme un pantin, les bras ballants, le cou raide, se laissa prendre, sans plus. Comme s'il s'agissait d'un nouveau rite inconnu. Entre-temps, un deuxième bambin s'était approché, un troisième aussi, et soudain les autres, comme par instinct, formèrent une ligne, avançant lentement à la queue leu leu pour passer à leur tour un moment dans les bras de l'étrange femme aux longs cheveux blonds qui tentait en vain de les inciter à poser leur petite tête dans son cou, contre son épaule. Eux étaient de glace, comme s'ils se pliaient à un exercice imposé dans un fastidieux concours de gymnastique.

Hovington, par contre, était comblé. Les bambins, d'eux-mêmes, s'étaient ainsi placés de la meilleure façon qui soit pour qu'il puisse les compter et les

observer attentivement un à un. Il percevait maintenant clairement que les petits poissons bleus et rouges
étaient tous différents. Et qu'ils ne ressemblaient pas
aux losanges gris-bleu, lesquels venaient de se rassembler en un petit groupe compact. Tout comme les poissons d'une même espèce au-dessus du récif se regrou-
pent. Alors Ron fut persuadé, sans l'ombre d'un doute,
tandis qu'elles défilaient devant lui pour aller tâter le
câlin d'Asa, qu'il voyait bien des petites filles identiques. Il en compta neuf, puis dix, peut-être onze. Il en
manquerait une. Il attendit que la petite file avance,
cherchant à faire la douzaine, il s'échauffait, s'éner-
vait, recommençait le décompte, lorsque soudain deux
jambes s'interposèrent juste devant lui comme des
piliers de cathédrale pour lui bloquer entièrement la
vue. La directrice Choi avait-elle vu son manège ? se
demanda Ron. De toute façon, elle venait d'y mettre
un terme.

Au même instant, sur un mot de la nurse, les enfants
s'immobilisèrent. Ensemble, d'un geste un peu lourd
et raide, leur petit derrière tendu vers l'arrière, ils se
posèrent là même où ils s'étaient arrêtés, sans un bruit,
comme des oiseaux. Et Ron demeura figé, emmêlé
dans ses chiffres, à la fois insatisfait et admiratif du
parfait jeu d'ensemble de ces petits êtres, pendant que
dans leurs yeux il voyait blanc, noir, blanc, au rythme
de leurs iris qui passaient de la nurse à lui, comme le
clignotement que fait sur l'écran de l'ordinateur le cur-
seur en attente de la suite du programme.

Une nurse approcha le seau rouge. Il était à moitié
plein d'un liquide blanc. Du lait. L'autre nurse tenait

un plateau rouge avec une dizaine de gobelets, tout aussi rouges. Elle les emplit un à un et les passa à la ronde. Les enfants buvaient tour à tour et retournaient les gobelets, dans l'ordre et le calme. La directrice était toujours devant Ron, qui ne pouvait les embrasser tous du regard. Il glissa son propre derrière sur le plancher. Maintenant il les voyait, mais la trentaine de petits lui parurent tous semblables, avec la même moustache blanche sous chaque nez.

Asa s'était relevée, la directrice invita Hovington à en faire autant. Les enfants ne s'intéressaient plus du tout aux visiteurs. À reculons, Ron s'éloigna vers la sortie. Mais il eut le temps d'apercevoir les pyjamas à losanges beiges et bleus. Ils étaient assis en cercle, la tête inclinée, dirigée vers le centre, comme réunis en concile. Et Ron vit un gobelet rouge qui passait de main en main.

Déjà il était dehors, glissant ses chaussettes le long du corridor aux murs blanchis à la chaux encore humide. Il avait oublié de prendre ses chaussures, mais il avait tout de même deux comptes. Il y avait en tout trente-quatre enfants âgés d'un ou deux ans, ou à peine plus. Parmi eux, au moins dix, probablement onze, étaient des petites filles copies conformes. Il n'y avait plus aucun doute dans son esprit qu'elles étaient les enfants que Thomas et Hélène avaient mis au monde.

Une heure plus tard, ils étaient de retour à Pyongyang, et le chauffeur venait de s'arrêter devant chez Hovington lorsque Asa intervint :

— Ron, vous voulez bien m'inviter à prendre un verre ?

Ce n'était pas du tout dans ses habitudes, et Hovington était perplexe.

— Maintenant ? s'étonna-t-il.

— Pourquoi pas ? En fait, je suis surtout curieuse de voir votre nouvel appartement ! prétexta-t-elle.

— Bien sûr, bien sûr.

Ron venait de saisir qu'elle désirait lui parler en confidence.

— Excusez-moi, ajouta-t-il, j'aurais dû vous inviter plus tôt.

Après avoir fixé le rendez-vous du lendemain avec Mlle Kim, ils se dirigèrent vers la résidence. Asa ne fit que quelques pas dans l'allée. D'un geste, elle stoppa Ron.

— Ron, marchons un peu, si vous le voulez bien.

Il comprit qu'Asa voulait lui parler sans qu'on les entende. Tous les expatriés savaient que les nouveaux logements comme celui de Hovington étaient truffés de micros difficiles à détecter. Une fois dans la rue, Asa dit :

— Ron, vous êtes canadien, n'est-ce pas ?

— Quelle question ! Bien sûr, Asa, que je suis canadien.

— Et vous étiez en Afrique avec le gouvernement canadien, pour organiser la distribution de vivres dans les camps. Au Soudan, je crois ?

— C'est… exact.

Ron avait hésité. Il n'aimait pas du tout la tournure que prenait cette discussion.

— Je ne sais pas pour quelle raison vous êtes venu en Corée du Nord, et cela ne me regarde pas, annonça la collègue suédoise.

— Excusez-moi, Asa, je ne comprends pas, prétendit Ron, qui voyait confusément où cela le menait.

— Ne vous méprenez pas. Vous êtes très efficace. Très intelligent. Vous apprenez très vite, l'assura Asa.

Ron regardait droit devant lui. La petite rue qui longeait les ambassades et les résidences officielles était très jolie en cette saison, avec les amandiers en fleurs. Il y en avait partout, et le quartier, après le morne hiver, semblait avoir pris un air de fête.

— Nous travaillons ensemble depuis un bon bout de temps, reprit Asa. Je vous respecte. Énormément. Et je vais vous parler franchement. J'ai su tout de suite que vous n'aviez aucune expérience avec les enfants.

Elle s'était arrêtée. Ses yeux étaient sur lui, et elle posa la main sur son bras.

— Faites attention, Ron. Dans ce pays, on n'aime pas les mauvaises surprises. Vous ne les connaissez pas encore. Ils sont tous très gentils. Ils le sont vraiment au fond d'eux-mêmes, je crois. Mais ils portent un masque pour se protéger. Na-Jae, le chauffeur, Mme Choi à l'orphelinat, tous.

Ils firent encore quelques pas en silence.

— Vous ne les prendrez jamais en défaut, mais ils vous observent sans arrêt. Vous comprenez, la vie ici est très difficile, impossible presque, pour eux. Pour survivre, il faut jouer le jeu, quoi que l'on pense au fond de soi. Tout ce que vous voyez autour de vous est une immense représentation. Et ils en sont les acteurs. Ils jouent pour Kim Jong-Il, pour les ministres, pour leur patron, pour les voisins. Chacun joue son rôle, et s'il joue bien il sera récompensé. Celui qui a bien joué progresse d'un cran dans l'échelle sociale et pourra espérer un jour avoir le dixième de ce que vous avez dans votre nouveau logement. Mais s'il oublie une seule réplique, s'il ne voit pas et ne rapporte pas un seul incident bizarre et que ça vienne à se savoir, il retourne dans le genre de logement que vous aviez au début. Vous me suivez, Ron ?

— Asa, excusez-moi, mais je ne vois toujours pas où vous voulez en venir.

Ron mentait à demi. Il savait évidemment qu'elle l'avait démasqué. Mais son insistance le troublait.

— Simplement, expliqua sa collègue, que le chauffeur, que Mlle Kim, que Mme Choi, que tous ceux que nous rencontrons sont forcés de faire rapport sur nous. Sur vous, Ron. Dans le cas présent, sur vous, surtout.

— Je vous écoute, Asa, marmonna Ron.

— Ron, peut-être auriez-vous dû choisir un autre organisme que le PAM. Je ne sais pas, moi, un poste dans une ambassade ou au Comité international de la Croix-Rouge, peut-être.

— Qu'avez-vous contre le PAM ?

— C'est que le PAM, Ron, quoi que vous en pensiez, ne s'occupe pas de ce qui vous intéresse. Il ne se préoccupe de rien d'autre que de nourrir une population qui crève de faim. Qui crève de faim parce que son gouvernement...

Asa s'interrompit et agita les mains devant elle.

— Pardonnez-moi, Ron, je ne veux pas me mêler de ça. J'ai nommé le CICR parce que ce sont eux qui s'occupent des prisonniers politiques, des prisonniers d'opinion et le reste.

— Je ne vous suis pas du tout, Asa.

— Ron, pourquoi teniez-vous tant à vous rendre à Sariwon pour visiter cet orphelinat?

— Tout simplement parce qu'il y a là-bas…

Il allait dire «des enfants». Mais les mots soudain ne passaient plus. Asa venait de s'arrêter sous un arbre fleuri, et Ron regardait les pétales tomber sur ses cheveux. Son visage, son regard, tout lui dirent qu'il était inutile de tenter de dissimuler encore. Comme si l'arbre se dépouillant mettait la vérité à nu.

— Ron, lorsque nous étions dans cette pièce à l'orphelinat, vous étiez transparent comme du verre. Vous regardiez les bambins comme si vous en cherchiez un en particulier. Vous les comptiez, même. Je crois que la directrice s'est interposée parce qu'elle a vu votre manège et qu'elle a voulu vous interrompre. Vous, comme elle, jouez un jeu qui me dépasse. Je ne sais pas ce que vous savez, et je ne veux pas le savoir. Vraiment, Ron, vraiment, je ne veux pas m'en mêler. Mais je dois vous dire une chose. Ensuite, je ne veux plus que nous abordions le sujet. Jamais. Est-ce entendu?

— D'accord, Asa. De quoi s'agit-il? capitula Ron.

— Dès que la directrice s'est interposée, l'une des deux nurses s'est approchée de moi pour reprendre le petit que je tenais dans mes bras. Elle m'a glissé un mot à l'oreille.

C'était étrange. Là-bas, Hovington n'y avait pas songé du tout, mais maintenant il savait ce qu'Asa était sur le point de lui dire.

— Elle s'est adressée à moi en anglais, Ron, pas en coréen. Et sans accent. Elle a dit: «Cette petite est canadienne, et nous aussi.»

Ron sentit le regard d'Asa posé sur lui. Mais lui, il regardait toujours droit devant. Un curieux phénomène se produisit. Les pétales des amandiers flottaient sur place, comme des morceaux de temps cassés qui n'arrivaient pas à passer.

La semaine suivante, dans le cadre d'une visite à l'entrepôt de vivres de Sariwon, Hovington demanda de façon impromptue à son homologue Mlle Kim de faire un détour pour retourner à l'orphelinat. Il lui montra un sac dans lequel il avait mis trois douzaines de petites poupées de chiffon. Et des bonbons. La secrétaire au PAM s'était donné beaucoup de mal pour les dénicher à Pyongyang, où les vitrines du rez-de-chaussée sur les avenues du centre étaient toujours vides, et où il fallait avoir un flair exceptionnel pour trouver même un restaurant. Ron sortit quelques sucettes du sac et les offrit à Na-Jae.

— Une minute seulement, l'assura-t-il. On entre et on sort. Juste un petit cadeau pour chacun des enfants.

À l'orphelinat, toujours barricadé, ils attendirent encore plus longtemps que la première fois avant qu'on leur ouvre. À la demande de Hovington, Mme Choi les accompagna jusqu'à la salle des deux à quatre ans. Les nurses avaient été remplacées, et il n'y avait plus qu'une vingtaine de bambins. Vingt-trois, pour être précis. Exactement onze de moins que la semaine d'avant.

Ron eut un moment de panique. Il avait lu que les poissons de récif ne quittaient jamais volontairement leur petit coin préféré. Instinctivement, il chercha des yeux – dans cette armoire au fond, peut-être? – les onze petits pyjamas à losanges vidés de leur contenu.

Par l'entremise de Mlle Kim, et sur un ton aussi banal que possible, il s'informa du fait qu'il semblait y avoir moins d'enfants que lors de sa visite précédente.

— Que vais-je faire de tous ces jouets? demanda-t-il en souriant.

La réponse de la directrice lui parvint aussitôt par le même canal:

— Oh! Vous savez, il y a beaucoup de mouvements ici. Dès qu'ils atteignent quatre ans, ils sont envoyés ailleurs, pour être placés dans un de nos jardins d'enfance.

Mme Choi n'était plus la femme terne de l'autre jour. Débordante d'enthousiasme, patriotique, elle affichait un sourire plus radieux que celui du père de la nation. Hovington s'attendait à entendre d'un moment à l'autre son air favori, diffusé du fond de la pièce derrière le rideau. Mais ce fut la voix de la directrice qui s'éleva, toute aussi douce et charmante:

— Mais ils se rendent rarement à cet âge. Je veux dire, ils sont adoptés bien avant. Depuis quelques années, nous recevons beaucoup de demandes de l'étranger. Nous refusons, préférant garder tous nos enfants chez nous, parce que ce sont les meilleurs pour construire l'avenir socialiste. Mais il faut bien de temps à autre répondre positivement à cette manifestation spontanée de l'amitié des nations du monde pour notre pays et notre Cher Leader. Et ainsi, parfois, nous envoyons nos petits comme ambassadeurs à l'étranger, avec l'aide de nos amis chinois.

Même le chauffeur approuvait, souriant de toutes ses dents qui exhalaient l'alcool. Au moment de repasser la porte d'acier, Hovington tenait encore à la main le petit sac de bonbons et de poupées. Il le remit à Mme Choi. Elle avait si bien joué !

De retour à Pyongyang, le soir même, le directeur du PAM apprit à Hovington que son visa avait été révoqué. Le matin suivant, on l'emmena à l'aéroport pour le vol d'Air Koryo en partance pour Beijing. Une fois dans les airs, il se remémora les mots d'Asa, au moment de lui dire adieu, la veille au soir :

— Comptez-vous heureux de vous en tirer à si bon compte. Votre belle amie Na-Jae n'aura pas la même chance.

Erich Stark descendit à cinquante mètres d'altitude et manœuvra l'hélicoptère de façon à contourner *L'Arche* lentement par tribord. Il constata que l'aire d'atterrissage sur le pont le plus haut était entièrement dégagée. Lors de son appontage précédent, le souffle du rotor avait fait voler à la mer des bouteilles de crème solaire et un des patins de l'appareil avait écrabouillé une petite enregistreuse et plusieurs cassettes de musique prohibée en Corée du Nord. Il s'en était aussi fallu de peu que les pales ne coupent en rondelles l'une des petites amies des membres de l'état-major nord-coréen soudainement sorties de leur somnolence. Stark posa la machine, vérifia la pression de l'huile, coupa les gaz puis jeta un coup d'œil autour de lui. Il fallait admettre que, par temps calme, c'était un très bel endroit pour se faire bronzer.

D'un signe de la tête, le pilote signifia à son passager qu'il pouvait mettre pied à terre. Le général Moon sauta sur la piste, et sa silhouette déformée par les volutes d'air surchauffé glissa sur la plate-forme. L'homme portait des sandales, un pantalon en toile de lin bleu, une chemisette blanche et des lunettes aux verres fumés dernier cri. En vacances, loin des regards, les généraux nord-coréens s'habillaient comme tous les gens riches de la planète.

Stark nota que la mer avait le même bleu Matisse qu'à l'époque toute récente où il faisait la navette entre les hôtels de luxe et les yachts de milliardaires entre Menton et Monaco. Et à une quinzaine de kilomètres du voilier, tout comme sur la côte d'Azur, l'eau butait contre un massif montagneux que le contre-jour peignait d'indigo. Mais la comparaison s'arrêtait là. Au lieu des Alpes s'élevait le mont Kumgang, culminant à plus de mille six cents mètres, et aussi loin que le regard pouvait porter, la côte était morne et entièrement déserte.

Pendant que le général descendait aux ponts inférieurs, Stark fixa les sangles de retenue et fit le tour de l'appareil pour les vérifications de routine. Il prit son temps parce qu'il voulait en outre s'assurer que toutes les conditions étaient bien réunies pour mettre le plan à exécution. Il observa longuement l'état de la mer et la course du navire. Le soleil venait de se coucher derrière les montagnes, et dans le ciel du côté du Japon le voile sombre de la nuit progressait doucement. Le voilier voguait à vitesse réduite en direction du nord sur une mer d'huile, vers son port d'attache de Wonsan. Par conséquent, Erich estima que, dans moins de deux heures, il aurait doublé la pointe de Suwon. La nuit serait noire et le navire se trouverait alors à moins de quinze kilomètres de la ligne que l'armistice de 1953 avait tracé entre la Corée du Nord et la Corée du Sud. À ce moment, les invités du Cher Leader à bord auraient imbibé suffisamment de poudre et d'alcool pour ne pas s'alarmer en entendant le bruit de l'hélicoptère quittant son poste.

De retour dans l'habitacle, le pilote vérifia le bulletin météo émis par les services sud-coréens d'assistance à la navigation. Sur une carte marine, il reporta la position actuelle et traça la course prévue de *L'Arche* tout au long de la soirée. Posant une petite règle dans cet axe, Stark suivit une ligne vers le sud jusqu'à un point au large de la petite ville côtière de Kansong en Corée du Sud. La mesure donna environ trente kilomètres. Selon les données qu'il avait consultées, le courant froid qui longeait cette région en provenance de la Russie progressait au rythme de trois à quatre kilomètres à l'heure. Si tout allait bien, un objet dérivant parcourrait donc la distance requise en sept à dix heures. En utilisant les rames, ce temps pouvait être coupé de moitié. C'était très faisable, conclut-il.

Et aussi très risqué. Tout pouvait arriver. Un vent contraire qui annulerait toute progression. Un vol de reconnaissance imprévu. Une barque de pêcheur qui tomberait sur le pneumatique. Ils y avaient songé, ils avaient examiné la question sous tous les angles. La décision était irrévocable et ils n'avaient pas trouvé de solution de rechange. Il avait donc été convenu que dès que toutes les conditions seraient réunies, le plan serait mis à exécution.

Erich Stark referma la portière attenante au siège du pilote et pénétra dans l'habitacle arrière. Il désengagea le siège et le fit basculer, exposant ainsi une trappe donnant accès à un réduit. Après avoir frappé trois petits coups, il déverrouilla la fixation avec une petite clé et repoussa le panneau vers l'arrière. Dans la pénombre, levés vers lui, deux yeux brillants et un visage souriant lui apparurent.

— Ça va, Kitura? chuchota-t-il.

— Un peu à l'étroit, mais ça va, souffla la jeune femme.

— Tu tiendras encore une heure ou deux?

Kitura hocha la tête et ramena ses bras à sa tête. Erich saisit ses mains et la jeune femme se souleva à demi, fit quelques mouvements pour dégourdir son cou et son dos, allongea les jambes puis ferma les yeux. Erich l'aida à se glisser de nouveau dans le réduit.

— Je reviens tout de suite, la rassura-t-il.

Il referma la trappe, la verrouilla et se dirigea vers la cabine du commandant. Elle était située sur l'avant, juste derrière la timonerie. Pour s'y rendre, il devait d'abord descendre et passer soit par la coursive intérieure, soit par un pont extérieur, avant de remonter. Erich choisit de demeurer dehors. Sur son chemin, des rires et des éclats de voix d'hommes lui parvinrent à travers les cloisons. Ils parlaient en russe, pour bien se faire entendre des filles aux longues jambes et aux corps bronzés qu'ils faisaient venir par contingents de Vladivostok tous les trois mois. La fête battait déjà son plein, et Stark s'en frotta les mains.

Hofman l'attendait chez lui avec une bouteille de cognac.

— Tu en as mis du temps, Erich. Un problème avec ton joujou?

— Non, non, tout va bien. Simplement, toutes les cent heures, j'ai un contrôle un peu plus long à faire, mentit-il.

— Tu restes avec nous jusqu'à Wonsan?

— Non, je fais un petit passage obligé à la toilette, je mange une bouchée et je repars.

— Ils sont au courant en bas? s'étonna Hofman. Et si jamais Kim décidait de rentrer en pleine nuit?

— Tu lui diras que j'avais des doutes sur un des instruments et que je voulais faire un essai. Voilà! trancha Stark.

Hofman sourit. Stark était pour lui un mystère, que le principal intéressé entretenait avec soin. Bien qu'il fût toujours souriant et blagueur, il était évident pour tout le monde que le pilote n'aimait pas convoyer ces messieurs les dirigeants du pays. À défaut de naviguer en haute mer, Stark préférait rester à terre. Hofman, pour sa part, était toujours morose sur la terre ferme, mais gai et volubile lorsqu'il était sur l'eau. Depuis un an, *L'Arche* était devenue dans les faits le yacht privé du dirigeant Kim Jong-Il, et c'étaient surtout les généraux de son état-major qui en profitaient, mais cela importait peu au commandant. Alors que Monier avait élu quartier dans ses labos terrestres et délaissé le voilier, Hofman préférait arpenter le grand lac qu'était la mer du Japon plutôt que le macadam du port. Au cours des derniers mois, le commandant avait vécu l'expérience unique de mener son navire sur toute la côte jusqu'à Vladivostok et loin au nord de l'île de Sakhaline. Il avait découvert un pays fabuleux de montagnes, de détroits embrumés et de rivières gigantesques où il s'était essayé à la pêche au saumon et à la chasse à l'ours. La mer là-haut était imprévisible et sauvage, sans parler du défi constant que représentaient les lacunes sur les cartes marines qui montraient parfois des bouées aussi imaginaires que des sirènes.

Stark toucha son cognac du bout des lèvres. Il avait besoin de garder tous ses sens en alerte pour exécuter le plan. En outre, la mélancolie le gagnait. Sa relation n'avait pas vraiment fonctionné avec Kitura depuis qu'ils avaient accosté en Corée du Nord, mais ils étaient restés très bons amis. Elle ne s'était pas remise d'avoir perdu son enfant, et s'occuper de celles de ses amies avait été une consolation de courte durée. Après que les petites eurent été enlevées, Kitura s'était mis une idée en tête : partir. Retourner au Labrador. Erich avait essayé de la convaincre d'attendre au moins que la situation se rétablisse pour Monier et son équipe. Rien n'y fit. « Si tu ne me donnes pas un coup de main, je partirai à pied, je traverserai les montagnes, je trouverai un pêcheur qui m'emmènera jusqu'en Russie, je piraterai ton hélicoptère s'il le faut », avait-elle dit. Lorsque Kitura avait pris une décision, rien ne pouvait l'en faire démordre. C'est ainsi qu'Erich avait imaginé le plan qu'ils allaient maintenant mettre à exécution. Il avait fallu attendre de longues semaines l'occasion parfaite : que *L'Arche* croise dans le bon secteur, qu'un invité demande à Stark de le convoyer en fin de journée, que se présentent les trente minutes de flottement requises pour que Kitura puisse s'installer dans la cachette. On y était enfin et les dés étaient jetés.

Stark se leva.

— Merci, commandant, je dois y aller, s'excusa-t-il.

— Bon retour, Stark, répondit Hofman en lui serrant la main. On se voit demain à Wonsan.

En arrivant sur l'héliport, Stark eut un choc. La portière arrière était ouverte. Un homme était affalé comme une poupée de chiffon sur les deux sièges. Les jambes retombant sur le plancher, les bras repliés sous la tête, l'homme dormait à poings fermés. Sa respiration laborieuse exhalait une forte odeur d'alcool et de tabac. Stark reconnut un des généraux qu'il avait transportés la veille. Le général Pak avait apparemment réalisé qu'il avait assez bu et voulait retourner à terre.

Stark devait agir rapidement. Il envisagea d'abord de saisir le type à bras-le-corps pour le sortir de l'habitacle et le traîner jusqu'au pont attenant à l'héliport. Mais, craignant de le réveiller et de faire tout rater, il décida de le laisser où il était. Si l'homme ne s'éveillait pas en route, le pilote aurait ainsi une explication logique pour ce vol de nuit. Stark souleva le buste du général, le repoussa contre l'autre portière, replia ses jambes devant lui et consolida le corps inerte en passant ses épaules sous les bretelles de la ceinture de sécurité. L'homme grogna et se remit aussitôt à ronfler. Stark ajusta le pont des écouteurs, les plaqua sur les oreilles du général et débrancha le fil qui reliait le casque au circuit interne.

Erich souleva ensuite l'autre siège, le fixa, déverrouilla la trappe et l'ouvrit. Les yeux interrogateurs de Kitura brillèrent dans le noir. Stark plaça son doigt sur ses lèvres et lui dit à voix basse :

— C'est Pak. Il est complètement ivre. Je te dégage à demi. Attends que je sois dans les airs pour sortir. Nous faisons comme prévu. S'il se réveille, j'improviserai, proposa-t-il en haussant les épaules.

Stark fit un tour d'horizon pour s'assurer qu'ils étaient bien seuls. La nuit était magnifique. Il délia les courroies retenant les patins de l'hélicoptère et sauta sur son siège. Il regarda sa montre. « En retard sur le plan », songea-t-il. Son cœur se mit à battre si fort que tout se précipita dans sa tête. Il sortit la liste de vérification qu'il faisait habituellement de mémoire. Elle lui parut interminable. Il la parcourut à voix basse. Vérifications prévol. Terminées. Allumage. Le moteur principal était encore chaud. Normal. Freins de secours. *Park*. Moteurs libres. Il actionna le démarreur. Le général haussa le ton comme un bulldozer, couvrant le bourdonnement électrique du starter. Puis, le moteur cracha et démarra dans un bruit infernal. Le pilote engagea le rotor et ouvrit les gaz. L'hélicoptère s'allégea aussitôt et se mit à voleter comme une feuille au vent. Stark jeta un dernier coup d'œil de part et d'autre et lança l'appareil dans les airs comme un ballon qui bondit. Il le dirigea aussitôt vers le large, et le voilier prit la taille d'un jouet lumineux qui tombait au fond d'un puits.

Kitura saisit les supports du siège renversé, se tortilla et se glissa hors de sa tanière. Assise sur le plancher en alliage de magnésium, elle ne sentait plus son dos et des aiguilles se frayaient un chemin dans les muscles de ses jambes. Le bruit du rotor était assourdissant. L'homme sur le siège puait l'alcool et la transpiration. Au-dessus de la tête de la jeune femme pendaient des écouteurs munis d'un microphone. Elle les plaça sur ses oreilles et le moteur lui sembla ralentir aussitôt. Appuyant sur le bouton du micro, craignant d'éveiller le général, elle fit un essai.

— Erich, Erich, tu m'entends ? chuchota-t-elle.

— Je te reçois cinq sur cinq, firent les écouteurs.

Le son semblait provenir d'un souterrain.

— Prépare-toi, ajouta Erich, nous arrivons dans cinq minutes.

Comme une automate, elle entreprit la routine qu'elle avait répétée avec Erich. Du réduit où elle venait de passer les quatre heures précédentes, elle retira deux sacs étanches. Le premier, plat et allongé, contenait son passeport canadien, sa montre, une boussole artisanale assemblée par Erich ainsi que quarante billets de cent dollars américains. Stark avait mis sa réserve à sec. « Cadeau du gouvernement allemand », avait-il dit en riant. Kitura glissa le long sachet sous sa chemise et le fixa autour de sa taille. Le grand sac contenait une paire de gants, une petite lampe de poche, des vêtements chauds, quatre litres d'eau, une couverture, une toile, deux sachets de riz cuit et une douzaine de barres de chocolat. Elle enfila les gants, referma le sac et le plaça sur le sol contre la portière. Se déplaçant à quatre pattes, les genoux marqués douloureusement par les stries du plancher métallique, elle atteignit le fond de l'habitacle. Dans la noirceur, elle distingua un rouleau de corde de nylon tressé et un petit baril blanc, qui provenaient de la réserve du voilier. Kitura les tira à elle et vint les placer à côté du sac. L'un des bouts de la corde était fixé au baril. Elle enfila l'autre bout dans la courroie du sac et hala la corde jusqu'à mi-longueur. À ce point, elle arrima solidement le sac. Enfin, elle attacha l'autre extrémité de la corde à un anneau sous le siège du pilote, s'assurant bien de faire le nœud qu'Erich lui avait enseigné.

— Je suis prête, lança-t-elle dans le micro.

La réponse ne vint pas.

— Erich, tu es là ? Je suis prête, répéta-t-elle.

— Je sais, crépitèrent les écouteurs, tu es bien certaine ?

Elle ne répondit pas. Erich avait tout fait pour la dissuader. Elle regarda en bas par la vitre. Il n'y avait rien qu'un vide noir. C'était de la folie que de vouloir y plonger. Non, elle n'était plus certaine du tout.

— Oui, répondit-elle en fermant les yeux.

Stark dirigea l'hélicoptère à vingt kilomètres de la côte, assez loin pour qu'un petit objet flottant ne puisse être vu de la rive. Il ralentit la course de l'engin et changea l'assiette pour accentuer la descente. La nuit était si noire que son œil ne pouvait situer avec certitude la surface de la mer. L'altimètre passa de deux cents à cent, puis à cinquante mètres. La course de l'aéronef était maintenant verticale. À vingt mètres, Stark ralentit de nouveau. À dix, il immobilisa l'appareil sur place, se tourna vers Kitura et caressa sa joue.

— Bonne chance, bébé, fit-il.

— À toi aussi, Erich, répondit Kitura.

Elle saisit sa main, la pressa un moment, puis la lâcha et ouvrit la portière. Un cercle d'écume grise vibrait à la surface de l'eau directement sous les pales. Kitura lança le baril dans le vide. La corde fila, entraînant le sac à sa suite. Lorsque le baril toucha l'eau, il éclata en deux, se délia, se gonfla en s'allongeant jusqu'à prendre la forme d'une embarcation de sauvetage pneumatique. La corde flottait mollement dans l'eau et le sac était pendu dans les airs à quelques mètres à peine au-dessus du radeau. Kitura se coucha sur le plancher, tira la corde à elle et la donna à Erich. Ensemble, ils halèrent. Kitura fit une boucle qu'elle passa autour de sa jambe, saisit la corde entre ses deux mains, prit une grande respiration et se lança dans le vide.

Erich suivit sa descente. C'était lent, trop lent. Soudain, il sentit une main sur son épaule. Il se retourna. Le général Pak le regardait avec des yeux de morue, tirant sur son harnais comme s'il voulait s'envoler. Le courant de l'air par la portière ouverte faisait flotter sa chemise tel un pavillon au bout de son mât. Erich détourna son regard et vit que Kitura avait atteint le point où le sac était fixé. Prestement, il saisit le bout libre du nœud dans l'anneau sur le plancher et tira. La corde fila et disparut. Au moment de saisir la poignée de la portière derrière lui, il constata que Kitura était étendue sur le dos au milieu du pneumatique. D'un mouvement du poignet, il verrouilla la portière.

— Ce n'est rien, lança-t-il en gesticulant à l'intention de Pak. La por-tiè-re, martela-t-il, é-tait mal fer-mée!

Il enfonça aussitôt les gaz. L'hélicoptère piqua du nez et s'éleva dans l'encre noire du ciel comme une bombe éjectée de la bouche d'un volcan.

Kitura demeura allongée sur la toile de caoutchouc jusqu'à ce que l'hélicoptère ne fût au loin qu'un petit feu rouge. L'eau bougeait mollement contre son dos, des étoiles scintillaient, et le silence couvrait la mer comme un couvercle de fonte. Elle se releva et chercha le repère de la côte en écarquillant les yeux. Il n'y avait rien sur tout l'horizon. Le navire avait disparu dans la nuit noire. Elle se sentit abandonnée au milieu de l'océan.

Le petit pneumatique dériva toute la nuit. Kitura suivit les consignes du plan. Étendue sur la couverture et sous la toile qu'elle avait tendue d'un boudin à l'autre, elle compta les heures. Cinq heures plus tard, elle replia la toile et se mit à genoux. Le courant avait approché l'esquif de la côte, dont le profil montagneux se détachait sur le ciel. Le jour se levait sur la mer du Japon et les premiers rayons du soleil illuminèrent la cime du mont Kumgang. La jeune femme sortit sa boussole et la pointa vers le massif. Il gisait à trois cent dix degrés. Comme prévu, le courant l'avait entraînée au sud de la zone démilitarisée. Kitura poussa un cri de joie.

La jeune femme sortit les petites pagaies de la pochette qui était cousue au boudin, emboîta les sections et se mit à pagayer. Deux heures plus tard, elle aperçut les maisons d'une petite ville. Des véhicules automobiles circulaient en bordure du rivage. Ils étaient la manifestation la plus probante qu'elle avait bien quitté la Corée du Nord : les gens pouvaient se procurer du pétrole. Approchant de la côte, elle se répétait comme une litanie les prochaines étapes de sa délivrance : acheter immédiatement une valise et des vêtements, prendre un autocar pour Séoul, acheter un billet d'avion pour le Canada. En cas de problème avec les autorités, avait dit Erich, faire demander Jan Faszler à l'ambassade d'Allemagne. Le numéro de code à lui donner était le 6804793215.

TROISIÈME PARTIE

LE CERCLE
Été 2020

Vus du ciel, les plateaux dénudés qui émergent au-dessus de la forêt ressemblent à des îles sur l'océan. Sur les hauteurs exposées au nord, des coussins de neige s'accrochent encore au flanc des falaises. Bientôt, la forêt disparaît et le relief se met à descendre sur un pays austère. Ici, le vent de la mer du Labrador, aussi sauvage qu'une meute de loups qui traque un troupeau de caribous, a dispersé et repoussé les arbres dans les fonds abrités, et l'ombre du petit avion passe en ondulant sur du roc barbouillé de buissons odorants et d'herbes vertes que des bras de mer coupent en damier.

Je reviens à Hopedale dans un tout autre état d'esprit. À peine deux semaines plus tôt, je voyageais seule, sans savoir qui j'étais vraiment, cherchant mon destin en fouillant parmi les repères de ma vie passée. Tel un capitaine qui progresse vers le port en s'assurant de l'emplacement des phares et des lumières de la côte, j'attendais que des signaux paraissent sur la route devant moi. Maintenant, j'ai compris que je suis comme un pèlerin, que le voyage est mon but, et je me réjouis d'être simplement sur le pont à regarder chacune des vagues qui passent. On dit que, sur l'île de Java, le temple de Borobudur apparaît de très loin au voyageur, qui saisit en un coup d'œil la grande pyramide et le stûpa géant à son sommet. Mais plus le pèlerin approche, moins il voit son but tant l'ouvrage est immense et escarpé. Il doit vivre le long passage en silence, avec pour seule compagnie les bas-reliefs et les statues qui jalonnent le parcours, sans chercher à voir déjà l'ensemble et l'aboutissement de son voyage.

Gulshen est assise à quelques rangées derrière moi. Nous sommes devenues paranos. N'étant pas canadienne, ma sœur craint que nous soyons interrogées par des officiers de l'immigration parce que nous sommes si semblables, mais de nationalités différentes. «C'est absurde, lui ai-je dit. Il n'y a pas de loi qui dit que les jumelles identiques doivent nécessairement habiter ensemble.» Moi, j'ai la hantise d'être à nouveau victime d'une agression. Canesta la redoute autant que moi. Il ne voulait pas que nous voyagions seules. Comme il ne pouvait venir au Labrador parce que sa mère est décédée, il nous a confiées à son assistant, Richard Neil. Ce dernier ne nous quitte pas d'une semelle. En ce moment, il est assis à ma gauche, les yeux rivés sur le paysage en bas.

Lorsque le petit avion tourne au-dessus du village avant de se diriger vers l'aérodrome tout près, il faudrait être aveugle pour ne pas apercevoir l'ancienne chapelle de la mission des Moraviens. Chacun d'ailleurs dans l'habitacle, qui se soulevant sur son siège, qui appuyant le front au hublot, tente de s'assurer de ce point de référence, de la preuve que nous arrivons. Dans de tels moments, chacun se découvre, et dans ses yeux paraît le regard d'un enfant qui revoit sa maison et sa chambre au retour d'un voyage. C'est à cet instant que je sens vraiment, et s'installe en moi la certitude que j'arrive au pays de mes gènes. Tous ces passagers, habitants de la côte, voyant que je les épie, me retournent un sourire discret, et quoique pas un mot ne soit échangé, ni dans l'habitacle, ni plus tard au sol, il ne fait pas de doute qu'ils me tiennent pour une des leurs.

Pour apaiser Gulshen, nous avions convenu de vêtements et de maquillages distincts pour masquer nos traits communs. Elle a choisi de se donner une allure plutôt excentrique. «Tant qu'à nous faire dévisager, autant que ce soit amusant!» avait-elle lancé. Toutes nos craintes et nos précautions se sont révélées inutiles. C'était même un peu ridicule d'avoir agi ainsi. Oui, vraiment, nous étions naïves. Nous devions avoir l'air de deux enfants jouant un grand jeu. Nous étions anxieuses de voir la réaction de la population de Hopedale. Au contraire, tout est simple et magique. D'ailleurs, ici, les gens ne parlent pas pour ne rien dire. Et ils vous regardent comme si les révélations devaient venir de vous. N'eût été notre accoutrement, Gulshen et moi aurions pu passer pour deux filles de la côte retournant chez elles. Notre visage, nos corps sont ceux des femmes d'ici. Quoique d'un genre plus cosmopolite, si l'on veut. Par contre, notre garde du corps tranche violemment. Avec son teint blafard de blanc citadin et son air de fouine, Richard Neil ne pourrait jamais passer pour un gars du pays.

À peine sommes-nous descendus de l'avion qu'un chauffeur de taxi nous prend en charge, sans aucune formalité. Comme s'il nous attendait et que nous étions de la famille. Il a avancé sa voiture sur la piste même, les portières arrière sont ouvertes, et il sourit de ses quelques dents. Saisissant mon sac d'une main jaunie par le tabac, il nous fait comprendre que nous n'avons pas d'autre choix.

— Les autres passagers ont quelqu'un qui est venu les prendre, vous comprenez? Par conséquent, vous êtes sûrement les visiteurs annoncés par la compagnie aérienne. Vous venez voir la mission?

Gulshen, prise au dépourvu, répond:

— Oui, bien sûr, mais auparavant, nous aimerions rencontrer quelqu'un. Mme Pinusiat.

— J'aurais dû m'en douter! C'est sûr, c'est une femme qui, comme vous, si vous permettez, a vu du pays! Ça se voit! Ça se sent, même. Bien sûr, je vous y conduis.

Gulshen et moi, anxieuses, sommes déjà dans la voiture et tombons sur la banquette arrière, comme si l'avion venait à l'instant de nous larguer en plein vol directement sur la cible. De l'autre côté du pare-brise, le chauffeur continue à parler tout en contournant la voiture. Il s'assied, démarre et hoche la tête.

— Kitura Pinusiat! Mais elle refusera de vous recevoir, ajoute-t-il aussitôt. Quand elle est revenue au pays – oh! Je vous parle d'il y a longtemps, des années, des années –, il ne se passait pas un mois sans que quelqu'un du sud vienne l'interroger. Vous comprenez?

L'homme donne une tape amicale sur l'épaule de Neil, qui s'est assis à sa droite.

— Des gens exactement comme vous, monsieur ! Ce que je vous en dis, c'est ce qu'on m'a raconté. Comprenez-moi. Je ne suis pas né à Hopedale, mais c'est tout comme. Plus de quinze ans dans ce bled. J'ai des racines, quand même. Ma mère est du Labrador, mais je suis né à St-John's. Sur le rocher, comme on dit. C'est la mine qui m'a attiré ici. Je suis venu pour travailler à la mine de nickel, à Voisey's Bay, puis j'en ai eu marre d'attendre qu'elle ouvre enfin. J'ai trouvé du travail, je suis resté, je ne sais pas pourquoi. Les autres s'en vont. Surtout les jeunes. Que voulez-vous qu'ils foutent ici ?

Ses yeux dans le miroir nous dévisagent.

— Mais vous, les filles, vous êtes du pays, ça se voit. Il y a belle lurette que vous êtes parties, non ? C'était avant mon temps, si vous permettez.

Gulshen et moi échangeons un sourire. Instinctivement, je prends sa main posée sur le siège.

— Oui, la pauvre vieille ! reprend le chauffeur. Elle n'est pas âgée, vraiment. Seulement elle vit comme si elle l'était, vous comprenez ? Il y a quand même un bon bout de temps qu'ils ne sont pas venus la cuisiner. Je crois qu'ils ont abandonné. Ils ont compris qu'il valait mieux la laisser en paix. Selon moi, elle se méfie. Je ne sais pas ce qu'ils lui voulaient. Mais, sûrement, elle n'a jamais rien dit. Sans quoi, pourquoi seraient-ils revenus à répétition ? Vous comprenez ? Même à nous, qui sommes d'ici, elle parle peu. Il y a quelques vieux qui se souviennent du jour où elle est partie. Je n'en suis pas. Vous comprenez ? C'est qu'il y a beaucoup de va-et-vient ici. Les jeunes s'en vont. Et les vieux meurent. C'est comme ça.

La voiture vient de déboucher au bord de la baie, et le chauffeur ralentit. Il agite la main par la fenêtre, en un geste vague, comme s'il s'adressait à un paysage lointain. Puis il immobilise la voiture.

— Eh bien, nous y voici, le cœur de Hopedale. Le centre-ville, si vous voulez. Avec tous ses six cents habitants. Et la Pinusiat, elle habite tout là-bas, au fond, précise-t-il en allongeant le bras vers une montagne de granit qui surplombe les habitations. Je ne peux pas vous y conduire, explique-t-il, ce n'est qu'un sentier. La prochaine fois que vous viendrez, dites-le-moi, j'irai vous prendre en tout-terrain !

J'essaie de rire avec lui, pour la forme, mais je ne produis qu'un gloussement qui me paraît plutôt funeste. Je pense seulement : se peut-il que tout soit si facile à partir de maintenant ? L'homme sort pour ouvrir le coffre arrière. Gulshen lui donne un billet de vingt dollars, qu'il empoche en lui remettant quelques potins en guise de monnaie :

— Vous verrez. C'est tout petit, ici. Vous ne pouvez pas vous tromper. Elle est toujours à la maison. Sauf quand elle n'y est pas. Alors, elle est à la mission. Elle y travaille de temps à autre. Drôle de pistolet, vous verrez. Commencez par sa maison. Puis la mission. De toute façon, ça vaut le coup d'œil. Entièrement rénovée. Un musée, si on veut. Parcs Canada, ils font du beau travail, vous comprenez ?

Nous avons déjà fait quelques pas lorsqu'il ajoute :

— Elle n'était pas seule, paraît-il, le jour de son départ pour le grand voyage. Mais il n'y a qu'elle qui soit revenue. Alors vous comprenez… À l'époque, ce fut un drame, ici. Personne n'aime en parler. Et moi, je n'en sais rien. Je n'étais pas ici. Ça ne me regarde pas. C'est la petite maison grise, au bout du chemin, au fond là-bas. Vous la voyez ? Mais je vous préviens, la dame, elle est un peu fêlée, ça se comprend !

Le sentier sur fond d'herbe monte en gradins entre des dos de pierre couverts de lichen. Le paysage est comme un corps brisé qui laisse paraître tous ses os sous la peau tendue. À nos pieds, les dépressions entre les blocs gris sont hérissées de petites tiges vertes qui s'agrippent aux rides de la pierre. Elles portent à leur sommet un pompon de laine fine comme de la soie qui emprisonne la lumière du soleil. Je m'arrête pour souffler un moment, et des enfants paraissent, interrompant leurs jeux, la main posée sur le front pour parer au soleil, les dents éclatantes entre leurs lèvres entrouvertes. Nous montons encore de quelques pas et, soudain, la petite maison grise est devant nous. Une cabane munie d'un tuyau rouillé en guise de cheminée. Un chien hirsute s'approche, le pelage couvert de poussière. Visiblement, il dormait dans un trou et n'a pas le cœur à l'ouvrage. Il s'étire en levant son arrière-train puis jappe deux ou trois fois sans conviction en direction de la cabane. Un rideau bouge dans le petit carré de vitre au centre de la porte. La pénombre fait place à une tache plus pâle. Un visage. La moitié d'un regard de femme. Impassible.

D'un geste de la main, je retiens Neil. Je suis moi-même trop émue pour aller plus loin, et je reste plantée au bout du sentier, les tibias plaqués contre la grosse caisse de bois qui sert de perron à la masure. Gulshen monte les deux marches bringuebalantes, suivie du chien qui agite la queue en reniflant Neil. Au moment où Gulshen s'apprête à frapper, la porte s'entrouvre. Je vois une femme qui a été jeune et belle, mais qui est assombrie comme un soir qui tombe. De l'embrasure, elle nous scrute l'une et l'autre. Moi, j'ai le soleil qui me nargue, et je ne vois que la moitié de son visage et l'ombre de ses cheveux noirs qui battent au vent. Au moment où son regard passe sur moi, je fonds. J'ai la mâchoire tendue à en avoir mal, j'essaie de calmer mes lèvres qui tremblent. À travers un léger brouillard, je vois Gulshen tendre la main, maladroitement.

— Madame Pinusiat ? Nous sommes sœurs, et nous voulons…

Gulshen s'arrête net. D'un geste impératif, la femme a levé la main, les doigts ouverts, comme un avertissement, une interdiction. Elle ouvre la porte toute grande, s'avance, nous regarde de nouveau, puis, d'un geste ample et interminable, elle porte les deux mains à son visage. Ses yeux noirs brillent, comme si des étoiles fondantes allaient en jaillir. Elle étouffe un cri. Le chien miaule et se couche. Mes jambes râpent le bois. J'ai poussé si fort vers l'avant que je tombe presque à genoux sur la caisse. Je tente de me lever, mais je suis aveuglée par le soleil. Gulshen m'aide, je suis debout devant la porte, et ma sœur me guide, puis nous pénétrons dans le petit réduit, main dans la main, en suivant la femme qui recule, les mains toujours plaquées sur les joues, des mains creusées de rides qui appuient si fort que les paumes semblent vouloir se toucher, des mains qui font bouger sa tête lentement, comme pour tracer un grand «Non! Ce n'est pas possible!» Moi, au contraire, je lis dans ses yeux: «Merci, mon Dieu!»

Nous sommes incapables de parler pendant une éternité, enlacées dans un vide absolu. Je suis muette et Gulshen s'exprime pour nous deux. Elle répète «Kitura, Kitura» comme si elle avait prononcé ce nom toute sa vie. Nos bras se détendent. Kitura revient à elle la première. Elle nous repousse avec tendresse, essuie de ses doigts son visage mouillé, qui brille dans la pénombre.

— Oh! Combien de temps j'ai attendu. Si longtemps. Mes filles, quel bonheur, si vous saviez.

Nous nous enlaçons de nouveau.

— J'ai l'impression de ne pas avoir parlé depuis plus de vingt ans, soupire Kitura. Ce n'est pas parce qu'ils n'ont pas essayé. Hovington, Dahler. Ils sont venus me voir des douzaines de fois. Ainsi que leur âme damnée, le petit Winter. Je n'ai jamais desserré les dents. Ni pour eux ni pour personne. Ils ont voulu m'arrêter, me faire condamner. Mais ils n'avaient rien contre moi. Tant que je ne parlais pas, ils ne pouvaient rien. À vous, je peux tout dire.

Kitura s'interrompt soudain et pivote de gauche à droite. Je sais. Dans son énervement, elle a oublié qu'il y avait une troisième personne avec nous. Richard Neil est monté sur le perron et se tient maladroitement au seuil de la porte. Un seul regard suffit pour éveiller l'instinct de Kitura.

— Il est avec eux?

— Non, fais-je, il est avec nous.

— C'est un ami ? De la famille ? s'informe-t-elle, toujours inquiète.

— Ni l'un ni l'autre, mais tu n'as rien à craindre.

— Je préfère que nous soyons seules, insiste-t-elle.

Je referme la porte au nez de Richard et nous nous retrouvons dans la pénombre. Kitura nous embrasse encore une fois et se dirige vers le fond de la pièce. Elle revient avec une feuille de papier.

— Je savais que vous veniez. Il y a deux jours que je tourne en rond. J'ai reçu ceci pour vous. D'Erich. Vous connaissez Erich Stark ?

Je fais un signe négatif de la tête.

— Alors, constate Kitura, vous ne savez vraiment rien, mes pauvres petites. Je vous dirai tout. C'est grâce à lui si j'ai pu revenir ici.

Elle me tend la feuille. C'est une liste de noms. Des adresses, des numéros de téléphone. Le mien s'y trouve, et celui de Gulshen. Je vois aussi celui des deux sœurs qui m'avaient écrit à l'hôpital. Je compte, je m'affole. Les lettres dansent devant mes yeux. Il y a sept autres noms. Je lève les yeux vers Kitura et je tends la feuille à Gulshen.

— N'est-ce pas merveilleux ? triomphe Kitura.

Je ne sais pas, je ne sais plus, je titube et je dois m'asseoir sur le lit. Gulshen est aussi chancelante que moi. Je me revois à l'hôpital découvrant que j'avais trois sœurs. Je revis l'angoisse qui me tenait à Istanbul lorsque Gulshen et moi tentions de savoir pourquoi nous avions été séparées.

— Erich vous a retrouvées, poursuit Kitura, toutes, les onze sœurs.

Elle semble si heureuse. Nous sommes démolies. Nous cherchions une mère qui aurait eu quatre filles. Onze, ce n'est pas possible.

— Erich a écrit que, après l'accident, avec l'identité de Vicky, de ses parents adoptifs, le nom de l'orphelinat en Chine et la date de l'adoption, il a pu retrouver les autres.

Je suis encore abasourdie lorsque Kitura s'approche et me demande, le plus naturellement du monde :

— Toi, laquelle es-tu ?

— C'est moi Vicky, et elle, c'est Gulshen, dis-je machinalement.

— Non, ce n'est pas ce que je veux dire.

Kitura pose sa main sur ma joue et me caresse doucement.

— Ça n'a pas d'importance, vous étiez toutes mes filles, chacune d'entre vous, vous étiez nos filles à toutes.

Il y a un voile dans sa voix, un linceul de tristesse. Comme si elle songeait à l'une en particulier. Puis elle saisit mon poignet et, lentement, soulève mon bras gauche comme s'il était inanimé et léger comme de la plume. Je la laisse faire, docile comme un bébé qu'on habille chaudement pour aller jouer dehors dans la neige. Kitura étire mon bras très haut, approche son autre main de mon aisselle. Comment sait-elle que j'ai là une marque indélébile ?

Kitura me sourit, replace mon bras le long de mon corps. Puis elle va vers Gulshen. Une fraction de seconde, je perçois l'anxiété d'une mère dans les yeux de cette femme. Elle prend maintenant le poignet de ma sœur.

— Et toi ?

Gulshen lève le bras. Posant son autre main sur la joue de Kitura, elle lui dit, tout en plongeant ses yeux dans les miens :

— Moi aussi, j'ai une tache de naissance.

Kitura, rabaissant doucement le bras de Gulshen, hoche de nouveau la tête et laisse échapper un soupir. Elle serre nos poignets, affectueusement.

— Vos mères étaient Katia Agvituk et sa propre sœur, Norma. Vous êtes donc doublement sœurs, mes filles.

Elle demeure songeuse, absente, envolée quelque part dans le passé, avant de reprendre :

— Ce ne sont pas des taches de naissance. Vous ne saviez pas, vous ne pouviez pas savoir. Vous étiez si petites lorsque le malheur est arrivé.

Kitura doit surmonter sa tristesse avant de poursuivre :

— C'est un tout petit tatouage inuit que l'on vous a fait peu après la naissance. C'était la seule façon de vous distinguer à coup sûr les unes des autres.

Comme par magie, elle se transforme une fois de plus et se frappe les mains, comme une enfant. Elle rit de si bon cœur que la tension des derniers instants se relâche.

— Mais vous deux, aujourd'hui, avec vos vêtements et votre maquillage, impossible de se méprendre.

Avec un clin d'œil elle conclut :

— Gulshen, tu es l'orang-outang et toi, Vicky, le gorille.

À sept heures trente, le Dr Robert Lemieux entra dans le laboratoire de son collègue Martin Shaw. Ce dernier avait le nez collé sur un chromatographe qu'il avait ouvert et en partie démonté. Une fine tubulure et une colonne de résine abîmée étaient posées sur le comptoir. Shaw se préparait à retirer l'injecteur lorsqu'il entendit une voix familière prononcer son nom.

— Bonjour, Martin, lança Lemieux. Tu as encore des doutes?

— Ah! Robert, te voilà! Non, non, seulement une vérification de routine. Je ferai ça plus tard.

Il referma le volet d'accès, replaça la capote protectrice en plastique sur l'appareil et entraîna Lemieux jusqu'à une table au fond de la pièce. Des plaques photographiques et des feuilles de papier graphique étaient étalées en deux groupes de part et d'autre, couvrant entièrement la surface.

— Voici les résultats de la première série d'échantillons, indiqua Shaw en posant la main sur l'étalage de gauche.

Une série de photographies montraient le chemin parcouru par de tout petits segments d'ADN sur une plaque de gel à base d'agar-agar purifié. Lorsqu'on faisait passer un courant électrique dans la gélatine, les molécules migraient plus ou moins vite en fonction de leur poids, ce qui permettait de les catégoriser. Shaw avait ensuite injecté différents mélanges dans son chromatographe pour vérifier l'identité des molécules de l'échantillon. Au bénéfice de Lemieux, il étira une feuille pliée en accordéon sur laquelle une imprimante avait tracé une longue courbe. Les noms des douzaines de molécules triées par la colonne de résine dans l'appareil étaient dûment inscrits. Il aurait fallu une mémoire d'éléphant pour les retenir et des nerfs d'acier pour suivre le même parcours, qui présentait autant de pics et d'abysses que l'indice de la bourse de Toronto sur une année.

Shaw replia la feuille et saisit une plaque qui lui semblait particulièrement réussie.

— Regarde-moi ça, s'exclama-t-il, une vraie merveille!

Le chercheur reposa la plaque et allongea le bras.

— À droite, ce sont les duplicatas, précisa-t-il. Les résultats sont identiques.

Lemieux jeta un coup d'œil rapide. Il était convaincu. Le travail de son ancien étudiant au doctorat était toujours irréprochable. Shaw était le genre d'élève dont le comportement vous réconforte lorsque les succès sont rares et que vous doutez d'avoir choisi la bonne carrière. En outre, le médecin légiste reconnaissait sur certains graphiques une signature qu'il avait vue précédemment.

— Et ils sont en conformité avec ceux qui ont été prélevés au printemps sur la victime du mont Royal, conclut-il.

— Exactement, approuva Shaw. Aussi invraisemblable que cela puisse paraître.

Lemieux appuya son derrière sur le rebord du comptoir. Les échantillons que Shaw venait d'examiner en priorité avaient été analysés à la demande de la victime, qui, cette fois, s'était présentée elle-même avec l'inspecteur Canesta pour les prélèvements. D'une certaine façon, Lemieux était conforté dans son diagnostic, celui que Canesta avait rejeté du revers de la main quelques jours après l'agression sur le mont Royal. Par contre, il subsistait encore une grande inconnue : par quel mécanisme ces morceaux d'ADN avaient-ils bien pu se retrouver dans les cellules de la jeune fille ?

— Et, poursuivit Lemieux à voix haute, comment vas-tu l'annoncer à cette jeune femme ?

— Parce que c'est moi qui dois le faire ? rétorqua Shaw.

— Tu es enseignant, c'est un travail cousu pour toi. Et surtout, je suis curieux de voir comment tu vas t'en sortir !

Au moment de fermer la porte, Ron Hovington jeta un dernier coup d'œil à l'intérieur de la chambre. Tout naturellement, il avait choisi de coucher dans le même lit que jadis. Cette fois-ci, par contre, il avait dormi seul et avait appris une chose sur lui-même qu'il aurait dû savoir depuis longtemps. Le décor de cet hôtel du Vieux-Montréal était dans la même tradition du XIXᵉ siècle que l'auberge qu'il avait achetée aux Antilles.

— Je suis d'un romantisme pathétique, dit-il en passant dans le couloir.

Dans l'ascenseur, il sortit de sa poche une petite feuille qu'il avait trouvée sur la table de chevet. Pas ce matin. Vingt-cinq ans plus tôt. Ron l'avait enfouie dans un tiroir avec d'autres rêves et souvenirs qu'il n'avait pas réussi à interpréter. Le papier avait jauni, mais le tracé des petits dessins était encore très clair. La porte s'ouvrit, Ron remit la note dans sa poche et se dirigea vers la salle à manger.

Les autres s'y trouvaient déjà. Canesta avait l'air préoccupé, mais Vicky et sa sœur étaient fraîches comme des roses.

— Bonjour, Ron, lança Vicky, vous avez bien dormi?

— Comme une bûche, mentit-il.

En réalité, il s'était levé au moins dix fois, en proie à des rêves troublants.

Hovington serra la main à ses invités et commanda un café.

— Vous savez, mesdemoiselles, je me suis informé sur des gens qui comme vous sont des copies conformes. J'ai appris que, même clonées, vous n'étiez pas identiques à tout point de vue.

Les sœurs échangèrent un regard. Hovington ne pouvait pas savoir à propos des marques qu'elles portaient à l'aisselle. Ron scruta le visage de Vicky, ses bras, ses mains. Puis il en fit autant avec Gulshen.

— Je ne vois rien d'évident, mais si vous étiez, excusez-moi, entièrement nues, je pourrais fort probablement vous distinguer.

— Comment?

— Par vos grains de beauté, et aussi par vos empreintes digitales, claironna-t-il. Ce sont des petites modifications qui se produisent après la conception, plus ou moins au hasard, lors du développement de l'embryon dans l'utérus. Ainsi, Vicky pourrait avoir un grain de beauté, disons au-dessus du nombril, tandis que Gulshen en aurait un sur la cuisse. Il faudrait voir!

Hovington était fier de son effet. Il avait révisé des notes et lu toute la littérature concernant le clonage. Il avala son café comme s'il s'agissait d'un verre d'eau puis se leva.

— Eh bien, lança-t-il en s'étirant, qu'est-ce qu'on attend?

Canesta avait garé la voiture banalisée dans un espace interdit, en face de l'hôtel. Le laboratoire de génétique médico-légale universitaire était à dix minutes vers l'est. Le Pr Shaw et le Dr Lemieux les attendaient dans un bureau du troisième étage et ils entraînèrent immédiatement leurs visiteurs à la salle de microscopie électronique. La pièce exiguë baignait dans la lumière bleutée que donnaient deux très grands écrans d'ordinateur fixés côte à côte sur le mur. Sur un bureau en angle, des tubulures et des fils reliaient de petits cylindres à un long tube blanc qui montait vers le plafond.

— Bienvenue dans notre sous-marin, blagua Shaw. Nous serons un peu à l'étroit, je m'en excuse.

Le chercheur se frotta les mains. Il n'avait pas été simple de déterminer par où commencer.

— D'abord, comme pour les analyses que je fais pour Louis et le service des enquêtes criminelles, mes observations demeureront confidentielles. Et merci à vous, madame Berger, pour ces échantillons absolument spectaculaires.

Il hésita un moment avant d'ajouter :

— Je vous ai amenés ici pour que vous réalisiez bien que nous avons affaire à des phénomènes qui sont absolument impossibles à soupçonner en voyant Mme Berger. Ni par un examen médical courant. Ils se présentent à l'échelle des cellules et sont même invisibles au bon vieux microscope optique ordinaire. Ce tube derrière moi est un microscope électronique qui permet de voir dans l'infiniment petit l'intérieur des cellules que nous avons prélevées sur Vicky. Tout a été transmis à l'ordinateur et conservé en mémoire. Ensuite, si vous le voulez, nous regarderons les résultats des analyses provenant du labo de chimie. Louis m'a dit que vous n'aviez pas de connaissances particulières dans le domaine. Je vais donc commencer par le début.

Ron avait sorti le petit rébus laissé par Colette. Lemieux, assis à sa droite, l'aperçut et s'enquit :

— Vous permettez ?

Ron lui tendit la feuille. Lemieux l'examina un moment et s'exclama :

— Eh bien, voilà ! Je n'aurais pas pu mieux résumer la situation ! Tiens, Martin, regarde !

Ce dernier examina les dessins.

— D'où tenez-vous ce croquis ? s'enquit-il.

— C'est une vieille histoire, répondit Ron. Je vous écoute, docteur Shaw.

— Très bien, reprit ce dernier. Je vais projeter l'élément qui correspond au dernier dessin sur votre feuille, monsieur Hovington.

Dès que l'image apparut à l'écran, il commenta :

— Voici une mitochondrie qui provient d'une cellule de Vicky. À plus fort grossissement, ajouta-t-il en appuyant sur une touche, vous voyez clairement des petits cercles à l'intérieur. Ce sont les petits beignets sur le croquis de M. Hovington. Il s'agit du matériel génétique de la mitochondrie. C'est de l'ADN, mais qui est différent de celui du noyau de la cellule et ne s'exprime pas, c'est-à-dire qu'il ne contribue en rien à l'apparence ni à la physiologie de Mme Berger. Cet ADN est disposé en cercle, soit la forme normale du matériel génétique dans une mitochondrie. Jusque-là, tout va bien. Mais c'est à partir d'ici que ça devient intéressant. Et unique, précisa-t-il.

Il leva bien haut le croquis qu'il avait emprunté à Ron afin que chacun le voie.

— À gauche, la baguette représente un chromosome. Les chromosomes sont dans le noyau des cellules, pas dans les mitochondries. Sur le second dessin, le chromosome a été brisé en sections, dont certaines ont été choisies. À l'étape suivante, soit le troisième dessin, on a donné à ces sections la forme circulaire d'un beignet. Enfin, tout à fait à droite, ces petits beignets ont été introduits dans la mitochondrie.

— Pourquoi ? l'interrompit Ron.

— Pour que la mitochondrie les reproduise en les copiant. Elle ne peut gérer que de l'ADN disposé en cercle. Et à la jonction de chaque cercle, ou beignet, j'ai pu déceler un code qui indique où doit débuter la copie.

— D'accord, reconnut Ron, agacé, mais je voulais dire : pourquoi ces sections de chromosome en particulier ?

— Ces sections sont des gènes. Dans les chromosomes, quatre-vingt-quinze pour cent de l'ADN est du matériel de remplissage qui n'a pas d'utilité connue. Celui qui a fait ça a donc choisi seulement les gènes.

— Il n'avait qu'à insérer les chromosomes directement dans les mitochondries, suggéra Canesta.

— Impossible, rétorqua Shaw, il n'y a pas de place. Les mitochondries sont trop petites pour accepter le milliard de molécules que contiennent les chromosomes. Il a donc fallu choisir et n'insérer que les segments qui sont des gènes.

Ron bouillait d'impatience.

— Professeur Shaw, c'est un bon cours, mais voyez-vous, j'ai ce croquis depuis vingt-cinq ans. J'en avais déduit à peu près tout ce que vous venez de nous dire. Des chromosomes ont été brisés en segments, dont certains ont été choisis et reformés pour être ensuite insérés dans une mitochondrie. Mais je n'ai toujours pas compris quel en était le but.

— Selon moi, le premier objectif était de faire en sorte que la mitochondrie les reproduise. Lorsqu'une cellule se divise, les mitochondries à l'intérieur font un double d'elles-mêmes ainsi que de leur matériel génétique avant de se répartir dans les deux nouvelles cellules.

— Je ne comprends pas pourquoi celui qui a fait ça s'est donné tout ce mal, rétorqua Ron. Et dans quel tissu avez-vous trouvé ces mitochondries ?

— Vous ne saisissez pas bien. Peut-être n'ai-je pas parlé assez clairement. Il y en a dans tous les tissus, toutes les cellules de Vicky Berger. Quel que soit l'endroit où vous prenez un échantillon, et peu importe sa taille, vous les trouverez.

— Elles y sont depuis sa naissance ? intervint Canesta.

— Depuis sa conception, corrigea Shaw. Et…

Le sujet était délicat et le professeur avait besoin de l'assentiment de la principale intéressée.

— Vicky, vous permettez ?

La jeune femme approuva de la tête et Shaw poursuivit :

— Sans connaître Mme Berger, je puis affirmer qu'elle a été conçue par une méthode artificielle. Par insémination in vitro. Ces mitochondries, qui en passant sont en nombre anormalement élevé chez Vicky, ont nécessairement été introduites dans l'ovule avant la fécondation. Cela ne fait pas le moindre doute. Et c'est plutôt génial, du strict point de vue scientifique.

Lemieux esquissa un sourire. Lorsque son ancien élève s'enthousiasmait, il était difficile de l'arrêter.

— Voyez-vous, à ce stade, on peut tout faire, tout va être pris en charge par l'ovule, naturellement. Ce qui est formidable avec les cellules à cette étape de leur vie, c'est qu'elles acceptent les visiteurs sans rechigner.

Pas de formalités, pas de réaction immunitaire, pas de rejet. C'est ce qui rend possible le transfert de gènes, la transgenèse. On est pour ainsi dire comme aux premiers âges de la vie sur Terre. Personne ne se demande à quelle espèce il appartient, ni même s'il est un animal ou une plante. Les possibilités sont presque infinies. Mais je m'emballe, excusez-moi.

— Qu'alliez-vous dire ? intervint Canesta.

— Eh bien, Vicky est une sorte d'hybride. Ses cellules contiennent un noyau tout à fait normal, qui opère comme chez vous et moi, et qui la rend parfaitement humaine. Mais ses cellules renferment également ces étranges mitochondries porteuses de gènes.

— Ce qui fait, suggéra Ron, que Vicky a deux séries de gènes au lieu d'une.

— C'est vrai, mais ce n'est pas cela qui est véritablement remarquable. Ces mitochondries ne sont pas humaines. Et les gènes qu'elles portent ne le sont pas non plus. Les deux proviennent d'une autre espèce, le gorille.

En revenant de l'université, la voiture progressait à peine dans la circulation dense de la rue Viger. Canesta, à son habitude, conduisait nerveusement, tournant constamment la tête vers la gauche et la droite comme un oiseau. Il ne s'intéressait nullement aux véhicules devant lui. Il scrutait les piétons dans le petit parc, les occupants des autos emboutaillées sur les voies de droite. L'inspecteur gardait toujours en tête le faciès des criminels recherchés ou en cavale. Plus d'un s'était fait bêtement pincer au volant d'une auto, ou sur un trottoir avec un sac de provisions dans les bras.

Ses yeux passant dans le rétroviseur, il croisa le regard de Vicky, assise au centre de la banquette arrière, entre Gulshen à sa droite et Hovington de l'autre côté.

— C'était vous, Vicky, uniquement vous, lança Canesta. Il n'y a jamais eu de gorille ce matin-là. Ni aucun autre jour.

— Pas sur le mont Royal, en tout cas ! précisa Vicky.

Lemieux, qui était installé à l'avant, se retourna.

— Et vous, Gulshen, puisque vous êtes sa sœur jumelle, vous avez forcément été conçue de la même façon. Portez-vous aussi des gènes de gorille ? ironisa-t-il.

— Non, fit Gulshen en riant nerveusement. Je suis un orang-outang !

Vicky devinait ce qui se passait dans la tête de Ron et des deux autres : ils se sentaient soudainement coincés dans une auto avec deux primates.

— Eh ! lança-t-elle, ne faites pas cet air-là ! Nous ne sommes pas ces créatures à tête de lion, à ventre de chèvre et à queue de dragon qui terrifiaient les gens au Moyen Âge. Nous sommes humaines.

Lemieux éclata de rire.

— Vous semblez on ne peut plus humaines. Mais à vrai dire, et je vous invite à vérifier la définition dans un dictionnaire, vous êtes bien des chimères, c'est-à-dire un organisme créé à partir des patrimoines géné-tiques de deux espèces différentes. Ce que vous êtes incontestablement.

— Chez moi, les chromosomes du gorille sont des passagers clandestins, voilà tout, protesta Vicky. Ils ne s'expriment pas.

Gulshen, qui n'avait cessé de rigoler depuis la réfé-rence aux chimères, insinua moqueusement :

— Quoique…

Ron s'exclama :

— Arrêtez ! Vous allez vraiment m'effrayer !

Vicky croisa de nouveau le regard de Canesta. Il se racla la gorge. Il avait pris soin de replacer chacun des carnets du journal de Vicky dans le bureau de son pavillon.

— Lorsque j'étais toute petite, commença Vicky, ne sachant même pas que je portais le gorille en moi, il m'arrivait parfois d'avoir des idées étranges. Comme de vouloir faire un nid.

— Un nid? s'étonna Ron.

— Les gorilles se font un nid de feuilles et de branchages pour passer la nuit, expliqua Vicky. Docteur Lemieux, dites-moi, je me pose cette question depuis quelques jours. Depuis que je sais. Croyez-vous que ce soit possible qu'un gène de gorille m'ait d'une façon ou d'une autre transmis un tout petit comportement qui soit particulier à cet animal?

— Ouille! s'écria Lemieux en levant les bras. Ici, vraiment, nous nageons loin des bornes du connu.

Ron intervint:

— Mais moi, je vais vous dire une chose. Si c'était effectivement le cas, Monier et son épouse en seraient des plus heureux.

— Pourquoi dites-vous cela? lança Gulshen.

— Autant vous le dire, ça n'a plus d'importance maintenant. Il y a vingt-cinq ans, alors que je m'occupais de «votre» cas, j'avais obtenu l'accès, sans qu'ils le sachent bien sûr, aux courriels et aux conversations qu'Hélène et Thomas échangeaient. Ils étaient très préoccupés par le sort de la planète et surtout par les espèces qui disparaissaient. C'était beau, ce qu'ils disaient. Et savez-vous quoi? Je crois que c'est en lisant leurs messages que je me suis mis à les apprécier, ces deux bougres!

Il fronça les sourcils. Ce qu'il n'arrivait toujours pas à comprendre, par contre, c'était pourquoi Monier avait placé les gènes de singes dans les embryons de ces jeunes femmes.

— Qu'importe, reprit-il. Monier et son épouse cherchaient une façon de déchiffrer ce qu'un animal pense. Ils étaient persuadés que si les gens savaient ce qui se passe dans leur tête, ils seraient plus respectueux envers les animaux.

Robert Lemieux, qui avait songé à la question de Vicky, leva un doigt.

— Sous toutes réserves, Vicky, commença-t-il. Supposons que lorsque vous n'étiez même pas encore un fœtus, simplement un amas de cellules, une de vos mitochondries de gorille s'est déchirée et elle a perdu son contenu ou une partie de son contenu. Un ou plusieurs gènes de gorille auraient pu être pris en charge par le noyau d'une cellule souche. À ce stade, ces cellules sont tout à fait capables d'absorber des gènes et ensuite de les dupliquer et de les activer si l'environnement et le gène sont compatibles. Ainsi, des gènes de gorille auraient pu se retrouver sur un de vos chromosomes humains. Mais je m'arrête ici. C'est déjà plus que de la spéculation !

— Ce n'est pas impossible, donc.

— Théoriquement, non. Et j'ajouterais que, dans votre cas, par une coïncidence vraiment extraordinaire, si le gène de gorille en question était lié au comportement de nidification, et si la cellule souche qui les a pris en charge était dans la lignée qui a donné le système nerveux...

— Bingo ! lança Gulshen.

Elle fut prise d'un rire incontrôlable.

— Tu vois bien, Gulshen, que je ne suis pas folle ! rétorqua Vicky.

Ses paroles furent coupées par un coup de klaxon. Canesta venait d'enfoncer l'avertisseur. L'auto fit une embardée sur la gauche et grimpa sur le trottoir, son pare-chocs amochant au passage un arbuste en fleurs. Canesta actionna le frein et les feux d'urgence.

— Ron, suivez-moi! cria-t-il en bondissant hors de l'habitacle.

Sur le trottoir opposé, un homme s'était mis à courir. Hovington se lança derrière Canesta, et ils contournèrent la voiture par l'arrière. Sautant sur la chaussée, l'inspecteur, les mains levées, tentait de se frayer un passage entre cinq rangées de voitures. Dans le bouchon, les chauffeurs ne voulaient pas céder un mètre. Les deux hommes franchirent un premier rang et s'immobilisèrent aussitôt pour laisser passer une voiture qui fonçait en klaxonnant. Canesta vit Winter sauter une clôture, traverser une pelouse et disparaître derrière un bâtiment. Ses poursuivants se précipitèrent, insensibles aux crissements de pneus qui les talonnaient. Ils atteignirent enfin le trottoir. Canesta sauta sur le gazon, Ron en fit autant deux secondes plus tard et le mur de brique les avala tous deux.

À cet instant seulement, Lemieux eut le réflexe de verrouiller les portes et de lancer un appel à la centrale de police. Il s'étira le cou pour trouver un repère.

— Nous sommes un peu à l'ouest de l'hôpital chinois, précisa-t-il. Canesta est à pied, il va vers le nord, quelqu'un est avec lui.

Pendant qu'il parlait dans son portable, debout devant les plates-bandes fleuries, Lemieux voyait à cinq cents mètres à peine la façade de la cour municipale qui partageait le même édifice que la centrale de police. C'était peu si on volait au-dessus d'une carte touristique, mais beaucoup plus loin dans la réalité. Entre les deux, il y avait un petit parc, une bretelle surgissant d'une autoroute souterraine et une autre artère à sens inverse. Toutes les rues environnantes étaient à sens unique. Lemieux regarda sa montre. « Déjà deux minutes », estima-t-il. Lorsqu'il entendit enfin les sirènes, elles faisaient du surplace dans la circulation aussi peu fluide que de la tire d'érable.

Vicky ouvrit la porte côté trottoir. Elle se buta à Lemieux.

— Restez à l'intérieur, ordonna-t-il sèchement. Verrouillez les portes, montez les vitres.

Il ne savait pas pourquoi il avait hurlé et réagi ainsi. Cela ne s'était pas produit depuis des années. Les réflexes avaient surgi tout naturellement. Protéger les témoins. Les passagers, les civils. Contre quoi, au juste ? Peu importait. Il ne savait pas où Canesta courait, mais il se sentait responsable tant qu'il ne serait pas revenu. Lemieux avait été policier, même pas un an, avant de se lancer dans les études d'anatomopathologie. Un très long chemin, mais il avait été outré qu'on ne trouve pas de preuve pour épingler le salaud qui avait mutilé le cadavre sur lequel Lemieux était tombé à la suite d'un appel anonyme. Il sentit la pression du sang battre dans le bas de son dos et il porta tout son poids sur son pied droit, allongeant la jambe gauche pour libérer la tension.

La douleur commençait à s'apaiser lorsqu'il entendit un cognement derrière lui. Vicky frappait frénétiquement l'intérieur de la vitre de ses doigts repliés. Lemieux se pencha. Gulshen, le visage défait, s'était réfugiée contre sa sœur. À travers la vitre de la passagère, un masque hideux dodelinait. Le visage grimaçant d'un homme aux yeux fous. Des filets de crachat descendaient sur la vitre. D'une main, l'homme serrait sa propre gorge comme s'il tentait de s'étrangler lui-même. Lemieux se redressa d'un coup. Il vit une main agrippée au rebord du toit de l'autre côté. Il se précipita vers l'avant. L'homme se raidit, lâcha la voiture et disparut sur son vélo entre les files de véhicules. Par réflexe, Lemieux fit quelques pas dans sa direction, mais le cycliste était déjà loin.

Une minute plus tard, Canesta et Hovington arrivèrent de l'est. Ils étaient en sueur et à bout de souffle.

— C'était lui, c'était Winter, lâcha enfin l'inspecteur. Il avait garé son vélo dans la cour, derrière.

— Il nous a bien eus, haleta Hovington, appuyé à la portière.

— Mais quel hasard! annonça Lemieux.

Canesta fit un signe négatif de la main.

— Il nous a suivis ce matin. Lorsque je l'ai vu sur le trottoir de l'autre côté, il venait de là-bas, expliqua-t-il en pointant l'index vers le nord-est. De l'université, de l'édifice où se trouve le labo de Martin Shaw. Il nous épiait, l'animal.

L'inspecteur prit son portable et composa le numéro de son assistant. Neil et un collègue partirent aussitôt pour l'est de la ville, jeter un coup d'œil à la maison de Winter, pendant que Canesta conduisait les deux sœurs et Hovington à l'hôtel de ce dernier.

— Ne les quittez pas d'une semelle, ordonna-t-il à Ron. Je reviens vous chercher tout à l'heure.

Neil rappela Canesta trente minutes plus tard. À la vieille maison de la rue Notre-Dame, les sceaux de police avaient été brisés, la serrure de la porte arrière, déjà chancelante, avait été forcée. Richard avait fait un tour rapide des lieux. Il était difficile de dire si c'était un cambriolage ou si Winter était retourné récupérer des documents ou un objet quelconque. Tout avait été saccagé, éparpillé et laissé dans un fouillis indescriptible.

Hovington s'affala dans un fauteuil au bar du St-James. Il était claqué après sa course à la remorque de Canesta pour rattraper Winter. Le salaud s'était moqué d'eux. Tout comme il s'était amusé à effrayer les deux sœurs, uniquement pour démontrer qu'il contrôlait la situation. S'il avait vraiment voulu s'en prendre à elles, il aurait frappé. Il attendait le moment propice, sachant bien que Canesta ne passerait pas sa vie accroché à leurs basques. Hovington regarda les deux sœurs. Elles ne semblaient pas se rendre compte du danger qui planait sur elles.

— Nous avons vu Kitura, annonça Vicky. Merci, Ron, de nous avoir donné son nom à Antigua.

— Il n'y a pas de quoi, dit-il en levant son verre.

— Selon notre marché, vous pouvez nous interroger à votre tour.

Hovington se posait surtout des questions sur lui-même, auxquelles il était le seul à pouvoir répondre. Par exemple : pourquoi s'accrochait-il à ce vieux dossier comme un alcoolique à sa bouteille ?

— Il y a tout de même une chose que je n'arrive pas à comprendre, soupira-t-il. Pourquoi diable Monier s'est-il amusé à vous affubler de ces gènes de primates, vous et Gulshen ?

— Pour conserver les gènes du gorille et de l'orang-outang indéfiniment ! Dans nos cellules, et dans les cellules des enfants que nous aurons, ils seront là. Et aussi chez leurs enfants à eux.

— Ils serviront à quoi ?

Vicky n'avait aucun doute à ce sujet.

— À recréer le gorille et l'orang-outang, affirma-t-elle, et à les réintroduire sur terre un jour. Ou sur une autre planète…

— Mais si le but est de conserver des gènes, il est bien plus simple de les congeler à très basse température !

Vicky se détourna. Elle ne voulait pas argumenter sur ce sujet avec Ron Hovington. Ni avec qui que ce soit. Elle avait suffisamment songé aux raisons qui avaient motivé Hélène et Thomas à les concevoir, ses sœurs et elle, telles qu'elles étaient. Simplement, l'on ne confie pas une mission à un congélateur. Les limites des appareils, des machines et des programmes de recherche et de conservation étaient évidentes : pannes de courant, coût, entretien, financement à long terme, changements dans les politiques et le reste. Les congélateurs ne sont pas comme les humains, ils n'ont pas de droits, ils ne durent pas et, surtout, ils ne se reproduisent pas par eux-mêmes.

— Il voulait que ce soient des humains qui les portent, Ron. Après avoir rencontré Hélène, Thomas a compris que ces espèces, c'étaient des humains qui les faisaient disparaître et que c'étaient aux humains d'en assumer la responsabilité et d'assurer leur survie.

Ron avait au moins saisi que Thomas avait conservé la firme DNAtura afin d'avoir libre accès aux cultures de cellules de milliers d'espèces sauvages. Il n'avait pas d'autre question, mais Vicky en avait.

— Kitura nous a dit que vous l'aviez interrogée après son retour au Canada. Comme elle ne répondait à aucune de vos questions, vous lui avez raconté votre propre séjour en Corée du Nord, votre visite à l'orphelinat… Je suppose que vous pensiez que cela lui délierait la langue ?

Hovington approuva de la tête. Cela n'avait pas fonctionné. Kitura Pinusiat avait sympathisé avec lui aussi chaleureusement qu'un bloc de granit. Il but une lampée de bière et leva son verre à l'intention des deux sœurs. Vicky braqua ses yeux sur les siens.

— Ron, pourquoi êtes-vous allé en Corée du Nord ?

La voix était calme, n'exprimait pas de reproche, comme quelqu'un qui veut simplement savoir. Ron aurait aimé être aussi calme, mais il se sentait de nouveau au confessionnal. Sinon, il aurait été si simple de répondre : « C'était il y a vingt ans et je faisais mon travail. »

— Aviez-vous un motif personnel ? insista Vicky.

— Aucun ! Mais bon sang, qu'allez-vous chercher là ? protesta Ron.

— Vous êtes même retourné à l'orphelinat ! Pensiez-vous pouvoir sortir avec onze bébés dans les bras ? Et pour les emmener où ?

Ron n'avait pas de défense, pas d'alibi. Seulement des circonstances atténuantes : aujourd'hui, les sœurs étaient vivantes. Dispersées, mais vivantes. Alors que s'il n'était pas allé à l'orphelinat, les gamines auraient grandi à Sariwon. À l'âge de quatre ans, selon Mme Choi, elles auraient été placées. Puis, elles seraient devenues onze petites écolières nord-coréennes. Ron revoyait les jeunes en habit de pionnier, souriant de toutes leurs dents dans la benne du camion. Ils descendaient sur le plat au bord de la rivière pour se rassembler là où des drapeaux rouges fichés en terre jalonnaient le lieu du travail communautaire. Ils arrivaient de partout sous la pluie. Ils chantaient, ils riaient, ils se bousculaient en épierrant les champs labourés. Ils chargeaient les cailloux dans des paniers accrochés au dos des hommes qui les portaient à la rivière. De la voiture garée sous les grands arbres, Ron voyait l'eau éclabousser leurs jambes quand les pierres tombaient et s'entrechoquaient dans un lointain roulement de tonnerre.

— Nos mères, auriez-vous pu les sauver aussi ? le relança Vicky.

Le jour où Ron était tombé sur Colette aux mains des militaires, il avait réagi comme un soldat au front. Continuer coûte que coûte, jusqu'au bout. Sariwon était l'objectif. Ce n'est qu'en sortant de l'orphelinat, la première fois, qu'il avait craqué. Presque perdu les pédales. Il avait été à un cheveu de se mettre à crever le décor, à le déchirer de ses mains nues, pour montrer à Mlle Kim, au chauffeur, à tous, qu'il y avait des manipulateurs qui tiraient les ficelles de leurs vies. La pièce était une mauvaise blague que des comédiens jouaient aux dépens de millions de figurants. Et lui-même, Ron, était un comédien. Le plus faux, peut-être.

— Excusez-moi, Ron, ce n'est pas un interrogatoire, assura Vicky. Nous ne vous blâmons pas. Nous cherchons seulement à comprendre ce que vous tentiez de faire.

C'était très simple, songeait Ron. Colette lui avait donné une piste, et il l'avait suivie sans penser aux conséquences.

— Nous étions si près les unes des autres, ajouta Vicky.

La nuit aussi, parfois, Ron se remémorait la dernière image de sa visite à l'orphelinat de Sariwon. Une scène qu'il associait à une représentation graphique de la conscience. Au moment où il avait quitté la pièce dans laquelle Mme Choi gardait les deux à quatre ans, les onze petites jumelles identiques, partageant leur gobelet, étaient assises en cercle, inclinées l'une vers l'autre, si calmes, toutes tournées vers l'intérieur. Comme si elles se parlaient.

— Nous désunir a laissé une blessure ouverte, poursuivait Vicky. Nous étions des sœurs siamoises que l'on a séparées sans ménagement pour ensuite nous disperser dans le monde entier dans des familles d'adoption. Ces gens ont été bons pour nous, et probablement que notre vie en Corée du Nord aurait été plus difficile matériellement. Mais nous avons passé plus de vingt ans à ne pas savoir qui nous étions parce qu'il nous manquait la plus grande partie de nous-mêmes. Heureusement, nous avons retrouvé le lien entre nous et nous allons bientôt former le cercle de nouveau.

Vicky tourna son regard vers Gulshen. Depuis que Kitura leur avait appris qu'elles étaient onze sœurs, leur but était de se réunir toutes, comme autrefois. C'était un cri du cœur, mais aussi un moyen de vérifier la petite théorie que Gulshen avait élaborée. Elle n'avait aucun fondement scientifique mais permettait d'expliquer les phénomènes que Vicky et Gulshen avaient vécus : le fait qu'elles soient des clones les rendait plus sensibles l'une à l'autre, plus à l'écoute. Les déjà-vus n'étaient ni des illusions ni des souvenirs mal localisés que les manuels de psychologie nomment paramnésie. Les lapsus et les trous de mémoire n'étaient pas dus à l'inattention. Tout cela faisait partie d'un système. « Quand la tête n'est pas là, c'est qu'elle est ailleurs, disait Gulshen. Les absences et les silences sont des portes ouvertes. » Simplement, à ces moments précis, selon sa conclusion, l'une des sœurs envoyait un message, ou bien son propre cerveau percevait ce que l'une des autres regardait. Les onze étaient reliées d'une façon analogue à celle des personnes qui utilisent un même ordinateur en temps partagé.

— Ron, interrogea Vicky, nous pouvons vous faire confiance ?

— À quel propos ? s'étonna-t-il.

— Nous allons réunir les onze sœurs à un endroit que Gulshen a choisi. Vous pourriez vous joindre à nous, suggéra Vicky.

— Absolument, répondit Ron sans hésiter.

Il était soulagé que l'on soit passé à un autre sujet.

— Une dernière chose, Ron. Lorsque vous êtes allé à Sariwon la première fois, vous avez vu combien d'enfants ?

— Dans tout l'orphelinat ou dans la dernière salle, celle où vous…? hésita-t-il.

— La dernière, oui.

— Une trentaine, je dirais.

— Des garçons et des filles?

Ron fouillait dans sa mémoire. Ce n'était pas facile de se souvenir. Il faisait si sombre. Plusieurs enfants ne s'étaient pas approchés. Il se remémorait des yeux qui flottaient au fond de la pièce.

— Surtout des filles, estima-t-il, mais je pense qu'il y avait quelques garçons.

— Tous coréens? s'enquit Vicky.

— Je ne comprends pas ce que vous voulez dire…

— Et moi, maintenant, je vous fais confiance et je crois que vous ne saviez pas. Lorsque Colette est montée sur le voilier à Brême, elle était enceinte.

Il faisait encore nuit lorsque l'appel du muezzin résonna aux quatre coins de la ville d'Iğdir. La prière relayée par les haut-parleurs logés dans des douzaines de minarets réveilla d'un coup plusieurs étrangers dispersés dans quelques hôtels et pensions. Même s'ils avaient été prévenus, ce brusque contact matinal avec la Turquie leur mit le cœur dans la gorge. L'instant d'après, sortis des limbes du sommeil, ils succombèrent au charme de cette lente mélopée qui semblait issue du ventre de la terre.

Au même instant, dans l'agglomération de Dogubayazit, située à cinquante kilomètres plus au sud, un autre groupe d'étrangers, répartis eux aussi dans divers établissements, étaient accueillis de la même façon. Leur frayeur se transforma également en joie. Le grand jour était arrivé, et ils commencèrent aussitôt leurs préparatifs.

Ce n'était pas la simultanéité de ces réveils qui étonnait. L'heure de l'appel à la prière est la même dans tout l'est de la Turquie. C'était plutôt le fait que certains de ces visiteurs se ressemblaient au point qu'on aurait pu croire que la même personne venait d'ouvrir les yeux en plusieurs lieux à la fois.

Une heure plus tard, devant l'hôtel Isfahan de Dogubayazit, trois voyageurs attendaient. Deux femmes et un homme. L'une dans la vingtaine, les deux autres avaient vingt ans de plus, et ils tuaient le temps en observant les rites du réveil du petit patelin. Un chien en chasse les contourna, la tête dans les épaules. En face, un homme bâilla pendant qu'il repliait le grillage en accordéon devant ses vitrines. Sur la gauche, une vieille femme vint s'asseoir sur la marche de pierre devant l'entrée de sa maison. Elle portait un fichu orange et une robe à motif floral blanchie par l'usure, et Vicky nota que cette femme était exactement au même endroit lorsqu'ils étaient arrivés à l'hôtel la veille en fin de journée.

L'instant d'après, le taxi qu'ils avaient réservé le soir précédent vint se garer devant le petit groupe. La jeune femme remit au chauffeur une feuille sur laquelle sa sœur avait inscrit des instructions en langue turque. L'homme lut et hocha la tête en souriant de toutes ses dents. Le concierge de l'hôtel ne lui avait pas menti et mériterait bien sa commission. Cette course lucrative jusqu'au volcan marquait le début d'une bonne journée.

L'orée de la ville était à deux pas, et la voiture déboucha bientôt sur un paysage de la Genèse. Il sembla aux passagers qu'ils étaient au point de départ d'une traversée du désert. Une plaine nue et crevassée dessinée à grands traits de brun, de rouge et de rose s'étendait jusqu'à l'horizon, cernée de montagnes arides dont les flancs s'affaissaient chaque jour un peu plus. Les crêtes projetaient des contreforts ravinés et nus comme les doigts d'un géant qui grimpait à l'assaut depuis l'autre versant.

La poussière que soulevait la voiture se mit bientôt à former des taches de lumière en montant vers le ciel, pendant qu'au sol les ombres s'allongeaient. Soudain, le soleil parut au loin, aussi chaud que la bouche d'un lance-flammes. Ses rayons frappèrent de plein fouet deux sommets qu'aucun passager n'attendait. Ils s'élevaient si haut dans le ciel que le relief précédent parut dérisoire. Le chauffeur montra de la main les cimes, que sa paume tournée vers le haut semblait porter. Il annonça dans un anglais approximatif, quoique sur un ton qui trahissait un grand respect :

— Regardez montagnes maintenant. Après, dans les nuages. Dans la poussière. Le petit est Kucuk Agri. Le grand est Buyuk Agri Dagi. Très fameux montagne. Très haut. Cinq mille cent trente-sept mètres. Vous monter aujourd'hui ?

La jeune femme eut un léger mouvement de recul devant la tâche que l'homme proposait. Les deux sommets étaient les bouches jumelles d'un même volcan éteint. Le plus haut portait une mince calotte d'un blanc aussi éclatant que la neige. Une brochure à l'hôtel disait que le manque d'oxygène donnait la nausée et la migraine, et que le vent froid et aride transformait en momie celui qui s'y aventurait sans vêtements chauds, sans eau, sans nourriture.

— Non, merci, répondit Vicky. Nous allons seulement voir et marcher un peu.

— Moi arranger trekking pour vous ! rétorqua le chauffeur.

— Vous êtes gentil, merci. Une autre fois peut-être. Nous avons rendez-vous avec des amis. Nous allons seulement regarder, nous recueillir.

— Demain, alors. Aller voir Ishak Pasha Saray. Grand et beau. Turc : *saray*. Anglais : palais. Palais de Ishak Pasha. Très facile, seulement six kilomètres. Derrière, précisa-t-il en se retournant. Plus belle maison au monde : architecture ottomane, perse, géorgienne, arménienne. Route de la soie.

— Oui, peut-être, je verrai avec l'hôtel.

— Non, moi direct. Auto privée, plus confortable. Moins cher.

Le chauffeur tendit sa carte de visite, que la jeune fille empocha en souriant.

Le taxi entra dans un étroit défilé et la montagne disparut. Au-delà d'un virage, une charrette de bois était immobilisée au milieu de la route. Son chargement de branchages oscillait dangereusement, un essieu semblait cassé. Un vieil homme fouettait son âne qui ahanait, l'arrière-train accroupi sur la chaussée. Le chauffeur enfonça le klaxon au lieu des freins et passa à vive allure, deux roues sur l'accotement. Au sortir du canyon, les volcans revinrent, tout près et encore plus gigantesques. Le chauffeur annonça, en montrant le plus haut des deux sommets :

— Turc, nom : Agri Dagi. Anglais, nom de Bible : mont Ararat !

L'homme dévisagea ses passagers un à un, l'œil brillant et la bouche en attente, comme s'il venait d'annoncer la date et l'heure officielles de la fin du monde. Canesta, qui n'était pas du tout versé dans les religions, se tortilla.

— Vous devez connaître la Bible, vous, Kitura ?

Celle-ci, qui n'avait pas prononcé un mot depuis son réveil, s'illumina.

— Enfant, à Hopedale, j'assistais aux cours du dimanche à l'église moravienne. Cette confrérie n'a d'autre croyance que ce qui est dit dans les Saintes Écritures. Dans la Bible, si vous voulez. Alors, normalement, je devrais la connaître par cœur.

— Et le mont Ararat ? demanda Canesta.

— Cela concerne l'arche de Noé. Lorsque le déluge a pris fin et que la pluie s'est arrêtée, le niveau des mers s'est remis à descendre et les terres les plus hautes ont émergé. La Bible dit que l'arche a touché terre en un lieu près du sommet d'une montagne. Cette montagne, c'est le mont Ararat.

Tard dans l'après-midi, dans une vallée au sol rocailleux épousant la forme d'une selle, là où les flancs des deux bouches du volcan se rejoignent, Vicky parla. Elle s'adressa aux dix autres jeunes femmes qui étaient ses sœurs jumelles. Kitura écoutait en silence. Ron, inquiet, portait son regard en alternance vers la gauche et la droite, comme le garde du corps d'une vedette. Canesta, lui, ne tenait pas en place. Des jumelles à la main, il marchait en suivant une longue spirale qui l'éloigna du groupe. Les sens en alerte, il cherchait un endroit où quelqu'un aurait pu se dissimuler. La vallée était lisse, sans relief, mais il avisa une éminence en direction du second sommet. Canesta s'y dirigea aussitôt.

Vicky avait appelé ses sœurs à elle. Elles se réunirent en un grand cercle, joignant leurs mains, les bras tendus vers le ciel. Leurs silhouettes contre le flanc du mont Ararat formaient une figure humaine onze fois répétée, comme une ribambelle dessinée par le mouvement de ciseaux dans une bande de papier. La lumière mettait en relief le petit tatouage que chacune portait à l'aisselle. Un petit cercle, avec en son centre quelques lignes symbolisant une espèce animale. Onze primates que la destruction de leur habitat naturel avait fait disparaître de la surface de la Terre. Vicky prononça leurs noms, tout en posant son regard sur chacune de ses sœurs :

— Gorille, orang-outang, bonobo, siamang, nasique, moustac, atèle, babouin, colobe, gibbon, chimpanzé.

À distance, Canesta entendit les noms répétés par l'écho. Il arrivait sur l'éminence qui, de près, n'était plus qu'une butte arrondie par l'érosion. Il ne vit personne, ni derrière, ni autour. En bas, le cercle lançait de longues ombres humaines sur le sol rouge et ocre. Il en compta treize. Ron et Kitura s'étaient joints aux sœurs. Il réalisa qu'il était très loin du groupe, et il allait rebrousser chemin lorsqu'il remarqua sur la montée en face, de l'autre côté de la selle, surplombant les autres mais à son niveau à lui, une masse rocheuse. À l'aide des jumelles, il constata qu'il ne s'agissait pas d'un rocher massif, mais d'un empilement de roches. En forme de croix. Non! Ce n'était pas une croix, se corrigea-t-il, c'était une forme humaine, un inukshuk. Affolé, Canesta se mit à crier à pleins poumons :

— Attention ! Vicky, Gulshen ! Ron ! Éloignez-
vous !

Sa voix se répercuta, s'amplifia, l'écho déformait les
mots : «... tention... tion ! vous... vous !» Les têtes en
bas se tournèrent dans toutes les directions, cherchant
la source de l'écho. Canesta se mit à descendre en courant dans un nuage de poussière.

Au même moment, loin en face sur l'autre pente,
un homme surgit derrière la petite construction inuite
en pierres. Il galopait vers les filles, un objet sous un
bras, une arme dans l'autre main. Canesta savait que
si l'homme ne trébuchait pas pour rouler dans la pierraille, il atteindrait les femmes longtemps avant lui.
L'inspecteur s'arrêta, sortit son arme et mit un genou
à terre. Winter était trop loin et zigzaguait en descendant à folle allure. Canesta vit Ron courir vers
l'agresseur. Vicky le suivit. Plus rapide, elle rejoignit
Hovington, le dépassa dans sa course vers le haut et
s'arrêta net. Canesta baissa son arme et se remit à
courir.

Les pieds bien campés au sol, Vicky s'adressa à Winter
d'une voix ferme que l'écho amplifiait :

— Samuel ! hurla-t-elle.

L'homme ralentit sa course mais poursuivit sur sa
lancée. De la terre sèche, du sable et des cailloux roulaient devant lui. Vicky répéta :

— Samuel ! Samuel Winter ! Arrête-toi ! Écoute-
moi !

L'homme s'immobilisa à quelques mètres de Vicky.
Canesta s'arrêta et visa. La jeune femme était dans
son champ de tir. Aux jumelles, il reconnut l'objet que

Winter tenait sous son bras : le petit navire de bois qui dominait la chambre mortuaire dans sa maison sur la rue crevassée. Son poing tenait un automatique à long canon, trafiqué, avec un chargeur. Assez pour abattre tout ce qui bougeait dans la vallée au-dessous.

Vicky répéta d'une voix forte, mais plus calme :

— Samuel, écoute, c'est moi, Vicky.

La jeune femme voyait le trou noir du canon pointé sur elle. Les cheveux et le visage de l'homme étaient gris de poussière. Ses traits émaciés étaient ceux d'un ascète, ses yeux rougis semblaient regarder dans l'au-delà. Winter s'assit sur le sol, déplaçant son arme, qui jeta un rayon de lumière. Des cailloux dévalant la pente roulèrent aux pieds de Vicky.

— Écoute ce que j'ai à te dire, Samuel.

Winter visait maintenant, par-delà son corps à elle, ses sœurs et Kitura réunies plus bas, main dans la main.

— Tout est comme dans le livre, claironna Vicky, dans ce grand livre que tu vénères. L'homme a péché, il a détruit le paradis. Il n'a pas su préserver ce qui lui avait été donné. La mer, les arbres, les forêts, les animaux qui y vivent.

Vicky sentit son cœur qui voulait sortir d'entre ses côtes. Elle essaya de calmer sa respiration haletante. Le canon bougea, se braquant de nouveau sur elle.

— Mes sœurs et moi, nous portons des espèces que ton Dieu a créées. Pour les sauver. Tu n'as pas le droit de les détruire. Nul n'en a le droit.

Samuel demeurait immobile dans le gravier et la poussière.

— Après des années et des années d'errance, nous sommes arrivées en cet endroit, comme il était écrit, Samuel. Comme il est écrit dans la Bible. Tu ne peux pas t'y opposer. Pas sur le mont Ararat. L'arche, que tu aimes tant!...

Winter avait posé sa petite arche sur ses genoux, son corps se balançait d'avant en arrière, comme celui d'un rabbin psalmodiant. Sa main droite crispée sur l'arme tremblait. Le trou noir regardait Vicky, lançant les rayons que l'acier du canon prenait au soleil.

— L'arche de Noé, continua triomphalement Vicky, en levant le bras dans son dos en direction de ses sœurs, c'est elle, elle, elle aussi, et c'est moi. L'arche, c'est nous!

La main gauche de Vicky était sur son cœur, l'autre était tendue vers l'homme prostré devant elle. La montagne renvoya les mots « arche », « nous », « nous », puis le silence revint.

Soudain, le bruit d'une rafale éclata. « Tak, atak, atak, atak… » Vicky ne sentit rien, ni regret, ni douleur. Seulement un doux état de délivrance après avoir tout essayé, tout donné. Ce n'était pas ainsi qu'elle avait envisagé la mort. La montagne répéta : « tak, atak, atak, atak… » Le son déjà était lointain, un éclat au sein d'une rumeur qui montait, inexorablement, couvrant la vallée, la terre entière. La jeune femme laissa sa main glisser sur sa poitrine, tâtant de ses doigts incrédules, cherchant de ses yeux ébahis le sang rouge sur son ventre. Sa chemise était d'un blanc éclatant, comme une lumière au bout du tunnel de soie de ses longs cheveux flottant autour d'elle. Elle se vit couchée sur la crinière d'un cheval noir galopant vers le soleil. «Je quitte mon corps, se rappela-t-elle avoir lu quelque part. Voilà pourquoi je ne sens rien, je ne vois pas mes blessures.»

«Tak, atak, atak, atak», entendit Vicky de nouveau. Une image horrible lui vint: mes sœurs! Cette fois, elle ressentit la douleur comme un coup de massue. Elle pivota lentement, il s'était passé à peine une seconde, tout allait si vite, alors qu'elle au contraire, comme dans un rêve, bougeait si lentement. Elle regretta d'avoir cherché à retrouver ses sœurs, de les avoir entraînées jusqu'ici pour qu'elles se fassent abattre elles aussi. Elle les aperçut enfin au bas de la coulée par où elle était montée. Instant de bonheur, elles étaient toutes là, intactes, si petites au fond de la vallée qui résonnait et hurlait comme si le volcan s'était à ce moment précis réveillé. «Canesta!» cria-t-elle. Il n'était pas avec elles.

Vicky fit un pas, étonnée que son corps réponde. Son pied heurta un caillou et sa cheville en tournant lui fit mal. Cette sensation la ramena sur terre et mit en lumière une évidence: elle n'avait pas vu le feu jaillir au bout du canon. Jamais. Winter n'avait pas tiré! Reportant son regard vers la cime enneigée, elle le vit se lever, tourner les talons comme un automate. «Tak, atak, atak, atak…», crépita l'air une fois de plus, hurlant la mort dans toute la vallée. Abasourdie, Vicky pressa les mains sur ses oreilles. Elle vit l'arme tomber sur le sol et crut que Winter l'avait retournée contre lui. Mais il était toujours debout, le visage défait, un bras ballant, l'autre pressant son arche sur sa poitrine. L'air absent, il se retourna, se mit à gravir la pente, ahanant, trébuchant sur des pierres dans son ascension de plus en plus saccadée. Il disparut au-delà de l'inukshuk vers le sommet enneigé.

Encore sous le choc, Vicky entreprit de redescendre et laissa tomber ses bras le long de son corps. « Tak, atak, atak, atak, atak… », entendit-elle encore, tout près, mais presque noyé dans un rugissement de fin du monde. Ron, à quelques pas, et les autres en bas regardaient tous vers un même point dans le ciel en direction de la frontière avec l'Arménie. Vicky aperçut un objet volant dans le bleu sombre entre les deux sommets. Une énorme machine arrivait dans un train d'enfer, l'un de ces monstres qui emportent au large les équipes vers les plates-formes pétrolières. L'appareil ralentit et passa au-dessus du groupe dans un bruit assourdissant. Au moment où Vicky rejoignait Ron sur la pente, l'hélicoptère descendit et se posa. Le moteur se tut, le rotor fit quelques tours en sifflant comme une tornade, puis le silence revint.

— Les voilà enfin! lâcha Hovington à Vicky.

Deux hommes sortirent de la carlingue. L'un, qui semblait être le pilote, rejoignit le groupe de femmes et l'autre se dirigea vers Vicky et Ron.

— Qui est-ce qui arrive, Ron? s'inquiéta Vicky.

— Un mort vivant, annonça ce dernier, jubilant.

Vicky sentit son cœur monter comme une boule dans sa gorge. Elle avait reconnu le grand blond qui approchait. C'était Hank Dahler. Ron affichait toujours le même sourire.

— Ron, comment a-t-il trouvé? insista Vicky.

Hovington fit un petit geste de la main en haussant les épaules.

— C'est moi qui lui ai donné l'endroit. Et l'heure.

Hank montait dans le gravier à grandes enjambées, son front en sueur luisant sous le soleil.

— Mais pourquoi, Ron? Vous m'aviez dit que, pour vous, la poursuite était terminée! Que nous pouvions avoir confiance en vous!

— Je l'ai dit, en effet.

— Alors je ne comprends pas.

— Hank est un ami.

— Ça, je le sais! s'indigna Vicky.

Elle s'éloigna vers ses sœurs en bas. Ron la rattrapa.

— Un ami à vous, je veux dire. Il n'est pas contre vous. Il n'est pas de l'autre côté.

— Je ne comprends pas, s'entêta Vicky.

— Il y a belle lurette que Hank ne travaille plus pour les services secrets.

— Mais alors? lança Vicky en s'immobilisant.

— Hank est dans le privé. Et il a dépensé des millions pour vous retrouver. Enfin, les millions de son client. Et des années, des années! Vous ne pouvez pas savoir la patience dont il a usé pour...

— ... attraper le plus gros des poissons! compléta Hank en posant le pied devant la jeune femme.

Elle passa outre, poursuivant son chemin vers ses sœurs. Hank lui emboîta le pas, marchant de côté sur ses longues jambes, comme un crabe.

— Mademoiselle Berger, insista-t-il, je vous avais bien dit que je n'étais pas pressé. De toute façon, ce soir-là dans l'avion pour Paris, je n'étais pas absolument certain. Dans les circonstances, je ne pouvais pas prendre le risque de me tromper sur la personne.

Il lui tendit la main. Celle de Vicky était toute molle, à peine si son bras la portait encore.

— Bonjour, Hank!

— Bonjour, bonjour! répéta-t-il en agitant le bras de la jeune femme comme s'il voulait lui redonner du tonus.

Ils étaient arrivés auprès des autres et Hank se retrouva au milieu du cercle, haletant.

— Pardonnez-moi, reprit-il, si je vous ai effrayée dans l'avion.

— Je croyais que vous étiez avec eux. Avec le BRNO, avec Winter. C'était pourtant bien vous dans le couloir cette nuit-là, à l'hôtel à Istanbul !

— Je vous ai trouvée très courageuse de sortir la tête dans l'entrebâillement de la porte, commenta Hank.

— Il était là pour vous protéger, expliqua Ron.

— Je poursuivais l'homme qui voulait s'en prendre à vous, acquiesça Hank.

— Ce n'était pas Winter ? hésita Vicky, confuse.

— Non, ce n'était pas Winter. C'était son âme damnée, Jack Minnie.

Gulshen, les mains sur les joues, s'écria :

— Et c'est vous qui... Le gardien qui l'a abattu, c'était vous ?

— Minnie a essayé de pénétrer dans la chambre de Mlle Berger, je l'ai surpris. Il s'est sauvé, je l'ai rattrapé, il est devenu docile et il m'a suivi jusqu'à ma chambre. Il s'est effondré sur le lit, m'a raconté sa vie, sa rencontre avec Winter. Il pleurait, et sans avertir il a sorti un couteau et a bondi. J'ai défendu ma peau.

À cet instant, après avoir couru depuis l'autre versant de la vallée, Canesta surgit. Il était en nage et mort d'inquiétude d'avoir assisté, impuissant, à l'attaque de Winter.

— Vicky, tout va bien ? s'exclama-t-il.

Il soufflait comme un coureur qui a pris un coup de chaleur à mi-chemin du marathon. Il se sentit pris d'un vertige, ébloui, voyant onze visages qui lui souriaient, tous semblables à celui de Vicky.

— Vicky, ça va ? répéta-t-il en s'efforçant de reprendre son calme tout en la cherchant des yeux. Vicky ? bredouilla-t-il.

— Je suis là, Louis, le rassura Vicky en avançant vers lui.

Elle l'entoura de ses bras et lui glissa à l'oreille :

— Vous avez un œil sur moi, mais vous n'arrivez pas à vous souvenir de ce à quoi je ressemble !

Il la pressa contre lui.

— Vous n'avez rien, Vicky ?

— Tout va bien, Louis, tout va bien.

Elle se retourna vers Dahler.

— Dites-moi, Hank, pour qui travaillez-vous ?

— Pour Thomas Monier.

— Dans le but de ?...

— ... vous retrouver.

— Ah...

— Vous toutes ! Et aussi afin de vous transmettre un message et une invitation.

— Une invitation, un message ? Quel genre de message ?

— Que vous n'êtes pas seules.

Dans les circonstances, Vicky ne voyait qu'une interprétation à donner.

— D'autres clones humains ? proposa-t-elle.

— Exactement.

— Qui portent des gènes qui ne sont pas humains.

— Oui.

— Et qu'elles préservent, inactifs.

— Pas vraiment. Pas dans leur cas. Elles sont... comment dirais-je ? plusieurs générations en avance sur vous. Elles sont étonnantes. Pas dans leur apparence, bien sûr, mais dans leur comportement, leurs pouvoirs. Vraiment au-delà de tout ce que l'on peut imaginer. Elles sont fortes comme le lion, rusées comme le renard, vives comme le guépard... Mais je ne leur rends pas justice, vous devrez le constater par vous-même. C'est pour cela que l'on m'a demandé de vous inviter à vous rendre là-bas les rencontrer.

Ce « là-bas » sonna faux aux oreilles de Vicky, en dépit de l'enthousiasme que Hank manifestait.

— Où ça ?

— À Pyongyang.

— Pyongyang ? En Corée du Nord ?

— Il y aura une grande réunion. Vous, vos dix sœurs et les autres.

— Ces autres, elles sont « là-bas » ?

— Quelques-unes y sont demeurées. Plusieurs sont déjà en route.

— En route ?

— Tout comme vous, elles ont été dispersées un peu partout sur la planète. Incognito. Indétectables. À première vue, du moins.

La main de Hank se mit à faire des pirouettes dans les airs, comme s'il tournait des pages virtuelles.

— Sauf que dans leur cas il n'y a pas eu, disons, d'erreur lors du placement en adoption et que nous savons où retrouver chacune d'elles en tout temps.

Comme chaque fois qu'elle avait eu affaire à Hank, Vicky n'arrivait pas à le cerner. Il lui sembla qu'elle devait de nouveau se méfier de lui.

— Excusez-moi, Hank, cela est si soudain...

— Je comprends. Pour les autres, pour l'équipe en Corée du Nord et pour moi qui vous ai retrouvées, c'est un moment dont nous rêvons depuis tant d'années. C'est un grand jour. Vous avez été les toutes premières, il y a vingt-cinq ans ! Un anniversaire, cela se fête…

— … à Pyongyang ?

— Oui. Vous avez déjà assisté à une grande célébration là-bas ? Je suis bête. Excusez-moi. Évidemment, non. Vous ne pouvez pas savoir. Le pays a beaucoup changé. Mais pas sa façon de fêter. Sur la grande place centrale, tout sera prêt. On aura dressé sur la façade des grands édifices d'immenses portraits de ceux qui ont fait de ce pays ce qu'il est devenu aujourd'hui. Le président, Thomas, Hélène.

Hank était devenu exubérant.

— Cette fois, reprit-il, le vôtre aussi sera affiché, plusieurs fois répété. Ainsi que celui de vos sœurs. Et il y aura des ballons géants dans le ciel, pour représenter les autres clones. À la nuit tombée, des dizaines de milliers de danseurs viendront sur la grande place illuminée. Une chorégraphie impeccable, à l'unisson. Vous verrez, il n'y a rien de plus impressionnant que de voir des milliers et des milliers de gens faire exactement le même geste au même moment.

— Hank, je ne sais pas. Je ne sais pas. Je dois au moins consulter mes sœurs.

— Faites vite alors, insista Hank.

Les onze sœurs échangèrent un bref regard puis fermèrent les yeux. Ron, qui semblait revivre, intervint :

— Je n'ai pas de bons souvenirs de ce bled, claironna-t-il, mais maintenant que je sais que j'ai un fils là-bas… Il a le même âge que vous, Vicky !

Vicky ouvrit les yeux et se tourna vers Hank.

— Et si nous refusions de vous suivre ?

— Réfléchissez bien. Vous avez pris un très grand risque en venant ici, en vous exposant de cette façon. Cette montagne reçoit des milliers de visiteurs. Les chauffeurs qui vous ont amenées ici n'ont pas la langue dans leur poche, et les journalistes voudront tout savoir sur vous. Sans compter votre admirateur Samuel Winter, là-haut. Qui sait, il pourrait décider de redescendre.

— Je ne crois pas, affirma Vicky, le regard tourné vers le sommet. Et d'ailleurs, comment a-t-il su que nous venions ici ?

— Rien de plus facile : vous avez échangé des courriels, il les a interceptés.

— Et au départ, pour me trouver à Montréal ?

— Un hasard, affirma Hank. Un pur hasard. À l'université, il y a quelques mois, vous avez donné une conférence sur le langage des gorilles. Winter s'intéresse aux langues et au langage. Il y est allé. Lorsqu'il vous a vue, il a perdu la boule.

— Quelle ironie ! Et quelle vie gâchée ! Sa mission sacrée était de m'éliminer, de nous éliminer toutes. Au contraire, il nous a permis de nous retrouver.

— Croyez-moi, reprit Hank, je ne serai pas toujours là pour vous protéger. J'ai un avion à Erevan, de l'autre côté de la frontière. Il vous attend. N'en doutez pas, c'est la meilleure solution.

— Et l'hôtel, nos bagages ?

— J'ai fait le nécessaire. Mes gens s'en sont occupés. Tout est en route vers l'Arménie. J'ai même récupéré le sac que vous aviez laissé à l'hôtel à Istanbul.

— Nos taxis aussi nous attendent, prétexta Vicky.

— Je me suis arrangé pour qu'ils soient réglés. Généreusement. Ils sont repartis avec le sourire.

— Hank, je ne sais pas. Donnez-nous quelque temps pour y réfléchir.

— Le temps que les autorités turques vous retrouvent, peut-être ?

— … les autorités ?

— La police d'Istanbul cherche toujours à interroger la personne qui était dans cette chambre et qui a été mêlée à ce meurtre.

— Moi ? protesta Vicky.

— À moins que ce ne soit l'une de vos sœurs ? Vous vous ressemblez tellement. Ils ne verront pas la différence. Quoique, en y pensant bien, ils seraient certainement embêtés d'apprendre que vous êtes si nombreuses à coller à la description que les témoins ont faite de vous !

Kitura, qui était demeurée silencieuse en compagnie du pilote, s'approcha de Vicky et lui caressa la joue.

— Vos mères vous attendent, fit-elle.

Vicky prit la main de Canesta.

— Louis ?

— J'irais n'importe où pour avoir l'œil sur vous, Vicky.

— Mais c'est au bout du monde !

Il regarda la vallée désertique et les sommets des volcans.

— Nous avons déjà fait la moitié du chemin, non ?

Erich Stark engagea le rotor, enfonça les gaz, et l'énorme machine s'éleva dans le ciel. Il la dirigea jusqu'à un point qu'il avait enregistré plus tôt au tableau de bord, puis vira à basse vitesse vers le haut sommet couronné de blanc. Au-dessous, la surface du sol se mit à monter vers le ciel. La terre et la poussière firent place au gravier, puis au roc nu des anciens champs de lave. La fin du jour colorait en rose les crêtes, creusait les ombres dans les ravins érodés, révélant le cœur bleu de la glace qui tapissait les creux. Lorsque Erich trouva ce qu'il cherchait, il descendit, faisant osciller l'habitacle pour que tous les passagers puissent bien voir. Aussitôt, l'hélicoptère repartit en grondant vers la frontière, laissant derrière lui sur le flanc du mont Ararat une forme humaine étendue face contre terre dans une plaque de neige fondante. Un jouet de bois gisait à ses pieds dans la boue.

Remerciements

L'auteur s'est inspiré des gens et des lieux qu'il a vus en Corée du Nord et ailleurs. Il est redevable aux personnes suivantes qui ont si généreusement répondu à ses questions, échangé des informations, ou accepté de lire et de commenter le manuscrit en tout ou en partie. Par ordre alphabétique, il remercie sincèrement Alan Anderson, Robert Blondin, Gaëtane Corriveau, Ayten Gorgun, France Hurtubise, Nicole Hurtubise, Marie-Michelle Morisset, Pierre Morisset, Louise Pesant et Zhang Shao Yi. François Pothier et Bradley White ont été ses précieux guides dans les dédales de la génétique et de la transgenèse. Il va sans dire que l'auteur porte l'entière responsabilité de toute inexactitude et interprétation erronée qui pourraient se trouver dans ces pages. Il tient à exprimer sa reconnaissance à Louise Loiselle, qui a pris le temps de l'aider à revoir un projet précédent. Enfin, toute son amitié et sa reconnaissance à André Bastien, sans qui cet ouvrage ne serait demeuré qu'un manuscrit impubliable.

Cet ouvrage a été composé en Adobe Caslon Pro 12,25/15,3
et achevé d'imprimer en décembre 2009 sur
les presses de Marquis imprimeur, Québec, Canada.

Imprimé sur du papier 100 % postconsommation,
traité sans chlore, accrédité Éco-Logo et fait à partir de biogaz.

certifié   procédé   100 % post-   archives   énergie
              sans chlore   consommation   permanentes   biogaz